U0163964

許錟輝總策畫　中華章法學會主編

跨界章法學研究叢書　第一冊

辭章章法變化律研究

顏智英　著

萬卷樓圖書股份有限公司出版

總序

「章法學」又稱「雙螺旋層次邏輯學」，是研究深藏於宇宙人生「萬事萬物」之間，以「陰陽二元」雙螺旋互動為基礎，產生層層「轉化」的動態作用，而形成其「雙螺旋層次邏輯」系統的一門學問。若要挖掘這種使「萬事萬物」不斷「轉化」之「雙螺旋層次邏輯」，將它們彰顯出來，則非靠由一般「科學方法」提升到哲學層面的「方法論」不可。而這些「方法論」，是可在「陰陽二元」的不斷互動下，主要經「移位」（秩序）、或「轉位」（變化）、「對比、調和」與「包孕」（聯貫 ⟷ 統一），產生「互動、循環、往復而提升」之「0一二多」雙螺旋層次邏輯運動，構成其「微觀」（方法論：個別）、「中觀」（方法論原則：概括）而「宏觀」（方法論系統：體系）的完整體系，以呈現其普遍性與適應性，而由此正式打開「跨界章法學」研究的一扇扇大門 [1]。

---

1 此扇門自1974年開始逐漸打開，見陳滿銘：《比較章法學》（臺北市：萬卷樓圖書公司，2012年11月初版）。頁1-377。即以個人專著而言，除《比較章法學》外，《學庸義理別裁》（2002年）、《論孟義理別裁》（2003年）、《蘇辛詞論稿》（2003年）、《意象學廣論》（2006年）、《辭章學十論》（2006年）、《多二一（0）螺旋結構論——以哲學、文學、美學為研究範圍》（2007年）、《篇章意象學》（2011年），皆屬「跨界章法學」之性質。

一　微觀層面的跨界章法學

這主要是就「章法類型（結構）」[2] 而言的。凡是「章法」都由「陰陽二元」互動，呈現其層次邏輯關係，而形成多種類型。這種「陰陽二元」互動觀念的論述，在中國的哲學古籍裡，很容易找到。其中以《周易》與《老子》二書，為最早而最明顯。

在此，限於篇幅，僅舉《周易》來看，它以「陰陽」為其一對基本概念，是由此陰（斷 --）陽（連 —— ）二爻而衍為四象，再由四象而衍為八卦、六十四卦的。而八卦之取象，是兩相對待的，即乾（天）為「三連」（☰）而坤（地）為「六斷」（☷）、震（雷）為「仰盂」（☳）而艮（山）為「覆碗」（☶）、離（火）為「中虛」（☲）而坎（水）為「中滿」（☵）、兌（澤）為「上缺」（☱）而巽（風）為「下斷」（☴）；而所謂「三連」（陰）與「六斷」（☷）、「仰盂」（☳）與「覆碗」（☶）、「中虛」（☲）與「中滿」（☵）、「上缺」（☱）與「下斷」（☴），正好形成四組兩相互動之運作關係，以呈現其簡單的「二元互動」之邏輯結構。後來將此八卦重疊，推演為六十四卦，雖更趨複雜，卻依然存有這種「二元互動」的運作關係，如「坎（☵）上震（☳）下」（〈屯〉）與「震（☳）上坎（☵）下」（〈解〉）、「艮（☶）上巽（☴）下」（〈蠱〉）與「巽（☴）上艮（☶）下」（〈漸〉）、「乾（☰）上兌（☱）下」（〈履〉）與「兌（☱）上乾（☰）下」（〈夬〉）、「離上（☲）坤（☷）下」（〈晉〉）與「坤（☷）上離（☲）下」（〈明夷〉）……等，就是如此。而〈雜卦〉云：

2　陳滿銘：《章法學綜論》（臺北市：萬卷樓圖書公司，2003年6月初版），頁17-33。又，蒲基維：〈章法類型概說〉，《大學國文選・教師手冊・附錄三》（臺北市：普林斯頓國際公司，2011年7月二版修訂），頁483-523。

> 乾，剛；坤，柔。比，樂；師，憂。臨、觀之意，或與或求。……震，起也；艮，止也。損、益，衰盛之始也。大畜，時也；無妄，災也。萃，聚，而升，不來也。謙，輕；而豫，怡也。……兌，見；而巽，伏也。隨，無故也；蠱，則飭也。剝，爛也；復，反也。晉，晝也，明夷，誅也。井，通；而困，相遇也。咸，速也；恆，久也。渙，離也；節，止也。解，緩也；蹇，難也。睽，外也；家人，內也。否、泰，反其類也。……革，去故也；鼎，取新也。小過，過也；中孚，信也。豐，多故也；親寡，旅也。離，上；而坎，下也。……大過，顛也；頤，養正也。既濟，定也；未濟，男之窮也。姤，遇也，柔遇剛也；……夬，決也；剛決柔也。君子道長，小人道憂也。

這些卦的要義或特性，都兩兩互動，如剛和柔、樂與憂、與和求、起和止、衰和盛、時和災、見和伏、速和久、離和止、外和內、否和泰、去故和取新、多故和親寡、上和下……等等。由此反映宇宙人生之「雙螺旋層次邏輯」，為人生行為找出準則，以適應宇宙自然之動態規律[3]。

到目前為止，透過「模式研究」（人為探索）以對應「客觀存在」（自然呈現）[4]的努力結果，已發現之「章法類型」有：今昔、久

---

3 陳滿銘：〈論螺旋邏輯學的創立——以哲學螺旋與科學螺旋為鍵軸探討其體系之建構〉，《國文天地．學術論壇》31卷1期（2015年6月），頁116-136。又參見徐復觀：《中國人性論史．先秦篇》（臺北市：臺灣商務印書館，1978年10月四版），頁202；陳望衡：《中國古典美學史》（長沙市：湖南教育出版社，1998年8月一版一刷），頁182。

4 陳滿銘：〈論辭章之無法與有法——以客觀存在與科學研究作對應考察〉，彰化師大《國文學誌》23期（2011年12月），頁29-63。

暫、遠近、內外、左右、高低、大小、視角轉換、知覺轉換、時空交錯、狀態變化、本末、淺深、因果、眾寡、並列、情景、論敘、泛具、虛實（時間、空間、假設與事實、虛構與真實）、凡目、詳略、賓主、正反、立破、抑揚、問答、平側（平提側注、平提側收）、縱收、張弛、插補、偏全、點染、天（自然）人（人事）、圖底、敲擊……等類型[5]，都由「陰陽二元」互動所形成。大抵而論，屬於本、先、靜、低、內、小、近……的，為「陰」為「柔」，屬於末、後、動、高、外、大、遠……的，為「陽」為「剛」[6]。如「正反」法以「正」為「陰」而「反」為「陽」、「因果」法以「因」為「陰」而「果」為「陽」，而其他的也皆如此，以反映自然運動的雙螺旋層次邏輯準則。

就單以「偏（陽）全（陰）」而言，「三一」語言學派創始人王希杰認為就是「方法論」，說：「值得一提的是，在〈從偏全的觀點試解讀四書所引生的一些糾葛〉一文[7]中，滿銘教授說：『讀古書，尤其是有關義理方面的專著，很多時候是不能一味單從「偏」（局部）或「全」（整體）的觀點來瞭解其義的。讀《四書》也不例外，必須審慎地試著辨明「偏」還是「全」的觀點來加以理解，才不至於犯混同的毛病。』……我認為，滿銘教授的這一說法是具有『方法論』意義的。」[8]

可見這些由「陰陽二元」互動所形成之「章法類型」（含「章法結構」），能在《周易》中尋得其哲理根源，成為「章法學」中屬於

5　陳滿銘：《章法學綜論》，頁17-32。

6　陳望衡：《中國古典美學史》，頁184。

7　陳滿銘：〈從偏全的觀點試解讀《四書》所引生的一些糾葛〉，臺灣師大《中國學術年刊》13期（1992年4月），頁11-22。

8　王希杰：〈陳滿銘教授和章法學〉，《畢節學院學報》總96期（2008年2月），頁1-5。

「微觀」層面之「方法論」；而由此呈現「微觀」層面之「跨界章法學」。

二　中觀層面的跨界章法學

這主要是就「章法規律」而言[9]的。由「章法類型」所形成之「章法結構」，是在「陰陽二元」互動之作用下，由「移位」或「轉位」與「對比、調和」、「包孕」而形成的。其中由「移位」呈現「秩序律」；「轉位」呈現「變化律」；「對比、調和」徹下、徹上以呈現「聯貫律」；由「包孕」徹下、徹上以呈現「統一律」。而這種「雙螺旋層次邏輯」之四大規律，乃先由「秩序」或「變化」而「聯貫」，然後趨於「統一」，形成「雙螺旋層次邏輯系統」。這種理論，可見於《周易》與《老子》[10]。在此，也只歸本於《周易》作簡要探討。

先以「秩序」而言，涉及「移位」，此乃「陰陽二元」最基本的一種互動，是在對待往來中起伏消息、迭相推盪而產生的。因為事物之發展是統一物分裂為兩相對待，而相互作用的運作過程，而此對待面的相互作用，在《周易》的《易傳》中以相互推移（剛柔相推）、相互摩擦（剛柔相摩）、與相互衝擊（八卦相盪）等各種表現形式[11]，為順向移位與逆向移位，提出了最精微的論證。就以〈乾卦〉來看，由初九的「潛龍，勿用」，移向九二的「見龍在田，利見大

---

9 「中觀」層面，原含「規律」、「族性」、「多元」與「比較」等內容，在此特舉「規律」以概其餘。參，見陳滿銘：〈章法學三觀論〉，高雄師大《國文學報》21期．特約稿（2015年1月），頁1-33。

10 陳滿銘：〈論章法四大律之方法論原則——以「多、二、一（0）」螺旋結構作系統探討〉，臺灣師大《中國學術年刊》33期．春季號（2011年3月），頁87-118。

11 馮友蘭：《中國哲學史新編》二（臺北市：藍燈文化公司，1991年12月初版），頁376。

人」，移向九三的「君子終日乾乾，夕惕若。厲，無咎」；再移向九四的「或躍在淵，無咎」；然後躍升，移向九五的「飛龍在天，利見大人」，形成一連串的順向位移。上九，則因已到達了極限、頂點，會由吉變凶，漸次另形成逆向移位，開始向對待面轉化，造成另一種轉位，故說是「亢龍有悔」了。而這種「移位」全離不開雙向「陰陽互動」作用：

順向：陰 ——→ 陽

逆向：陽 ——→ 陰

而六爻之所以能夠用以模擬事物的運動變化，是因「六位」能體現「道」的陰陽互動、統一之規律性。而此「六位」原則一確立，整個自然界與人類社會的基本規律全都可加以反映，故〈說卦傳〉將其概括為「分陰分陽」，「六位而成章」，以「六位」體現著哲學原理。「六爻」體現著事物在一定規律支配下的變化運動過程，從時間性上可畫分為潛在的與顯露的兩大階段，以一卦的卦象去體現，而其運動變化即可以由此清楚地瞭解而加以掌握[12]。因此，內外卦之間可以相互往來升降，六個爻畫之間也可以相互往來升降；通過這種往來升降的相互作用，就使種種的轉化運動，產生了一連串的順向移位（陰→陽）與逆向移位（陽→陰）；如：

1. 「正反」法：「正（陰）→反（陽）」（順向）、「反（陽）→正（陰）」（逆向）

12 徐志銳：《周易陰陽八卦說解》（臺北市：里仁書局，2000年3月初版四刷），頁60-73。

2.「因果」法：「因（陰）→果（陽）」（順向）、「果（陽）→因（陰）」（逆向）

這種「移位」全離不開「陰陽二元」之互動作用，由此呈現「秩序律」。

次以「變化」而言，涉及以「移位」為基礎的「轉位」[13]。由於「陰陽」互動、生生而一，使《周易》哲學之發展形成開放的序列。這一序列正體現在〈乾〉、〈坤〉兩卦的「用九」、「用六」上。而「用九」、「用六」並不局限於〈乾〉、〈坤〉兩卦，而是為六十四卦發其通例，然後每一卦位在九、六互變中，均可一一尋出因「移位」而造成「轉位」的變動歷程。由〈乾〉、〈坤〉，而至〈既濟〉、〈未濟〉，〈序卦〉不但說明了由運動變化而形成秩序的無窮盡歷程，也表示了宇宙萬物由六十四卦的位位互移，運動變化到達極點時，即會形成「大反轉」，反本而回復其根，形成另一個互動的循環系統。這一個「大反轉」，就是一個「大轉位」。這種「大轉位」可用下圖來表示：

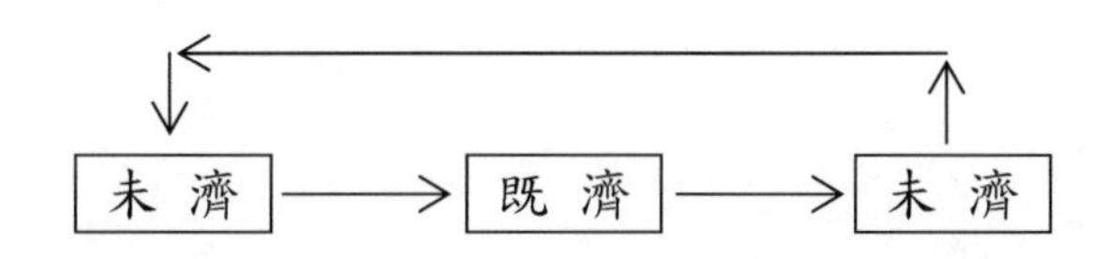

這雖是就「大轉位」而言，但「小轉位」又何嘗不是如此呢？就在這互動的「循環系統」中，自然涵蘊著無限的陰陽之「轉位」，如下圖：

13 陳滿銘：〈章法的「移位」、「轉位」結構論〉，臺灣師大《師大學報・人文與社會類》49卷2期（2004年10月），頁1-22。又，黃淑貞：〈《周易》「移位」、「轉位」論〉，《孔孟月刊》44卷5、6期（2006年2月），頁4-14。

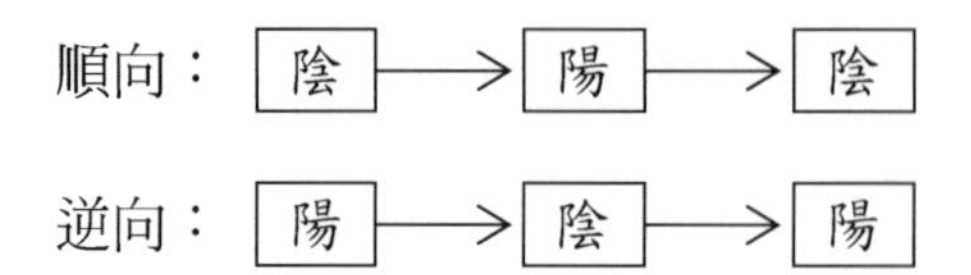

這種互動之「循環系統」，由陰陽、剛柔的相摩相推，太儀而兩儀，兩儀而四象，四象而八卦，八卦而六十四卦；再由六十四卦的位位互移、反轉，運動變化到達極點，形成「大位移」、「大反轉」，反本而回復其根，使萬物生生而無窮。因此，《周易》講「生生之德」的「生生」，即不絕之意，也深具新陳代謝之意。說明了由「陰陽二元」互動而轉化，宇宙萬物就在一次又一次的大小「移位」、「轉位」中，循環反復，永無止境。其中以「轉位」來說，產生「陰→陽→陰」（順向）與「陽→陰→陽」（逆向）的變化，如：

1. 「正反」法：「正（陰）→反（陽）→正（陰）」（順向）、「反（陽）→正（陰）→反（陽）」（逆向）
2. 「因果」法：「因（陰）→果（陽）→因（陰）」（順向）、「果（陽）→因（陰）→果（陽）」（逆向）

而由此呈現「變化律」。

再以「聯貫」而言，這種「轉化」主要有兩種：「對比」與「調和」。以「對比」而言，也稱「異類相應的聯繫」，如上引〈雜卦〉所謂的「剛」與「柔」、「樂」與「憂」、「與」與「求」、「起」與「止」、「衰」與「盛」、「時」與「災」、「見」與「伏」、「速」與「久」、「離」與「止」、「否」與「泰」……等都是，對此，戴璉璋說：「以上各卦所標示的特性或要義：剛和柔、樂和憂、與和求、起和止、盛和衰等等，都是異類相應的聯繫。」[14] 。以「調和」而言，是由史伯、晏嬰「同」的觀念發展出來的。原來的「同」，指「同一物的加多或重複」，到了《周易》，則指同類事物的「相從」，〈雜卦〉云：「屯，見而不失其居；蒙，雜而著。……大壯，則止；遯，則退也。大有，眾也；同人，親也。……小畜，寡也；履，不處也。需，不進也；訟，不親也。……歸妹，女之終也；漸，女歸待男行也。」這是以「止」和「退」、「眾」和「親」、「寡」和「不處」、「不進」和「不親」、「女之終」和「女歸待男行」等的相類而形成「同類相從的聯繫」(調和)，對此，戴璉璋說：「依〈序卦傳〉，屯與蒙都是代表事物始生、幼稚時期的情況，〈雜卦傳〉作者用『見而不失其居』、『雜而著』來描述屯、蒙兩掛的特性，也都是就始生的事物而言。此外引〈大壯〉以下各卦的『止』和『退』、『眾』和『親』、『寡』和『不處』、『不進』和『不親』、『女之終』和『女歸待男行』，都是同類相從的聯繫。」[15]。而這所謂的「對比」、「調和」，是對應於「剛柔」來說的[16]。如說得徹底一點，即一切「對比」與「調和」，都是由於陰（柔）陽（剛）相對、相交、相和的結果，如單以「章法類型」來說，「正反」法為「對比」、「因果」法為「調和」[17]。這樣結構由單一而系統、下徹而上徹，以凸顯了相反相成的互動作用，而趨於「統一」的「雙螺旋層次邏輯結構」；「聯貫律」即由此呈現。

---

14 戴璉璋：《易傳之形成及其思想》（臺北市：文津出版社，1988年11月臺灣初版），頁196。

15 戴璉璋：《易傳之形成及其思想》，頁195。

16 歐陽周、顧建華、宋凡聖編著：《美學新編》（杭州市：浙江大學出版社，2001年5月一版九刷），頁81。又，仇小屏：《古典詩詞時空設計美學》（臺北市：文津出版社，2002年11月初版一刷），頁332。

17 仇小屏：〈論辭章章法的對比與調和之美〉，《章法學論文集》上冊（福州市：海潮攝影藝術出版社，2002年12月第一版），頁78-97。

終以「統一」而言，主要涉及「包孕」。在《周易》六十四卦中，除「乾」、「坤」兩卦，一為「陽之元」，一為「陰之元」外，其他的六十二卦，全是由「陰陽二元」互動而含融、聯貫而統一的。《周易．繫辭下》說：「陽卦多陰，陰卦多陽。其故何也？陽卦奇，陰卦偶。」對此，清焦循注云：「陽卦之中多陰，則陰卦之中多陽。兩相孚合捊多益寡之義也。如〈萃〉陽卦也，而有四陰，是陰多於陽，則以〈大畜〉孚之。〈大有〉陰卦也，而有五陽，是陽多於陰，則以〈比〉孚之。設陽卦多陽，則陰卦必多陰，以旁通之；如〈姤〉與〈復〉、〈遯〉與〈臨〉是也。聖人之辭，每舉一隅而已。……奇偶指五，奇在五則為陽卦，宜變通於陰；偶在五則為陰卦，宜進為陽。」[18] 可見《周易》六十四卦，有陽卦與陰卦之分，而要分辨陽卦與陰卦，照焦循的意思，是要看「奇在五」或「偶在五」來決定，意即每卦以第五爻分陰陽，如是陽爻則為陽卦，如為陰爻則是陰卦[19]。如此卦卦都產生「陰陽包孕」之作用。這種作用，如鎖定單一結構，擴及全面，以「陽／陰或陽」而言，則可形成下列三種不同的包孕式結構：

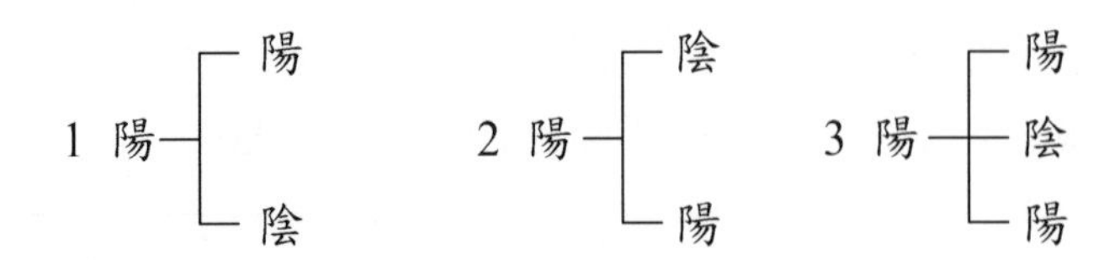

其中1、2兩種，如：

---

18 陳居淵：《易章句導讀》（濟南市：齊魯書社，2002年12月一版一刷），頁209。

19 陽卦與陰卦之分，或以為要看每一卦之爻畫線段的總數來決定，如為奇數屬陽，如是偶數則為陰。見鄧球柏：《帛書周易校釋》（長沙市：湖南人民出版社，2002年6月三版一刷），頁536。

1.「正反」法：「反（陽）／反（陽）→正（陰）」、「反（陽）／正（陰）→反（陽）」
2.「因果」法：「果（陽）／果（陽）→因（陰）」、「果（陽）／因（陰）→果（陽）」

這些都可形成「移位」結構外，3又可合而形成「轉位」結構，如：

1.「正反」法：「反（陽）／反（陽）→正（陰）→反（陽）」
2.「因果」法：「果（陽）／果（陽）→因（陰）→果（陽）」

以「陰／陽或陰」而言，則可形成下列三種不同的包孕式結構：

1 陰—陽／陰

2 陰—陰／陽

3 陽—陰／陽／陰

其中1、2兩種，如：

1.「正反」法：「正（陰）／反（陽）→正（陰）」、「正（陰）／正（陰）→反（陽）」
2.「因果」法：「因（陰）／果（陽）→因（陰）」、「因（陰）／因（陰）→果（陽）」

這些都一樣可形成「移位」結構外，3又可合而形成「轉位」結構[20]，

20 其中有關於《易傳》的論述，詳見陳滿銘：〈章法包孕式結構論——以「多、二、一（0）」螺旋結構切入作考察〉，《江南大學學報・人文社會科學版》5卷4期（2006

如：

1.「正反」法：「反（陽）／正（陰）→反（陽）→正（陰）」
2.「因果」法：「果（陽）／因（陰）→果（陽）→因（陰）」

於是就在這種作用下，結構由單一而系統，以產生下徹的作用，統合了「秩序、變化、聯貫」的轉化運動，而由此呈現「統一律」。

可見這四大「章法規律」，對「章法類型（結構）」來說，有「概括」作用，都可從《周易》（《老子》）裡尋得其哲理源泉，成為「章法學」中屬於「中觀」層面之「方法論原則」。對此，王希杰說：「陳滿銘教授……把章法變成一門科學——可以把握，有規律規則可以遵循的學問。這是一個了不起的貢獻。……但是……法則太多，可能顯得繁瑣、瑣碎，使人難以把握的。可貴的是，陳滿銘教授……力圖建立統率這些比較具體的法則的更高的原則。……創建了四大原則：（1）秩序律（2）變化律（3）聯貫律（4）統一律……這符合科學的最簡單性原則，而且也是變化無窮的。這其實就是《周易》的『方法論原則』，乾坤兩卦，生成六十四卦。所以他的章法學是一個具有生成轉化潛能的體系，或者說是具有生成性。因此是具有生命力的。」[21]

可見這些由「章法類型（結構）」所形成之「章法規律」，能在《周易》中尋得其哲理根源，成為「章法學」中屬於「微觀」層面之「方法論」；而由此呈現「中觀」層面之「跨界章法學」。

年8月），頁85-90。又，陳滿銘：〈論章法包孕結構之陰陽變化——以蘇辛詞為例作觀察〉，臺北大學《中文學報》15期〔特稿〕（2014年3月），頁1-24。

21 王希杰：〈陳滿銘教授和章法學〉，頁1-5。又，陳滿銘：〈論章法四大律之方法論原則——以「多、二、一（0）」螺旋結構作系統探討〉，頁87-118。

三　宏觀層面的跨界章法學

這主要是就「雙螺旋層次邏輯系統」而言的。從根本來看，「陰陽二元」互動乃一切「轉化」之根源，就拿八卦與由八卦重疊而成的六十四卦來說，即全由「陰陽」二爻所構成，以象徵並概括宇宙人生的各種變化，〈說卦〉說的「觀變於陰陽而立卦」，就是這個意思。《易傳》以為就在這種「陰陽」的相對、相交、相和之「互動」作用下，變而通之，通而久之，於是創造了天地萬物（含人類），達於「統一」的境地[22]。而《易傳》這種「互動」的「轉化」思想，也可推源到「和」的觀念，它始於春秋時之史伯，他從四支（肢）、五味、六律、七體（竅）、八索（體）、九紀（臟）到十數、百體、千品、萬方、億事、兆物、經入、姟極，提出「和」的觀點[23]，「作為對事物的多樣性、多元性衝突融合的體認」[24]，而後到了晏子，則作進一步之論述，認為「和」是指兩種相對事物之融而為一，即所謂「清濁、小大、短長、疾徐、哀樂、剛柔、遲速、高下、出入、周疏，以相濟也」[25]。如此由「多樣的和（統一）」（史伯）進展到「兩樣（對待）的和（統一）」（晏子），再進一層從對待多數的「兩樣」

22 陳望衡：「《周易》中的陰陽理論強調的不是相反事物的對立，而是相反事務的相交、相和。《周易》認為，陰陽相交是生命之源，新生命的產生不在於陰陽的對立，而在陰陽的交感、統一。因此陰陽的相合不是量的增加，而是新質的產生，是創造。因此，陰陽相交、相合的規律就是創造的規律。」見《中國古典美學史》，頁182。

23 《國語・鄭語》，易中天注譯、侯迺慧校閱：《新譯國語讀本》（臺北市：三民書局，1995年11月初版），頁707-708。

24 張立文：《中國哲學邏輯結構論》（北京市：中國社會科學出版社，2002年1月一版一刷），頁22。

25 《左傳・昭公二十年》，楊伯俊：《春秋左傳注》（臺北市：源流文化公司，1982年4月再版），頁1419-1420。

中提煉出源頭的「剛（陽）柔（陰）」，而成為「剛（陽）柔（陰）的統一」（《易傳》），形成了「『多』（多樣事物、多樣對待）→『二』（剛柔、陰陽）→『一』（統一）」的順序，進程逐漸是由「委」（有象）而追溯到「源」（無象），很合於歷史發展的軌跡。而這種結構，如對應於「三易」（《易緯・乾鑿度》）而言，則「多」說的是「變易」、「二」說的是「簡易」，而「一」說的是「不易」。因此「三易」不但可概括《周易》之內容與特色，也可藉以呈現「多⟷二⟷一」的雙螺旋層次邏輯系統[26]。

以順向而言，其結構為「多→二→一」，若倒過來，由「源」而「委」地來說，就成為「一→二→多」[27]了。在《老子》、《易傳》中就可找到這種說法，如：

> 道生一，一生二，二生三，三生萬物。萬物負陰抱陽，沖氣以為和。（《老子・四十二章》）
> 易有太極，是生兩儀，兩儀生四象，四象生八卦。（《周易・繫辭上》）

這樣，結合《周易》和《老子》來看，它們所主張的「道」，如僅著

26 《周易》六十四卦，由第一卦〈乾〉至第六十三卦〈既濟〉為一循環，而由第六十四卦〈未濟〉倒回〈乾卦〉開始為又一循環，如此不斷循環就有「螺旋」意涵在內。見陳滿銘：〈論「多」、「二」、「一（0）」的螺旋結構──以《周易》與《老子》為考察重心〉，臺灣師大《師大學報・人文與社會類》48卷1期（2003年7月），頁1-21。

27 就由「無」而「有」而「無」的整個循環過程而言，可以形成「（0）一、、二、三（多）」（正）與「三（多）、二、一（0）」（反）的螺旋關係。此種螺旋關係，涉及哲學、文學、美學……等，見陳滿銘：〈意象「多、二、一（0）」螺旋結構論──以哲學、文學、美學作對應考察〉，《濟南大學學報・社會科學版》17卷3期（2007年5月），頁47-53。

眼於其「同」，則它們主要透過「相反相成」、「返本復初」而循環不已的螺旋作用，不但將「一→多」的順向歷程與「多→一」的逆向歷程前後銜接起來，更使它們層層推展，「循環、往復而提高」不已，而形成了螺旋式結構，以呈現宇宙創生、含容而轉化的萬物基本動態規律。

而最值得注意的是：就在這「由一而多」(順)、「多而一」(逆)的過程中，是有「二」介於中間，以產生承「一」啟「多」的作用的。而這個「二」，從「道生一，一生二，二生三，三生萬物」等句來看，該就是「一生二，二生三」的「二」。雖然對這個「二」，歷代學者有不同的說法，大致說來，以為「二」是指「陰陽二(兩)氣」[28]。而這種「陰陽二氣」的說法，其實也照樣可包含「天地」在內，因為「天」為「乾」為「陽」，而「地」則為「坤」為「陰」；所不同的，「天地」說的是偏於時空之形式，用於持載萬物[29]；而「陰陽」指的則是偏於「二氣之良能」[30]，用於創生萬物。這樣看來，老子的「一」該等同於《易傳》之「太極」、「二」該等同於《易傳》之「兩儀」(陰陽)，因此所呈現的，和《周易》(含《易傳》)一樣，是「一→二→多」與「多→二→一」之原始結構。不過，值得一提的是：(一)即使這「一」、「二」、「多」之內容，和《周易》(含《易傳》)有所不同，也無損於這種結構的存在。(二)「道生一」的「道」，既是「創生宇宙萬物的一種基本動力」，而它「本身又體現了無(无)」[31]，那麼正如王弼所注「欲言無(无)耶，而物由以成；欲

28 以上諸家之說與引證，見黃釗：《帛書老子校注析》(臺北市：臺灣學生書局，1991年10月初版)，頁231。

29 徐復觀：《中國人性論史・先秦篇》，頁335。

30 朱熹：《四書集注》(臺北市：學海出版社，1984年9月初版)，頁31。

31 林啟彥：《中國學術思想史》(臺北市：書林出版社，1999年9月一版四刷)，頁34。

言有耶，而不見其形」[32]，老子的「道」可以說是「无」，卻不等於實際之「無」(實零)[33]，而是「恍惚」的「无」(虛零)，以指在「一」之前的「虛理」[34]。這種「虛理」，如勉強以「數」來表示，則可以是「(0)」。這樣，順、逆向的結構，就可調整為「(0) 一→二→多」(順) 與「多→二→一 (0)」(逆)，以補《周易》(含《易傳》) 之不足，這就使得宇宙萬物創生、含容的順、逆向歷程，更趨於完整而周延了[35]。而順、逆向的統合，可用「0一二多」來表示 其關係可用如下簡圖加以呈現：

(一) 單層結構系統圖：

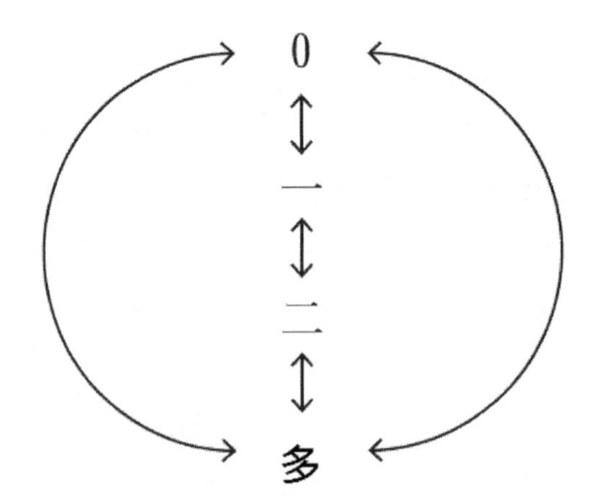

32 王弼：《老子王弼注》(臺北市：河洛圖書出版社，1974年10月臺景印初版)，頁16。

33 馮友蘭：《馮友蘭選集》上卷 (北京市：北京大學出版社，2000年7月一版一刷)，頁84。

34 唐君毅：《中國哲學原論．導論篇》(香港：新亞研究所，1966年3月出版)，頁350-351。

35 陳滿銘：〈論「多、二、一 (0)」的螺旋結構——以《周易》與《老子》為考察重心〉，頁1-21。

（二）多層結構系統圖：

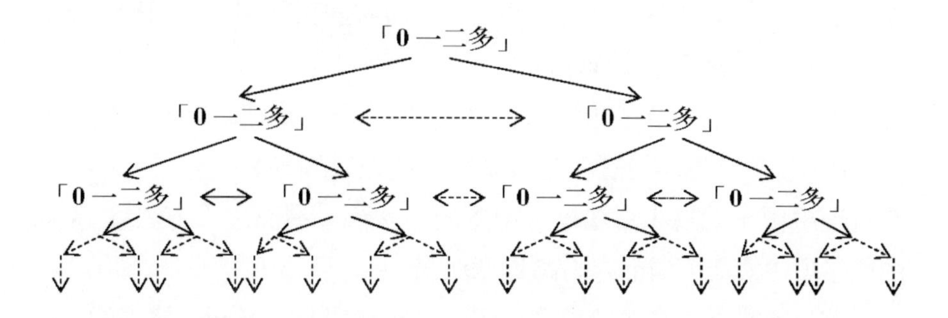

而此「層次邏輯」每一層的的內容或意象雖可以萬變、億變，但其雙螺旋結構卻不變，都以「陰陽二元」之互動為「二」，「秩序（移位）、變化（轉位），聯貫（包孕、對比與調和：下徹）為「多」，「統一」（包孕、對比、調和：上徹）為「一0」。

如此配合「章法類型（含「章法結構」）」（微觀）與「四大規律」（中觀）來看，它們的關係可表示如下簡圖：

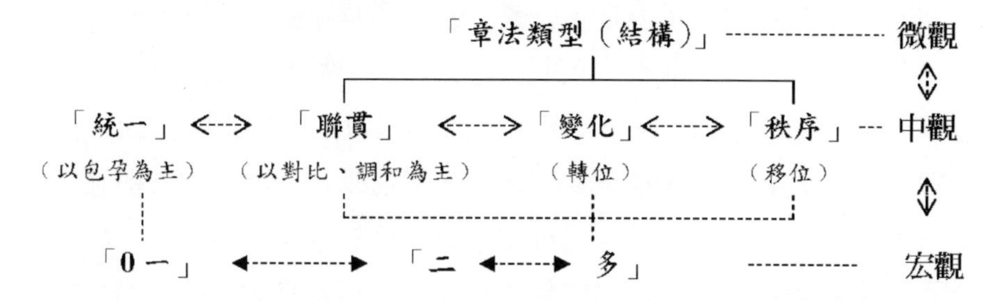

由此可見「宏觀」層的「0一二多」雙螺旋層次邏輯系統——「方法論系統」[36]，是可統合「微觀」層的「章法類型（結構）」、「中觀」層的「四大規律」（「秩序（移位）」或「變化（轉位）」、「聯貫」（以對

36 陳滿銘：〈論章法結構之方法論系統——歸本於《周易》與《老子》作考察〉，臺灣師大《國文學報》46期（2009年12月），頁61-94。

比、調和為主）與「統一（以包孕為主）」，而形成其章法學「方法論」之「三觀」體系的。而這些動態的層次邏輯理則，都同樣源出於《周易》與《老子》，清晰可辨。

可見這些由「章法類型（結構）」與「章法規律」為基礎所形成之「0一二多」雙螺旋層次邏輯系統，能在《周易》、《老子》中尋得其哲理根源，成為「章法學」中屬於「宏觀」層面之「方法論」；而由此呈現「宏觀」層面之「跨界章法學」。

綜上所述，可知「跨界章法學」是可形成其「三觀」體系的。而這一體系之確立，與「章法學」相關的研究有「雙螺旋互動」之密切關係，從四十餘年前開始，個人帶動博、碩士團隊，經由「歸納（果→因）←→演繹（因→果）」的雙螺旋互動，先從各體辭章作品之解析中，歸納為「模式」，再以演繹，歸根於《周易》與《老子》，為「模式」尋出哲理依據，如此不斷地「求異←→求同」，作「互動、循環、往復而提升」之研討，才逐漸地使「章法學」研究方法形成「方法論」體系，以呈現其「三觀」的「雙螺旋層次邏輯系統」。

對此，「三一語言學」的創始人王希杰，先論「章法學體系」時說：「章法學作為一門學問，不是有關部門章法的個別的知識，而是章法知識的總和，是一種概念的系統。章法學是一門實用性很強的學問，也有極高的學術價值。它同文章學、修辭學、語用學、文藝學、美學、邏輯學等都具有密切關係。章法學已經初步形成了一門科學。陳滿銘教授初步建立了科學的章法學體系。」[37] 再論「章法的客觀性」時就說：「凡存在的事物，都有是『章』有『法』的。德國哲學家黑格爾說：凡存在的，都是合理的。這個『理』，其實就是『章』和『法』。」然後論臺灣「章法學的方法論原則」時說：「有一篇論

37 王希杰：〈章法學門外閑談〉，《國文天地》18卷5期（2003年6月），頁53-57。

文，題目叫做〈談詞章學的兩種基本作法：歸納與演繹〉(《中等教育》27卷3、4期，1976年6月），歸納法和演繹法其實也就是章法學的基本方法。……章法學的成功，是歸納法的成功，這近四十種章法規則是從大量的文章中歸納出來的，一律具有巨大的解釋力，覆蓋面很強。同時也是演繹法的成功的運用，例如《章法學綜論》中的『變化律』的十五種結構，很明顯是邏輯演繹出來的，當然也是得到許多文章的驗證的。……值得一提的是，……大量運用模式化手法。這本是很好的方法，但是……可能顯得繁瑣、瑣碎，使人難以把握的。可貴的是，……並不滿足於單純地『歸納（歸納 ⟷ 演繹）法則』，他們力圖建立統率這些比較具體的法則的更高的原則。」[38]

而辭章學大家鄭頤壽，先論「臺灣辭章學研究的哲學思辨」時說：「章法學……涉及文章學、修辭學、語體學、邏輯學以及美學等諸多方面。綜合研究這諸多方面的章法現象及其理論體系的學問……臺灣學者陳滿銘教授，在研究這一方面具有突出的成就，雖非絕後，實屬空前。……新的學科建設必須站在哲學的高度，並以之作指導，才能高瞻遠矚，不斷開拓，建構科學的理論體系。中國古老的哲學多門，其中最有影響的是樸素的辯證法思想，……它具有濃厚的文化底蘊，融進了我國的許多學科、各個領域和生活，至今仍有強盛的生命力。臺灣辭章章法研究，能充分運用我國傳統（《周易》、《老子》）的辯證法。陳滿銘教授的《章法學新裁》一書，談篇章結構，就用了辯證法的觀點，……仇小屏博士的《篇章結構類型論》（上、下）也是全書用辯證法來建構體系的。」[39]又論「三觀體系」時說：「篇章辭章學的『三觀』理論建構了科學的、體系嚴密的學科理論大廈，是『篇

38 王希杰：〈陳滿銘教授和章法學〉，頁1-5。

39 鄭頤壽：〈臺灣辭章學研究述評〉，《國文天地》17卷10期（2001年3月），頁99-107。

章辭章學』藝術之所以能夠成『學』的最主要依據。分清這『三觀』、『大廈』的建構就有了層次性、邏輯性；抓住這『三觀』，就抓住了學科體系的『綱』和『目』。我們用『三觀』理論所作的概括、評價，應該基本上描寫了篇章辭章學的理論體系。……是從具體的『方法』到概括的『規律』，……從一個個的『章法』入手，一個、兩個、十個、三十幾個、四十幾個……『集樹成林』（微觀）之後，又由博返約，把它們分別類聚於秩序律、變化律、聯貫律、統一律之中，有總有分，形成四個章法的『族系』（中觀）。這就把章法條理化、系統化了。……（又）從分別的『章法』、『規律』到統領『全軍』的理論框架『（0）一、二、多（「多、二、一（0）」）』（宏觀）。這是認識的又一個飛躍、昇華，它加強了學科的哲學性、科學性。」[40]

又，語言風格學大家黎運漢，在論「章法學方法論體系」時說；「一門學科的建立與研究方法密切相關，學科的進步與發展有時也要依靠新的方法來解決。因此，『漢語辭章章法』要成為獨立的學科，也跟其他學科一樣，要有自己的『方法論體系』。陳滿銘教授的章法學論著中雖然沒有專章講述『方法論』，但其幾部論著中無處不散發著他在『方法論』上的自覺。……體現出其章法學具有了較為完備的『方法論體系』。」[41]

四十餘年來，臺灣章法學的研究就這樣在許多學者的支持與鼓勵下，由「章法類型（結構）」（微觀：個別）而「章法規律」（中觀：概括）而「0一二多」（宏觀：體系），形成完整的「跨界章法學」之雙螺旋層次邏輯系統，這樣由「清醒自覺」（自然）而「認知確定」

---

40 鄭頤壽：〈陳滿銘創建篇章辭章學——代序〉，見《陳滿銘與辭章章法學》（臺北市：文津出版社，2007年12月一版一刷），頁（7）-（12）。

41 黎運漢：〈陳滿銘對辭章法學的貢獻〉，《陳滿銘與辭章章法學》，頁52-70。

（人為），一路摸索，步步辛苦爬高，而在今天危然臨下，深深嘆幾口氣的同時，卻有「卻顧所來徑，蒼蒼橫翠薇」（李白〈下終南山過斛斯山人宿置酒〉詩）的感動。所謂「辛苦必有收穫」，真希望研究團隊能繼續不畏辛苦，以此為基礎，加倍努力，靈活運用具有原始性、普遍性之「章法學三觀方法論體系」，繼續多方研討，從各個角度找出「事事物物」逐層「轉化」作「雙螺旋互動」的「層次邏輯系統」，一面加深對「辭章章法學」之研究，一面擴大推出「跨界章法學」，並儘量將成果化深為淺、轉繁為簡，作積極之推廣，以期獲得各界更多的支持與鼓勵。

四　本叢書的推出

本叢書就是在這樣的期許與努力下，決定由章法學研究團隊積極陸續推出成果。本輯所呈現者即其初步成果，含如下六冊：

（一）顏智英的《辭章章法變化律研究》：「變化律」，是宇宙運動的規律，萬事萬物由於陰陽二元的互動而發生運動變化，變化的歷程之中又形成了「移位」、「轉位」等現象，中、西方哲人都觀察到了這些自然界運動變化的規律，而有「變化哲學」的著述產生。「變化律」，也是人心共有的心理反映，人們抽繹出自然界移位及轉位的「變化之理」，透過人之「心」，可以投射到哲學、文學、藝術等的領域，應用的範圍十分廣泛。本書即為「變化律」在文學辭章章法分析的應用，先從中、西方的哲學典籍探討變化律的哲學義涵，再落實至文學作品（以古典詩詞為考察文本）材料間關係的實際分析，歸納梳理出章法變化律會形成「移位」及「轉位」等兩大類型的章法結構，而且可以涵蓋章法所有的結構現象，最後，尋繹章法變化律的心理基礎與美學特色，完整地呈現章法變化律的理論體系，也有效凸顯出「變化律」在章法規律系統中的重要地位。

（二）黃淑貞的《辭章章法四大律》：所有形式的存有，顯示了動態性、聯繫性、整體性等三種基調。在「動」的歷程中，它會產生不斷的變化；而其歷程，必然形成秩序，也必然經由局部和局部的聯貫，逐步趨於整體的統一。章法四大律，根植於這些邏輯規律。本書以《周易》《老子》為核心文獻，探討秩序與變化的移位轉位，探討陰陽二元對待與對比、調和，掌握宇宙萬物由「多」而「二」而「統一」的運行規律。在章法層面，卯榫理論和實踐，探究四大律的原則、範圍和內容。至此，哲學的意味和章法的內涵，終有了動態的整體的聯繫。

（三）陳滿銘的《唐宋詞章法學》：早在二〇〇七年就有學者認為本書作者「在當代詞學史上首要的貢獻是開創了『詞學章法學』這一新的研究領域。」又說他：「以章法學方法來剖析唐宋詞人創作的實踐來看。『章法學』的確能解此急。」且說：「在完成『章法學』全部體系建構的同時，也就開創了『詞學章法學』這一研究領域。」（曹辛華〈論陳滿銘先生的詞學貢獻〉）過了將近十年之後，終於推出本書，而縮小範圍，僅聚焦於「唐宋詞」，安排如下十章來探討：依序是：章法學「三觀」系統、時空虛實、包孕邏輯、多層解析、辭章評賞、篇章思維、篇章意象、創新潛能、潛顯互動、章法風格。這十章，除第一章為總論，藉理論體系以統合其他九章外，其餘九章都從不同層面或角度切入，用章法對「唐宋詞」作兼顧「求異 ⟷ 求同」、「直覺表現 ⟷ 模式探索」雙螺旋互動之探討，以見「唐宋詞章法學」之重要內涵，供研究者參考。

（四）蒲基維的《辭章風格教學新論》：「風格教學」是語文教學中重要的一環，也是訓練學生培育鑑賞能力、提升美感素養所必備的學習範疇。歷來對於辭章風格的分析，多偏於印象式、直覺式的批評，對於學生而言，仍舊是霧裡看花，終隔一層。本書從辭章學的意象、修辭、章法、主題等領域切入，探討風格形成的內在規律，建構具體的的理論。並以中學一綱多本的詩歌教材為分析對象，不僅理論與實務兼備，更提供教師具體可尋的風格鑑賞原則，有助於引導學生領略辭章的風格之美。

（五）陳滿銘的《陰陽雙螺旋互動論——以「0一二多」層次邏輯系統作通貫觀察》：「陰 ⟷ 陽」雙螺旋互動，主要以「0一二多」雙螺旋層次邏輯系統、大自然「轉化」四律（秩序：移位、變化：轉位、聯貫：對比與調和、統一：包孕）與方法論等三大內涵形成其系統。而就由此系統貫通「歸納（陽）⟷ 演繹（陰）」、「異（陽）⟷ 同（陰）」、「包孕（合：陰）⟷ 包孕（分：陽）」、「意（陰）⟷ 象（陽）」、「意（陰）⟷ 象（陽）」、「有法（陽）⟷ 無法（陰）」、完形「形（陽）⟷ 質（陰）」、《老子》「二（陰陽分）⟷ 三（陰陽轉化）」、《中庸》「誠（陰）⟷ 明（陽）」等內容，以見「陰⟷陽」雙螺旋互動於一斑。

（六）陳滿銘的《中庸天人雙螺旋互動思想研究》：本書作者早在民國六十九（1980）年三月就寫成《中庸思想研究》一書，由文津出版社出版。當時雖以「天人」互動為「鍵軸」來通貫全書脈絡，卻不僅未用「雙螺旋」一詞強調其「往復、提升」之互動作用，也還沒建構成「0一二多」雙螺旋層次邏輯的完整體系來作一統合，更何況又已絕版多年。因此希望本書能在《中庸思想研究》一書之基礎上，藉近年所開創的「陰陽雙螺旋互動」與「0一二多層次邏輯系統」進行梳理、融貫，以新面貌和讀者見面。全書共八章：前七章所論，或「分」」或「合」，對《中庸》「天 ⟷ 人」雙螺旋互動思想須作全面性之統整，並作相關探討；而第八章則為「綜（結）論」， 針對全書主要內容，先著眼於「思想體系」，以「中和」為核心融通相關的論點，如「仁性 ⟷ 知（智）性」、「誠 ⟷ 明」、「成己 ⟷ 成物」、「三知 ⟷ 三行」與「誠 ⟷ 至誠」等，以見其完整之思想體系；其次著眼於「義理邏輯」，舉最基本之「歸納（實證性科學）⟷ 演繹（假設性哲學）」與「偏（曲）⟷ 全（化）」的層次螺輯類型作說明，並以西方心理學派之「完形論」：「部分相加」≠（<）「整體」的主要論點加以統合；然後用「0一二多」將思想體系與義理邏輯予以融通，繪製簡圖加以表示，以收一目了然的效果。希望千慮一得，能稍稍有助於《中庸》天人雙螺旋互動思想之研究與發揚，以供學者參考。

以上六冊，就「三觀系統」來說，前三冊比較偏於「中觀」，卻下徹於「微觀」，也上徹於「宏觀」；而後三冊則比較偏於「宏觀」，卻下徹於「中觀」與「微觀」。因為「三觀系統」本身形成的就是「雙螺旋互動」的關係，是無法斷然拆開的。殷切地希望繼本套叢書之後，能一輯一輯地陸續推出，以增進大眾對「跨界章法學」的了解，從而參與研究之行列。

還有，必須一提的是：本套叢書是「章法學研究系列叢書」中的第二套，與二〇一四年出版的第一套《辭章章法學體系建構叢書》有著「雙螺旋互動」的關係。因此，閱讀時能兼顧這兩套叢書，是最為理想的。

值此出版前夕，念及這本叢書之所以能在極短時間內順利出版，完全要歸功於萬卷樓圖書公司總經理梁錦興先生、副總經理兼副總編輯張晏瑞先生的辛勤設計，與主編吳家嘉小姐、校對林秋芬小姐的編排與校對；為此，誠摯地向他（她）們致上萬分的謝意！

陳滿銘

序於國文天地雜誌社

2016年10月9日

總目次

第一冊

辭章章法變化律研究

顏智英

第二冊

辭章章法四大律

黃淑貞

第三冊

唐宋詞章法學

陳滿銘

第四冊

辭章風格教學新論

蒲基維

第五冊

陰陽雙螺旋互動論
——以「0一二多」層次邏輯系統作通貫觀察

陳滿銘

第六冊

中庸天人雙螺旋互動思想研究

陳滿銘

目次

第七章　結論……375

重要參考書目……387

自序

「變化律」，是宇宙運動的規律，由於陰陽二元的互動而發生變化，變化的歷程之中又形成了「移位」、「轉位」等現象，中、西方哲人都觀察到了這些自然界運動變化的規律，而有「變化哲學」的著述產生。「變化律」，也是人心共同的反映，人們抽繹出自然界移位及轉位的「變化之理」，透過人之「心」，可以投射到哲學、文學、藝術等的領域，應用的範圍十分廣泛。

臺師大退休的陳滿銘教授在建構章法學的體系之時，也將此「變化律」納入其中，因而發現了章法的移位結構及轉位結構。這兩大類型的結構，可以涵蓋章法所有的結構現象，而且各自有其不同的美學特色，由此可見「變化律」在章法學的運用上有極其重要的價值。很慶幸地，在進入博士班就讀之初，陳滿銘老師就提醒我「變化律」是個很值得研究的課題，因此，我立刻決定以「辭章章法變化律」為博士論文研究的題目；同時，古典詩詞是我的研究興趣所在，便以之為「章法變化律」理論考察時的文本。

如今重新審視、修改這本博士論文，內心充滿了錯綜複雜的心情。首先是對恩師陳滿銘教授的感激之情，他引領我進入章法學的殿堂，耐心與嚴厲地督促我，使我不敢稍有鬆懈。其次，是對同門小屏、奇懿、基維、佳君、淑貞、淑雲等的珍惜之情，多年來，大夥一同籌辦研討會，齊心協力，不分彼此，使我在學術之路上不致感到孤獨。還有，是對我自己的高度期許之情，民國九十五年拿到博士學位至今，一轉眼，九個年頭就溜走了，九年來，每日都要求自己有一些研究的進度，期許自己每日都能有一些進步，像個學術上的公務員；但偶而，仍不禁要自問：這樣的期許是否對自己太嚴苛了？雖然在埋首研究中可以得到極大的心靈收穫與樂趣，但這樣的馬不停蹄，是否會錯失一些人生美好的風景？是否有時也該放慢一下腳步，好好欣賞周遭的綺麗？在這不可逆的人生之路上。

最後，在這本論文修改好、即將付梓之際，最想感謝的是我的家人。爸爸顏錦榮先生、媽媽羅秀蘭女士總是用他們滿滿的溫暖與最大的耐心，關愛呵護著我，使我平平安安地長大成人，順順利利地讀書求學，成為他們的子女，是我這輩子最感幸運的事；哥哥仁鴻雖遠在美國，卻對家人照顧得無微不至、殷勤問訊；妹妹智惟、妹夫忠廉則經常陪侍在父母身側，是父母最大的依靠與安慰。外子楊桂周，是我的嚴師兼益友，不僅嚴格叮囑我做研究要踏實誠懇，還不厭其煩地幫我解決電腦的諸多問題，他更是我要相守終生的伴侶，要彼此相扶相持的重要家人；兩個溫文儒雅、貼心乖巧的兒子，則是我人生中最美麗的風景：長子楊格，課業一向忙碌，但只要媽媽一有急需，便會放下手邊的工作為媽媽分憂解勞；次子楊軒，活潑機靈，是我在繁忙、勞心的論文寫作生活中的開心菓，也是我研究工作之餘最佳的聊天對象，有此二子，讓我的人生圓滿無憾，誰說一定要生女兒才能拿一百分呢？

此外，還想感謝所有在海洋大學遇見的「貴人」，如：前任的校長李國添教授、教務長李國誥教授、教務長兼共同教育中心主任陳建宏教授、人文社會科學院院長羅綸新教授、通識教育中心主任郭展禮教授、海洋文化研究所所長安嘉芳副教授，以及現任的校長張清風教授、副校長李選士教授、副校長蔡國珍教授、人文社會科學院院長黃麗生教授、副教務長兼共同教育中心主任張文哲教授、共同教育中心語文教育組組長吳智雄教授、海洋文化研究所所長卞鳳奎副教授等等，都在研究、教學與行政工作上多方地指導我、鼓勵我，讓我很快地適應新環境，並在研究與教學上有極多的成長。更有諸多志同道合的同仁，如雲鳳、寶文、瑞芝、心霓、慶蘭、雪燕、瑛玳、怡珍、愛英等等，彼此切磋，相互打氣，讓我在海大的每一天都倍感溫暖，更添努力的動力！寫這篇自序的目的，不僅僅在介紹這本論文而已，更希望能藉著這一方小小版面，將我中年以後方才踏入學術之路、且一路接受許多「貴人」幫助的感激與感動抒發出來，形諸文字，以時時提醒、期許自己，要常懷一顆感恩的心，回饋家人、回饋學生、回饋社會、回饋學術，讓自己也成為別人的「貴人」。這份期許，也盼望能與所有讀過此書的同道一起分享與勉勵！

顏智英

於國立臺灣海洋大學共同教育中心語文教育組408研究室

民國一〇四年八月

第一章
緒論

第一節　研究動機

「章法」，是從人類有文明以來即已存在的邏輯思維，這種邏輯源自於人類共通的理則，創作者雖日用而不知、習焉而不察，卻在不知不覺之中將其反映在辭章作品上。自古以來，研究辭章的學者，雖極早就注意到了這些問題，卻只有零星散論，未能蔚為一完整的體系。直至陳師滿銘，始逐漸構築出一個完整的章法體系，形成一個新學門。在三十多年來的耕耘下，兼顧理論與應用，逐步找出近四十種章法，並依其特色，大致分為因果、虛實、映襯及圖底等四大類章法。[1]艾德格．羅勃茲（Edgar V. Roberts）在《文學的寫作主題》中，也獨立出一章特別討論文章結構的問題，他說：

> 結構是指文章各部分之間，具有因果、時空、包孕、對比、均衡及比例等關係。[2]

1　詳參陳師滿銘：〈章法結構及其哲學義涵〉，《中國學術年刊》第 26 期（2004 年 9 月），頁 69-70。

2　此段文字，是筆者根據書中原文所作的翻譯，其原文為：「Structure is a matter of the relationships among parts that are often described in terms of cause and effect, position in time, association, symmetry, and balance and proportion.」見艾德格．羅勃茲（Edgar V. Roberts）著：《文學的寫作主題》（*Writing Themes About Literature*）（臺北市：文鶴出版公司，1980 年 6 月），頁 131。

其中「時空」可涵蓋於陳師所謂的「虛實類」中，「對比」、「均衡」可涵蓋於「映襯類」中，「比例」則相當於「圖底類」（焦點和背景），至於「包孕」關係，則是所有章法都可能有的現象。由此可知，中、西方學者對章法結構有不謀而合的看法，章法，實是一種客觀的存在，是人類共同的邏輯思維的表現。

這種客觀存在的辭章章法，講的就是謀篇佈局的思維。辭章中各種材料，經由作家巧妙的安排，可以造成辭章多樣的結構變化，從而充分表現出作者所欲傳達的主旨情意。這種謀篇佈局的邏輯思維，是有其規律可循的，分別是秩序律、變化律、聯貫律及統一律，此亦即陳師所提出的「章法四大律」。[3]這四種規律的提出，對章法學的研究，有著突出而重要的貢獻；而四大律中的「變化律」，尤其具有高度的研究價值，茲分項敘述如下：

一　「變化律」與「宇宙規律」的對應

「變化律」是宇宙運動的規律，也是人心共有的心理反映，因此可廣泛運用到文學及藝術的領域。

整個宇宙由一股動力推動著，萬事萬物經由運動變化的開展而形成秩序，並建立聯貫關係，終而達到統一和諧之境。而在這運動變化的歷程中所形成的「移位」與「轉位」現象，即為所謂的「秩序律」及「變化律」（廣義的「變化律」可涵蓋「秩序律」），無論是中國古代的思想家，或是西方古代的哲人，都極為重視這些變化規律，張岱年說：「中國哲學有一個根本的一致的傾向，即承認變是宇宙中之一根本事實。變易是根本的，一切事物莫不在變易之中，而宇宙是一個變易不息的大

3　詳參陳師滿銘：〈章法四律與邏輯思維〉，《國文學報》第34期（2003年12月），頁87-118。

流。」[4]西方的黑格爾也說：「一切有限之物並不是堅定不移，究竟至極的，而毋寧是變化、消逝的。而有限事物的變化消逝不外是有限事物的辯證法。」[5]都在強調「變化」的宇宙觀。

人類觀察自然界這種客觀事物的變化、宇宙生成變動的現象，而建立了哲學之理，這個「理」，即是規律，亦可投射於文學、藝術等範疇，陳師滿銘曾特別指出：「這個『理』……透過人之『心』，投射到哲學上，即成哲學之理；投射到藝術（音樂、繪畫、電影等）上，變成為藝術之理，而投射到文學上，當然就成文學之理了。如進一步將此文學之理落在『章法』上來說，則是『章法』之理，那就是：秩序、變化、聯貫、統一。」[6]而這「秩序」、「變化」、「聯貫」及「統一」四大律，不僅是章法之理，更是來自於宇宙自然的萬物運動變化之理。

一篇辭章，兼具了「形象思維」與「邏輯思維」兩種特性。[7]前者多訴諸主觀聯想，精心設計「物材」或「事材」的表現技巧以表達抽象的「情」或「理」，所涉及的主要是「立意」、「取材」及「措詞」等問題，形成了主題學、意象學、修辭學等研究領域；而後者則多訴諸客觀聯想，對應於自然規律，安排佈置「物材」或「事材」的條理結構以表達「情」或「理」，所涉及的主要是「運材」、「佈局」及「構詞」等問題，形成了文（語）法學、章法學等研究領域。而結合二者以探究全篇

4 見張岱年：《中國哲學大綱》（北京市：中國社會科學出版社，1982年），頁94。

5 見黑格爾（G. W. Hegel）著，賀麟譯：《小邏輯》（*System der Philosophie erster Teil. Die Logik*）（臺北市：臺灣商務印書館，1998年4月），頁181。

6 見陳師滿銘：〈論辭章章法的四大律〉，收於《章法學論粹》（臺北市：萬卷樓圖書公司，2002年7月），頁17。

7 吳應天：「人們的思維既有形象性，也有邏輯性，所以既可寫成形象體系，也可寫成邏輯體系。……由於簡明扼要的邏輯系統很容易為人們所理解，而生動具體的形象體系更容易使人感動，所以許多文學作品往往是形象性和邏輯性結合的複合文。」見《文章結構學》（北京市：中國人民大學出版社，1989年8月，初版3刷），頁345。

辭章體性的，則成為文體學、風格學。[8]

其中章法學所欲探求的，就是辭章的條理或結構，而其所運用的思維方式，即是對應於自然規律的邏輯思維，亦即如吳應天所言：「文章結構規律作為文章本質的關係，恰好跟人類的思維形式相對應，而思維形式又是客觀事物本質關係的反映。」[9]因此，如果以中國的哲學寶典《周易》（含《易傳》）及《老子》為考察對象，並結合西洋相關哲學學說，來探討「移位」及「轉位」的宇宙變化歷程，可以為章法「變化律」（廣義的「變化律」含「秩序律」）[10]尋得哲學上的根源及理論依據，也可將此「變化哲學」運用到其他的藝術範疇，這是「變化律」的研究價值之一。

二　「變化律」與「章法結構」的對應

「變化律」運用在「章法結構」上，可形成多樣的章法結構類型。

廣義的「變化律」涵蓋了「秩序律」與「變化律」兩種規律，將之運用在章法上，可以形成極多樣的章法結構類型。其中「秩序律」指的是將辭章材料依序加以整齊安排的意思，任何章法依循此律，經由「移位」的過程而形成其先後順序，會造成如下的「移位結構類型」：

8　參考陳師滿銘：《章法學綜論》（臺北市：萬卷樓圖書公司，2003年6月），頁60-61。

9　見吳應天：《文章結構學》（北京市：中國人民大學出版社，1989年8月，初版3刷），頁359。

10　就章法的角度言，所謂「秩序」，是將材料依序加以整齊安排的意思。任何章法都可依循此律，經由「移位」（順、逆）而形成其先後順序，如「先虛後實」（順）、「先實後虛」（逆）等結構；而所謂「變化」，是把材料的次序加以參差安排的意思。每一章法依循此律，也都可經由「轉位」而造成順、逆交錯（即往復）的現象，如「正、反、正」、「反、正、反」等結構。以上敘述參考陳師滿銘：《章法學綜論》（臺北市：萬卷樓圖書公司，2003年6月），頁35-41。又因「秩序」屬規則性的變化，故將「秩序律」涵括於廣義的「變化律」之中，在本文一併討論。

今昔法：「先今後昔」、「先昔後今」
遠近法：「先近後遠」、「先遠後近」
大小法：「先大後小」、「先小後大」
本末法：「先本後末」、「先末後本」
虛實法：「先虛後實」、「先實後虛」
賓主法：「先賓後主」、「先主後賓」
正反法：「先正後反」、「先反後正」
抑揚法：「先抑後揚」、「先揚後抑」
立破法：「先立後破」、「先破後立」
詳略法：「先詳後略」、「先略後詳」
凡目法：「先凡後目」、「先目後凡」
因果法：「先因後果」、「先果後因」
情景法：「先情後景」、「先景後情」
縱收法：「先縱後收」、「先收後縱」
底圖法：「先圖後底」、「先底後圖」

如果以近四十種章法而論，經由「移位」的秩序變化，就可以造成近八十種移位結構的變化類型。而「變化律」指的是將辭章材料的次序加以參差安排的意思，任何章法依循此律，經由「轉位」的過程而形成順逆交錯、循環往復的效果，會造成如下的「轉位結構類型」：

今昔法：「今、昔、今」、「昔、今、昔」
遠近法：「遠、近、遠」、「近、遠、近」
大小法：「大、小、大」、「小、大、小」
本末法：「本、末、本」、「末、本、末」
虛實法：「虛、實、虛」、「實、虛、實」

賓主法:「賓、主、賓」、「主、賓、主」
正反法:「正、反、正」、「反、正、反」
抑揚法:「抑、揚、抑」、「揚、抑、揚」
立破法:「立、破、立」、「破、立、破」
詳略法:「詳、略、詳」、「略、詳、略」
凡目法:「凡、目、凡」、「目、凡、目」
因果法:「因、果、因」、「果、因、果」
情景法:「情、景、情」、「景、情、景」
縱收法:「縱、收、縱」、「收、縱、收」
底圖法:「圖、底、圖」、「底、圖、底」

如果以近四十種章法而論,經由「轉位」的往復變化,就可以造成近八十種轉位結構的變化類型。由此可知,藉由「變化律」(「移位」與「轉位」)的運用,可以將辭章材料作秩序性及參差性等多樣的安排,使得近四十種章法能夠再加以變化,而形成了多達近一百六十種的章法結構類型,這是「變化律」的研究價值之二。

三 「變化律」與「章法美學」的對應

「變化律」運用在「章法美學」上,可經由其移位、轉位的作用而呈現出篇章多樣的美感效果。

美感是人類所獨有的,而其來源則是客觀現實中美的事物,當人心感知審美對象的存在後,會發生一種「能動的創造性的反映」[11],從而

11 美感心理活動的發生層次是:最初的層次是對於對象的形式感知,……第二個層次是主客體之間的同情與共感,……第三個層次是獲得再創造的愉悅。參見歐陽周、顧建華、宋凡聖編:《美學新編》(杭州市:浙江大學出版社,2001年5月,初版9刷),頁225-227。

得到精神的愉悅。美感雖是主觀的、憑藉感覺而不假概念的，但卻因人類的心理機能大半相同，所以仍有普遍性和必然性，只要物具有適合心理機能的條件，就能使心感覺到美。由於人們的生理器官及機制的相同，所以會體現出美感的共同性；尤其值得注意的是，這個共通性，主要反映在對「形式美」的欣賞，這種可以引起美感的「形式」，不是一般的形式，而是一種「有意味的形式」[12]，章法所形成的篇章結構，就是運用形式結構、結合材料內容，來探究篇章深層情意主旨的一種組織形式。

無論是「移位結構」或「轉位結構」，都是由二元對待的章法構成元素（如「因」與「果」、「賓」與「主」）組合而成，正屬於這種「有意味的形式」，李澤厚說：

> 一般形式美經常是靜止的、程式化、規格化和失去現實生命感、力量感的東西（如美術字），「有意味的形式」則恰恰相反，它是活生生的、流動的、富有生命暗示和表現力量的美。[13]

章法結構，尤其是變化的章法結構，就是這種結合了內容的、富有生命暗示和表現力量的形式美，因此，研究章法結構的形式美，不僅可以更深一層探知篇章的內容主旨如何被更好地「表現」出來，還可在審美心理的活動過程中體驗出對文章再創造的感動，並從中獲得精神的愉悅。

喬治·森塔亞納（George Santayana）更認為「同樣的材料以不同

---

12 李澤厚：「美之所以不是一般的形式，而是所謂『有意味的形式』，正在於它是積澱了社會內容的自然形式。所以，美在形式而不即是形式。離開形式（自然形體）固然沒有美，只有形式也不成其為美。」見《美的歷程》（臺北市：三民書局，2002年6月，初版3刷），頁28。

13 見李澤厚：《美的歷程》（臺北市：三民書局，2002年6月，初版3刷），頁48。

的方式結合在一起，會造成極不同的審美效果」[14]，而辭章章法講求的就是辭章材料的結合方式；章法「變化律」，就是指將辭章材料加以秩序性結合或往復變化的結合安排，因此，運用「變化律」的邏輯思維在辭章材料上，就可以形成篇章的「移位結構」及「轉位結構」，而呈現出秩序與變化、並列與凸出、平移與回轉、調和與對比、優雅與健壯的形式美，從而使人充分感受到變化美、對稱美、動態美（節奏美）、剛柔美以及和諧美等等的審美效果，這是「變化律」的研究價值之三。

基於以上三點，可知章法「變化律」的研究，無論是對於章法學領域或其他藝術領域，皆具有不可忽略的學術研究價值，是值得深究的課題。而目前關於章法「變化律」的研究，在期刊論文方面，有陳師滿銘〈論辭章章法的四大律〉、〈章法四大律與邏輯思維〉、〈論章法的秩序律與思考訓練〉、〈論章法的變化律與思考訓練〉、〈章法的「移位」、「轉位」結構論〉等文，確立了章法四大律，並論及四大律在辭章上的運用情形；在學位論文方面，僅有仇小屏《中國辭章章法析論》一書，從章法四大律的角度來解釋各種章法現象，但此書側重於從古今文論及文評著作中，尋求章法四大律的理論依據及批評實例，對於章法「變化律」的哲學義涵、心理基礎及美感效果的研究，略無論及。因此，基於上述章法「變化律」的重要性與其研究概況兩大因素，遂引起研究本論文的動機。

---

14 見劉昌元：《西方美學導論》（臺北市：聯經出版社，2000年7月，二版5刷），頁58。

第二節　文獻探討

研究辭章章法的「變化律」，必須運用到的文獻資料十分龐雜而繁多。若依資料的重要性為據，可概略分為原始文獻、專門文獻及參考文獻三類，茲分別說明如下。

一　原始文獻

本論文既是以「古典詩詞」為章法「變化律」的考察對象，在考察章法變化的結構類型及其美感效果時，當然就須以中國古典詩詞的文本為原始的入手資料。在詩作方面所用的原始資料，有總集與別集兩大類，總集方面最主要的有：

毛亨傳、鄭玄箋、孔穎達疏：《毛詩正義》（臺北市：藝文印書館，1989年1月，十一版）
郭茂倩編：《樂府詩集》（臺北市：里仁書局，1980年12月）
蕭統編、李善、呂延濟、劉良、張銑、李周翰、呂向註：《增補六臣註文選》（臺北市：華正書局，1981年5月）
徐陵編、吳兆宜注、程琰刪補、穆克宏點校：《玉臺新詠箋注》（臺北市：明文書局，1988年7月）
清聖祖御纂：《全唐詩》（上海市：上海古籍出版社，1996年11月，初版14刷）
楊家駱主編：《全漢三國晉南北朝詩》（臺北市：世界書局，1969年8月，二版）

其中《毛詩正義》收錄了春秋中葉以前的詩歌，《樂府詩集》收錄了上古以至唐代的詩歌，《玉臺新詠》收錄了南朝梁以前與女性相關的詩歌六百多首，是蒐羅較為完備的文本，本文在考察詩歌作品時，便以這些總集為底本，或是作為與作家別集參看的重要資料。此外，屈萬里撰的《詩經釋義》、馬持盈撰的《詩經今註今譯》、韓崢嶸撰的《詩經譯注》、沈德潛編的《古詩源箋注》、汪中選注的《樂府詩選注》等書所收錄的詩歌作品及注解意見，有許多可觀之處，也是研究詩歌文本文字時的重要參據。

詩家別集方面最主要的有：

陶潛撰、陶澍注、楊家駱主編：《陶靖節集注》（臺北市：世界書局，1999年2月，二版1刷）

李白撰、楊齊賢注、蕭士贇補、郭雲鵬編：《李太白全集》（臺北市：世界書局，1997年5月，二版1刷）

杜甫：《杜工部集》（臺北市：臺灣學生書局，1967年5月）

白居易：《白氏長慶集》（臺北市：藝文印書館，1971年2月）

柳宗元撰、劉禹錫纂：《柳河東全集》（臺北市：世界書局，1999年二版）

李商隱撰、馮浩箋注：《玉谿生詩集箋注》（臺北市：里仁書局，1980年）

蘇軾：《東坡全集》（臺北市：世界書局，1996年2月，初版7刷）

陸游撰、雷瑨註釋：《箋註劍南詩鈔》（臺北市：文史哲出版社，1985年6月，景印初版）

朱熹：《朱文公文集》（臺北市：臺灣商務印書館，1980年10月，臺一版）

連橫：《劍花室詩集》（南投市：台灣省文獻委員會，1992年3月）

以上所列詩家別集的版本，都是目前坊間較佳的文本，也是本文在研究這些作家作品時的主要文本依據。

在詞作方面所用的原始文獻，亦分總集與別集兩大類，總集方面最主要的有：

趙崇祚輯、李一氓校：《花間集》（臺北市：源流出版社，1982年8月）

唐圭璋選編：《全宋詞》（臺北市：明倫出版社，1970年1月）

楊家駱輯：《全唐五代詞彙編》（臺北市：世界書局，1971年1月，再版）

以上三部關於唐宋詞的總集，是輯錄詞作較為完整的文獻，本文在考察及收錄詞作時，便以這些總集為底本，或是作為與詞家別集參看的重要資料。此外，還有常國武編的《新選宋詞三百首》、張夢機及張子良編的《唐宋詞選注》等書所收錄的詞作及注釋觀點，有許多精彩可參之處，也是本文研究、賞析詞作文本時的重要參考依據。

詞家別集方面最主要的有：

晏幾道撰：《小山詞》，收於《叢書集成續編》（臺北市：新文豐出版公司，1984年），冊206

柳永撰：《樂章集》，收於《叢書集成續編》（臺北市：新文豐出版公司，1984年），冊206

蘇軾撰、龍榆生（龍沐勛）箋：《東坡樂府箋》（臺北市：華正書局，1980年2月）

黄庭堅撰：《山谷情趣外篇》，收於《叢書集成續編》（臺北市：新文豐出版公司，1984年），冊206

賀鑄撰：《東山詞》，收於《叢書集成續編》（臺北市：新文豐出

版公司，1984年），冊206

李清照撰、王學初校註：《李清照集校註》（臺北市：里仁書局，1982年5月）

辛棄疾撰、鄧廣銘箋注：《稼軒詞編年箋注》（上海市：上海古籍出版社，1995年5月，初版2刷）

周密撰：《蘋洲漁笛譜》，收於《叢書集成續編》（臺北市：新文豐出版公司，1984年），冊207

其中，鄒、王編年校註的蘇詞本最為詳盡可觀，廣蒐各家說法，是用功極勤、極值得參考的文獻；而龍箋的東坡樂府本則體例詳贍，對於蘇詞的獨到之處，多有發微，因此本文所錄的東坡詞作，皆以此書為底本。至於王學初校註的易安詞本，校註精詳，是較佳的本子，因此本文所錄的易安詞作，以此書為準；而王延梯所注的易安詞本，注解之說亦頗多可採，因此作為參酌研究之用。關於辛稼軒詞的收錄，以鄧廣銘的箋注本為主，此書對於辛詞，有十分詳盡的編年及分期，注釋部分亦極中肯有據，是最佳的研究文獻；而劉坎龍的注本，有著詳細的分析及注解，也是研究辛詞不可或缺的重要文獻資料。

同時，本論文是以「變化律」為主要研究對象，在中國古代哲學領域中，《老子》及《周易》（含《易傳》）是極重要的研究文本，因此，亦將之視為研究「變化哲學」（「移位」、「轉位」的變化觀點）最原始的入手資料：

李耳撰，王弼注，陸費逵總勘，高時顯，吳汝霖輯校（據華亭張氏本）：《老子》（四部備要之子部）（臺北市：臺灣中華書局，1992年4月，十一版2刷）

王弼、韓康伯注，孔穎達正義，阮元校勘：《周易正義》（四部備

要之經部）（臺北市：臺灣中華書局，1965年，臺1版）

以上二部哲學類的文獻，分別為《四部備要》中子部及經部所收的典籍，堪稱為善本，因此本文以此臺灣中華書局所刊印的「四部備要本」為研究「變化哲學」的基本文獻。

二　專門文獻

在從事「章法變化律」的研究之時，自是以章法現象為主要的研究目標，而後才再旁及於變化哲學、變化美學、變化心理學等範疇的研討。因此，舉凡章法學的相關著作，皆為本論文的專門參考資料，比較重要的有：

陳師滿銘所著的《章法學新裁》及《章法學論粹》，收錄了數十篇關於章法學的論文，對於章法的理論及實際作品分析，皆有深入而精要的闡發，對本文在「章法概論」及「章法四大律」的研究課題上，具有極大的參考價值。還有《章法學綜論》一書，將章法類型、章法哲學、章法結構、章法美學及比較章法等課題，作一系統的探討與整理，是本文的重要參考文獻。至於《篇章結構學》一書，則是以研究辭章中「篇章」內容與組織為主要內涵，對於本文「變化律形成的結構類型」的部份，具有重要的參考價值。

還有鄭頤壽主編、陳師滿銘名譽主編的《大學辭章學》、吳應天所著的《文章結構學》，也是本文在「辭章結構類型」理論方面的重要參考；仇小屏所著的《文章章法論》，對於「變化律」的理論多有論述，有不少值得參酌之處；至於其所著的《篇章結構類型論》、《章法新視野》等書中關於章法心理學的論述，以及具體列舉的篇章結構分析，亦頗有可採之說。

在博士論文方面，如蒲基維所撰的《章法風格析論——以〈蘇軾詞〉、〈姜夔詞〉為考察對象》，有不少涉及章法美學的論述；陳佳君的《辭章意象形成論》，也有關於篇章結構組織的理論。凡此與本文有相當關涉的部份，都值得參考。

三　參考文獻

凡是關於變化哲學、變化美學、變化心理學等範疇的著作，以及能印證章法變化理論的文學理論專著，都足以作為參考的文獻資料，主要的有：

（一）經、史、哲學專著

前文已提及，中國上古時代的哲學及經學名著《老子》及《周易》（含《易傳》），是本論文的重要研究資料，而關於此二書的研究專著，亦是重要的參考，如余師培林的《新譯老子譯本》、《老子：生命的大智慧》、傅師武光的《孔孟老莊思想的平等精神》、袁保新的《老子哲學之詮釋與重建》、吳汝鈞的《老莊哲學的現代析論》、牟宗三的《周易的自然哲學與道德函義》、曾春海的《易經的哲學原理》、程石泉的《易學新探》、戴璉璋的《易傳之形成及其思想》等等。

其中余師培林的《新譯老子譯本》一書，對《老子》的解譯，廣蒐各家看法，不問古今、但求能合於老子的原意，費時兩年方才完成，是研究《老子》文字時極值得參考的輔助文獻。至於《周易》（含《易傳》）的解譯，主要參考郭建勳注譯、黃俊郎校閱的《新譯易經讀本》及黃師慶萱的《周易讀本》，前者有深入淺出的導讀及簡要易懂的注釋語譯，後者有精詳的論證發揮，集結了數十年研究《易經》的心血，對於本文研究《周易》（含《易傳》）的「變化哲學」時助益極大。傅師武光的《中國思想史論集》選錄了〈老子對於智與欲的警覺〉等十一篇關於先秦及宋明時期思想研究的論文，有助於對中國道家、儒家等哲學思想的深層了解。

西方關於變化哲學的論著，也是重要的參考文獻，尤其是黑格爾的《大邏輯》、《小邏輯》，其「圓圈哲學」所表現的循環觀，是本文研究的重心所在；還有西洋哲學史中所提及的諸多哲學家的變化觀點，都是極有助益的輔助參考文獻。

此外，勞思光的《中國哲學史》、馮友蘭的《中國哲學史新編》、黑格爾的《哲學史講演錄》、傅偉勳的《西洋哲學史》等等哲學史書籍，在檢索「變化哲學」時提供了極大的便利性，也是不可忽略的文獻資料。

（二）美學專著

本論文中，關於「變化美學」方面的研究佔了極大的比例，因此，中、西方的美學論著皆是極為重要的輔助文獻，如李澤厚的《李澤厚哲學美學文選》、《美的歷程》、《美學四講》、《美學百題》，童慶炳的《中國古代心理詩學與美學》、周來祥、周紀文的《美學概論》、張紅雨的《寫作美學》、楊辛、甘霖的《美學原理》、陳望道的《美學概論》、黑格爾的《美學》、喬治·森塔亞納的《美學》等等。

其中陳望道的《美學概論》，對於美的種類、材料、形式、內容、感情、判斷等課題，都有持平而周到的論述，是本文在「變化美學」理論方面的重要輔助文獻；還有童慶炳的《中國古代心理詩學與美學》，運用了西方美學理論來檢視中國古代的美學思想，提供了不同的美學視點。

至於蔣孔陽的《美學新論》及楊辛、甘霖的《美學原理》，二書對於美學的相關課題，論述十分詳備，也成為本文研究「變化美學」時不可或缺的參考文獻。

（三）心理學專著

「變化心理」的探究，也是本論文重要的一環，因此，關於心理學方面的專著，就成為重要的輔助資料，其中最重要的有魯道夫・阿恩海姆的《藝術與視知覺》、《藝術心理學》，其所提出的「格式塔」理論，是本文研究「變化心理」的重要依據；其次，邱明正的《審美心理學》從審美的心理結構及審美的心理過程兩大方面，詳細而周備地建構出一套審美心理學理論，書中諸多論點被本文採用，如「對立原則」、「和諧原則」、求同心理、求異心理等，是本文在研究「變化心理」時的重要輔助文獻。

其他如朱光潛的《文藝心理學》、劉雨的《寫作心理學》、王秀雄的《美術心理學》、劉思量的《藝術心理學》、金開誠的《文藝心理學概論》、庫爾特・考夫卡的《格式塔心理學原理》、高楠的《藝術心理學》、曹日昌主編的《普通心理學》等等心理學的書籍，皆有關於「變化心理」的理論，也都可作為探討章法「變化心理」時的參考文獻。

（四）詩詞評集或文學理論專著

胡仔的《苕溪漁隱叢話》、王夫之的《薑齋詩話》、陳沆的《詩比興箋》、王國維的《人間詞話》、邱師燮友的《品詩吟詩》、《童山詩論卷》、黃文吉的《北宋十大詞家研究》、陳師弘治的《唐宋詞名作析評》、葉嘉瑩的《唐宋詞名家論集》、《唐宋詞十七講》及俞平伯的《讀詞偶得》等詩話、詞話或詩詞評論集，是輔助分析詩詞作品的重要參考資料；例如邱師燮友的《品詩吟詩》、《童山詩論卷》二書，對於詩歌的趣味、功能、技巧、主題、欣賞等等，提供了許多寶貴的見解及觀點，是本文在賞析詩作時的重要指引；黃文吉的《北宋十大詞家研究》對於晏幾道、柳永、蘇軾、黃庭堅、賀鑄等十大詞家的生平、詞作內容及形式、詞作真偽等皆有極深入的研究，是本文在研究詞家詞作時極重要的文獻。

至於蔡師宗陽的《修辭學探微》，對於修辭格的名義及內涵有精要的解說；張春榮的《詩學析論》收錄了研究古典到現代詩歌的論文集十七篇，對於詩作情意及技巧的探析有獨到的看法；陳昌明的《緣情文學觀》將魏晉以來逐漸成熟的「緣情」文學觀與漢代以前政教實用的文學觀釐清界線，強調文學創作中個人經驗與性格的重要，對本文賞析作品時有理論上的指導作用，還有注重美感意識的開展，對本文在美學詮釋上亦有相當的啟發。此外，劉渼的《劉勰文心雕龍文體論研究》、蔡崇名的《中學國文教學析論》、涂光社的《因動成勢》、陳本益的《漢語詩歌的節奏》、蘇珊．朗格的《情感與形式》、宋廷虎等編的《修辭新論》、周振甫的《文學風格例話》等等文學理論的專著，在研究章法變化理論及作品分析上，皆具有重要的參考價值。

第三節　研究方法與研究範圍

一　研究方法

就整體以觀，本論文主要以「分析法」、「驗證法」、「比較法」及「歸納法」為研究方法。首先就「分析法」及「比較法」言，例如第三章的變化哲學部份，分別從中、西方的哲學論著進行觀察及分析，逐步比較「移位」及「轉位」的異同之處，從而歸納整理出關於變化哲學的理論闡述，最後再嘗試建立「變化哲學」的理論體系。

其次，就「分析法」、「比較法」及「歸納法」的綜合運用言，例如第六章的變化美學及心理學的研究，便是以分析古典詩詞作品為主要手段，仔細觀察其章法現象及所表現出的美感效果、探察其中的心理基礎；並多方參酌、融通中西方的美學及心理學理論，詳加辨析其說法，去蕪存菁，用心比較、分析、歸納「移位」、「轉位」在心理基礎及美感效果方面的異同之處，方才完成「變化心理」的理論系統，以及提煉出「變化美學」的諸多美感效果。

再就「分析法」及「驗證法」的交互運用言，例如第四章及第五章變化結構類型的作品舉隅，即是以「分析法」及「驗證法」為之；首先將所分析的諸古典詩詞作品，依據本論文所建立的「變化結構」類型（主要分為「移位結構類型」及「轉位結構類型」等兩大類）分別作詳細的分析及說明，從辭章中的實際情況呈現來驗證章法「變化律」的理論，由此可以證明「變化律」在辭章章法上的重要功用。

然而，由於目前所開發出的章法有近四十種之多，而論文的篇幅又有其限制，因此無法盡舉所有的章法，只好依材料關係分為調和性與對比性二大類，分別選擇了「凡目法」、「情景法」、「泛具法」、「因果法」、「點染法」（以上為調和類），「正反法」、「今昔法」、「張弛法」、「詳略法」、「縱收法」（以上為對比類）等十種章法為舉隅的細目，從古典詩詞等文本中，詳細分析、具體品賞其主旨及取材特色，並從上列十種的章法角度切入分析作品的章法結構，藉以作為「移位」及「轉位」結構類型的實例，具體驗證「變化律」在形成多樣的章法結構及美感方面具有極重要的影響。

如果從研究的領域來看，本論文總共涵蓋了章法學研究法、哲學研究法、心理學研究法以及美學研究法等等。例如章法學研究法中，從理論到實際作品分析的印證都面面俱到；哲學研究法中，從變化的發生、移位轉位的歷程到變化哲學的運用，都自中、西方的哲學論著一一爬梳研究；心理學研究法中，從心理定勢、異質同構、平衡原則、求同心理及求異心理等心理學的理論來探究章法變化律發生的心理基礎；美學研究法中，則從變化美、對稱美、動態美、剛柔美及和諧美來研究章法變化律所造成的美學特色，務求言而有據。

二　研究範圍

本論文的研究範圍，以辭章（古典詩及詞）的章法變化情形為主，分別從章法學、心理學及美學三方面的角度切入研究；同時，還兼及「變化律」哲學領域的探究，可說是涵蓋了辭章學、哲學、心理學及美學等多方面的範圍。在論文架構方面，共分七章，分述如下：

第一章「緒論」，說明研究動機（含前賢研究成果）、研究文獻、研究方法、研究範圍及預期目標。

第二章「章法類型及章法四大律概說」，凡分二節，第一節「章法類型概說」，依辭章材料間的關係，將近四十種章法分為「調和性章法」、「對比性章法」及「中性章法」三大類，並針對每一種章法的定義及心理、美感方面的特色，逐一作概略性的介紹說明；第二節「章法四大律概說」，分別就秩序律、變化律、聯貫律及統一律等四種規律，各舉古典詩詞為例說明其涵義及在辭章中的應用情形。

第三章「章法變化律的理論基礎」，先從中、西方的哲學典籍探討變化律的哲學義涵，並由變化的發生、歷程（含「移位」及「轉位」）來辨明中、西方變化哲學的異同之處；其次論及「變化律」在辭章上的應用，亦即詳加說明章法「變化律」會形成「移位」及「轉位」等兩大類型的章法結構；最後闡明「變化律」與章法「多、二、一（0）」結構的關係，以見出「變化律」在章法學中具有不可或缺的重要性。

第四章「章法變化律形成的移位結構類型」，依實際分析的辭章材料間的關係，分為「調和性結構類型」與「對比性結構類型」兩類型，各取五種章法為例，且每一種章法皆舉古典詩詞二例加以說明，尤其著重在「核心結構」移位現象的闡釋，並作美學上的詮釋。

第五章「章法變化律形成的轉位結構類型」，依實際分析的辭章材料間的關係，分為「調和性結構類型」與「對比性結構類型」兩類型，各取五種章法為例（同第四章，可便於比較），且每一種章法皆舉古典詩詞二例加以說明，尤其著重在「核心結構」轉位現象的闡釋，並作美學上的詮釋。

第六章「章法變化律的心理基礎與美學特色」，凡分二節，第一節是「章法變化律的心理基礎」，分別就「心理定勢」、「異質同構」、「平衡原則」三方面來探討章法變化律產生的心理基礎；再就「求同心理」來探討章法移位現象發生的心理基礎；然後就「求異心理」來探討章法轉位現象發生的心理基礎；最後就「自由跳躍的審美聯想」來探討章法移位及轉位現象交錯發生的心理基礎。同時，可以看出章法變化律，是人心共通的反映。第二節是「章法變化律的美學特色」，以比較的方式，分別從「變化美」、「對稱美」、「動態美」、「剛柔美」及「和諧美」等五種美感，詳細比較、分析章法「移位」及「轉位」兩種變化結構所造成的美感效果，有何異與同之處，並得出章法變化律可以形成辭章章法結構的多樣美感的結論。

第七章「結論」，總述本論文的研究成果。

根據以上所敘述的論文架構及所作的簡要說明，我們期望能獲得以下的成果：

1.探索「變化律」的哲學義涵，以證明變化律可適用於各種領域。

2.提出「變化律」所形成的章法結構類型，以作為實例驗證時的分類依據。

3.尋繹章法「變化律」的心理基礎，以見出章法變化律是人心共通的反映。

4.確立章法「變化律」的美學特色，以豐實章法美學的體系。

在上列目標均達成之後，從而即能凸顯出「變化律」在章法規律系統中的重要地位，並使得章法學的理論系統更加完整。

第二章
章法類型及章法四大律概說

「章法變化律」所研究的對象，以目前所發現的約四十種章法為主，其中又可依其組織辭章材料時所形成的結構關係，細分為「調和性章法」、「對比性章法」及「中性（對比兼調和）章法」三種類型，[1]這種分類的好處，在於它們與美學、心理學有其同質性，便於本論文關於變化美學及變化心理學的研究。因此，本章在第一節中，便將所有章法分為這三種類型，逐一就其定義及質性加以說明，以作為進一步研究章法變化美學及章法變化心理的基礎。

其次，這些辭章的章法，皆是出自於人類共通的理則，都是由人類邏輯思維形成的，同樣都具有形成秩序、變化、聯貫，以更進一層達於統一的功能。而這所謂的「秩序」、「變化」、「聯貫」、「統一」，便是章法的四大律。本章在第二節中，便將概述四大律的內涵及其彼此間的關係，以見出「變化律」在其中的重要地位。

第一節　章法類型概說

一　調和性章法

所謂「調和性章法」，是指運用性質相近的辭章材料來組織辭章，

1　此章法三大類的分法及其細目，由仇小屏提出，經陳師滿銘修改而成。詳見仇小屏：〈論章法的對比與調和之美〉，《修辭論叢》（臺北市：洪葉文化公司，2002年6月）第四輯，頁118-126；及陳師滿銘：〈章法結構及其哲學義涵〉，《中國學術年刊》第26期（2004年9月），頁72。

材料之間所形成的關係，是差異性極微的調和關係。這種「調和性章法」，又可依對象的異同再分為：一、針對同一事物、以性質相近的兩種角度來論述的章法，如「本末法」、「淺深法」、「因果法」、「泛具法」、「凡目法」、「平側法」、「點染法」、「偏全法」；二、從不同的兩種事物，闡述其相近關係的章法，如「賓主法」、「並列法」、「情景法」、「論敘法」、「敲擊法」；三、可從同一事物切入，也可從不同事物來闡釋其關係的章法，如「知覺轉換法」。

（一）同一事物

1　本末法

「本末法」是將一事件或道理，循序漸進地敘述或從末節逆溯至源頭的一種章法。其中「本」指的是事物發展的開端或源頭；「末」則為事物發展的末節。循序漸進地敘述會形成順向的「由本而末」結構，而從末節逆溯至源頭則形成逆向的「由末而本」的結構。從心理學的角度言，人類的邏輯思維是一種「受控制有方向的神經活動」[2]，「由本而末」的結構具有循序漸進的特性，這種思維方式，使神經活動因為省力而產生快感，具輕鬆之美；且其有始有終的特性，還展現了規律之美，正如張紅雨所說：

> 結構文章的一大規律，就是要有始有終，有頭有尾，而且是循序漸進的。這是合乎人們美感情緒發生、發展和回收規律的。這裡不僅有著循序美、發展美，還有著合乎客觀事物的發展規律美。[3]

2　見黃師慶萱：《修辭學》（臺北市：三民書局，2002年10月，增訂三版1刷），頁487。
3　見張紅雨：《寫作美學》（高雄市：麗文文化事業公司，1996年10月），頁245。

除此之外，「由末而本」、「本、末、本」、「末、本、末」等變型的結構，雖屬變化的類型，但其本身仍有條理可循，與循序美、規律美並不衝突。

2 淺深法

「淺深法」是使辭章的意境有淺有深，因而形成層次的一種章法。此意境通常指思理或情感的淺深而言，此法與「本末法」一樣，都具備了循序漸進的特色，但此法在循序漸進的基礎上，運用了跳躍轉換的方式使辭章產生波動與變化，曹冕也說：

> 文章最忌平直，如逐段意有淺深，文勢疊層而上，有波瀾起伏之觀。[4]

指出了淺深法可以表現「疊層而上」的規律美及條理美。同時，從心理學角度言，美感的情緒波動，可說是淺深法的心理基礎，張紅雨說：

> 人們的美感情緒波動總是由淺入深，由小及大的。這是一般人的常規審美型態。……人有思想情感，其情緒是經常變化的。……人們生活在客觀世界裡，每時每刻都受到不同色調、不同音響、不同狀態及不同性質的事件的刺激和觸動，情緒總是隨之做出相應的反映。這種美感情緒總是從不同空間涉獵到不同的激情物而為之波動。這便形成了人的美感情緒的跳躍和轉換這一特點。以這種美感情緒波動的特點去結構文章也是常用的一種方式。[5]

---

4 見曹冕：《修辭學》（上海市：商務印書館，1943年4月），頁97。

5 見張紅雨：《寫作美學》（高雄市：麗文文化事業公司，1996年10月），頁236、頁238。

藉由美感情緒的波動，可以使文章隨著這種波動情形而產生意境淺深的變化，也就是說，「淺深法」表現了人類美感的情緒波動心理，在跳躍轉換的文勢中，展現了變化之美。

3 因果法

「因果法」是由「因」與「果」所組合而成的一種章法。「因為……所以……」的構句方式是十分常見的；相反地由「所以」至「因為」的情形也有；甚至「因為」與「所以」多次交互出現的情況也屢見不鮮。還有，多「因」一「果」或一「因」多「果」的組合，也是可以看見的。因此，這樣的思維方式，其應用範圍擴大到篇章時，那就形成因果法了。因果邏輯的應用十分廣泛，所以因果法在文學作品中也就相當常見。劉雨說：

> 從文章本身來看，結構的形成過程顯然受邏輯的因果關係的支配，也就是說，一種邏輯的因果規律在無形中制約著作者的整個思考路線。[6]

由此可知，「因果」邏輯是一種普遍而原始的思維。其中最常出現的形態是「由因及果」，這樣可以因順推而產生規律美，也可以全面地弄清楚事情的前因後果；而「由果溯因」的結構，因為「果」一開始就出現，很能夠挑起讀者的「期待欲」。而其他的變化類型，除了變化的美感外，也藉助「因」與「果」的多次呈現，來更深入內容。

4 泛具法

「泛具法」是將泛泛的敘寫和具體的敘寫結合在同一篇章中的一種

6　見劉雨：《寫作心理學》（高雄市：麗文文化事業公司，1995年3月），頁295。

章法。本來它的涵蓋面很廣，可涵蓋「情景」、「敘論」、「凡目」、「虛實」等章法，卻由於「情景」、「敘論」、「凡目」、「虛實」等章法十分常見，必須抽離出去，各自獨立，以顯現其特色，因此在此僅存「事」與「情」、「景」與「理」兩種類型。「情」、「理」二者屬抽象的範疇，而「景」、「事」二者則屬具象的範疇，蔣孔陽說：

> 具象性與抽象性，本來是人類心理結構中一對既矛盾而又統一的範疇。它們不是絕對地相互排斥，而是相反相成。我們認識客觀現實，有形象的方式，也有概念的方式。這兩種方式固然各有其特殊的規律，特殊的功能，但它們都統一於人內心的結構中。[7]

可知，抽象與具象本就並存於人類的心理之中，彼此之間相反相成，是一對既矛盾又統一的範疇。當這兩種範疇同時出現在辭章當中，一方面會分別形成抽象美和具象美，一方面也會因為互相適應而達成調和的美感，正如蔣孔陽所說：

> 具象性與抽象性相結合，可以在內心中引起豐富的想像，從而有助於審美意境的創造。審美意境的創造，一方面必須要有具象性的形象，另一方面則須這一形象能引起豐富的想像使我們「登山則情滿於山，觀海則意溢於海」。因此，審美意境是和想像分不開的。想像的特點，就是能在內心中把具象性的形象與抽象性的概念統一起來，使本來沒有生命和情感的東西具有生命和情感，使本來只有事物質性的東西能夠和抽象的概念掛起鉤來，從而從

7　見蔣孔陽：《美學新論》（北京市：人民文學出版社，1995年9月，初版2刷），頁324。

> 有限的天地走向無限的聯想，從樸實的大地向著天空飛翔。[8]

因此，泛具法兼有具象與抽象的特性，可以引起豐富的想像，提昇審美的意境，營造出調和統一的美感。

5 凡目法

「凡目法」是指在敘述同一類事、景、情、理時，運用了「總括」與「條分」來組織篇章的一種章法。凡目法的形成，基本上是運用了歸納、演繹的邏輯思考，錢志純曾對歸納與演繹下了如此的定義，他說：

> 吾人用以求知的官能有二，即理智與感官，二者不可偏廢。理智沒有經驗與件，則其推論沒有根據；同樣，經驗與件，康德稱之為知識的塵粒，如果沒有理智來統一，則永遠不能成為科學。由是吾人用以推論的二方法，即演繹與歸納，實有互相輔助之效。演繹是由普通原則，推知局部事例；歸納是由局部事例，推知普遍原則之存在。[9]

由此可知，歸納與演繹就是運用理智與感官這兩種心理，而成為近代哲學與科學的重要法則。就辭章章法的運用言，歸納式的思考會形成「先目後凡」的結構，演繹式的思考會形成「先凡後目」的結構，而「凡、目、凡」、「目、凡、目」的結構，則是綜合運用了歸納、演繹的推理方式形成的。所以「凡」是總括，具有統括的力量；「目」則是條分，條分的項目是並列的，因而有一種整齊美。而且「凡、目、凡」和「目、凡、目」的結構還有一個特點，那就是具有對稱（均衡）與統一

8　見蔣孔陽：《美學新論》（北京市：人民文學出版社，1995年9月，初版2刷），頁325。
9　見錢志純：《理則學》（臺北市：輔仁大學出版社，1986年7月，三版），頁128。

的美感。

6 平側法

「平側法」是平提數項的部分，和側注其中一、二項的部分，兩者結合起來所形成的一種章法。平側法最大的優點，就是很容易藉著側注，凸顯出重心來，王德春曾闡釋「側重美」說：

> 語言藝術的原則之一，它強調在用詞、造句、謀篇中突出重點，以收到最佳的表達效果。[10]

在這方面，平側法可說是得天獨厚，在平提各項的烘托下，那特別側注的一、兩項通常會佔有大部分的篇幅，因而是最容易得到注意的，比起其他的章法如賓主法、正反法等，都要來得印象鮮明。而且平提的部分也同時具有收束和拓開的作用，這也會為全篇帶來多樣的美感。總之，就章法內涵的表現來看，平側法具含蓄美、層次美及收放之美；就形式表現來看，則呈現簡約美及比例美。整體地說，平側法在綜合性的美感表現為調和性的和諧之美。

7 點染法

「點染法」是針對同一事物，點明時空落足點並加以鋪敘的一種章法。「點」，是指時間或空間的落足點，僅用作敘事、寫景、抒情或說理的一個引子、橋樑或收尾；而「染」則是根據此時間或空間的落足點所作的鋪敘或渲染，為文章之主體。「點染法」原本是繪畫的基本技法，因此，可從中國傳統的繪畫技法來探討其心理基礎，宗白華說：

---

10 見王德春：《修辭學辭典》（杭州市：浙江教育出版社，1987年5月），頁18。

> 線是點的延長，塊是點的擴大；又該知道點是有體積的，點是力之積，積力成線會使人有「生死剛正」之感，叫做「骨」，……唐宋畫人以為骨成於筆，不是成於墨與色，因而叫不是由線構成而是由點塊構成的畫作「沒骨畫」。不知筆墨是永遠相依為用的；筆不能離開墨而有筆的用，墨不能離開筆而有墨的用。[11]

這段關於「沒骨畫」以隱現內在骨力為美感的敘述，也可以用來詮釋「點染」章法的特色；此外，「由點而染」會有擴大奔放的美感效果，而「由染而點」則有縮小、凸出主旨及焦點的美感；同時，二者都會展現層次性的美感。[12]

8 偏全法

「偏全法」是將局部或特例與整體或通則兩相搭配起來的一種章法。這裡所謂的「偏」，是指局部或特例；而「全」，是指整體或通則。作者在創作詩文之際，往往會用「局部」與「整體」、「特例」與「通則」的相應條理來組合情意材料。在「格式塔心理學派」中，曾以「格局」（frameworks）與「定位」（localization）來詮釋「環境場」，沒有穩定的格局，就沒有穩定的定位。[13]這種理論強調整體「格局」的重要性，只有從全面的格局角度，才能確知局部的點或線的定位；反過來說，局部「定位」（偏）對於整體的「格局」（全）有密切的依賴關係。這種「偏」與「全」的知覺空間理論，運用到辭章作法上，就是兼顧「局部」與「特例」，以及「整體」與「通則」，而且全篇文章在「偏」與「全」的兩

11 見宗白華：《美從何處尋》（臺北市：駱駝出版社，1987年8月），頁26。

12 關於「點染法」的美感，詳參拙著：〈論《孔雀東南飛》的章法結構及其美感〉，《中國學術年刊》第27期（2005年9月），頁151-155。

13 參考庫爾特．考夫卡（Kurt Koffka）原著，黎煒譯：《格式塔心理學原理》（臺北市：昭明出版社，2000年7月，初版1刷），上冊，頁337-344。

兩對照之下，更能顯出調和的美感及深長的情味。

（二）不同事物

1 賓主法

「賓主法」是運用輔助材料（賓），來凸顯主要材料（主），從而有力地傳達出主旨的一種章法。從心理學角度言，賓主法的心理基礎是根據「相似」聯想而來，張紅雨稱之為「神似式的鏈式反映」：

> 寫作主體對引起情緒波動而產生美感的激情物，不僅是觀賞它的外型，更多地是它的神韻，從神態上想到許多神似的內容。[14]

寫作主體基於相似聯想的心理，去尋找與引起他情緒波動的「激情物」神似的材料，以作為輔助的「賓」，來烘托出「主」，因而產生調和之美；而且這些材料之間，有主有從，都是為了托出主旨而服務，陳望道在《美學概論》中說：

> 美的整體中的各個部分，不當一律地並列在同一水平線上；其中當有高級的部分與低級的部分，主腦的部分與從屬的部分之分。所有低級的或從屬的部分都當為其中一個或數個高級的或主腦的部分所統攝，而後全體的精神方覺凝聚，繁多底統一的印象方覺顯明。[15]

---

14 見張紅雨：《寫作美學》（高雄市：麗文文化事業公司，1996年10月），頁125。

15 見陳望道：《美學概論》，收於《陳望道文集》(上海市：上海人民出版社，1980年5月，初版1刷），卷2，頁53。

可見「賓」與「主」兩種材料，在主旨的統攝之下，就會形成「繁多的統一」，因此而產生映襯與和諧、統一之美。

2 並列法

「並列法」是圍繞著主旨，從各個方面、角度來闡發主旨；而且彼此之間的關係不分賓主，也未形成層次。王躍飛認為這種並列的組合方式：

> 表現為意象之間是平等和諧的關係，既非對立矛盾，又無主賓之分。這些意象產生合力作用，層層滲透，步步浸染，使主題思想不斷深化而得到昇華。[16]

因此，藉由相同或相近的意象材料並置，可以產生積累的「合力」效果，使作者的主旨情意更加深化。杜麗秋、許燕曾解釋「並置蒙太奇」說：

> 並置也叫積累式，是把一系列性質相同或相近的鏡頭連接在一起，造成視覺形象的積累效果，產生強調作用。在詩中，並置是把一組相同或相近的詩歌意象連接在一起，造成詩境的遞進效果，以產生情感內蘊上的和聲效應。[17]

可見並列法，能產生強調作用，造成遞進的層次美感。此外，李元洛還

---

16 見王躍飛：〈李清照詞意象淺見〉，《淮北煤師院學報》（社會科學版）1996年第2期，頁105。

17 見杜麗秋、許燕：〈意象組合蒙太奇——論羅門詩歌意象組合的藝術〉，《海南師院學報》1996年第4期（總第9卷第34期），頁80。

認為「並列式意象」可以「讓許多斷片的意象按照一定的構思意圖組接在一起，構成一幅完整的新美的圖畫」，「它們彼此有一定的獨立性而又有緊密的內在聯繫」[18]；其實聯繫其間的隱形紐帶是「作者的情意」，讀者仍可從這種各自獨立的畫面拼接成的「並列」式組合，領會出作者的情意及其間含蓄自然的美感。[19]

3 情景法

「情景法」是指借重具體的景物（實），來襯托抽象的情意（虛），以增強詩文的情味力量的一種章法。在主客關係中，主體佔了主導的位置；主體依據其特殊的情意，檢擇適合的景象，錢谷融、魯樞元在《文學心理學》中說：

> 人的感知不是對客體的直接反映或複寫。感知的內容和特性，不是單純地由外界刺激所決定的，它還取決於感官的狀態、整個機體的狀態，以及既往的經驗等主體因素。也就是說，外界刺激不是直接地、機械地規定它所引起的知覺的，它必須經過主體許多內部條件的中介，才能決定知覺的內容。[20]

因此，主體在寫作時，是居於關鍵性的主導地位的。然而，「由於情感的作用，觀察者必然要在視覺空間中尋找與自己情感相接近的觀察對象，而對那些與情感不相接近的事物，雖然可能近在咫尺，但在觀察者

---

18 見李元洛：《詩美學》（臺北市：東大圖書公司，1990年2月），頁191。

19 陳慶輝：「這種（並列結構）複合意象的優勢在於透剔玲瓏，意致深婉，不著一字，不露痕迹，呈現自然平淡之美。」見《中國詩學》（臺北市：文史哲出版社，1994年12月），頁70。

20 見錢谷融、魯樞元主編：《文學心理學》（臺北市：新學識文教出版中心，1990年9月），頁141。

的心理上卻可能如隔天涯」[21]，因此，客體的重要性也是不可忽略的；換句話說，作者所選取的景與其所欲表達的情，彼此之間的關係應該是相應相生的，所以可以產生一種「調和」的美感。同時，「情景法」通過情語點明作者欲表達的意[22]，可以彌補只用「象」（景）表達的某些局限，使全篇的情意表現較為完整鮮明。其最大的特色則是「虛實結合」，在真切的描寫之中，更加重了感情的份量[23]，使作品更空靈、更具概括性。[24]

4 論敘法

「論敘法」是指將抽象的道理與具體的事件結合起來，使之相輔相成的一種章法。作者依據其特殊的需要，去揀擇適合的事件來表達主觀的情意，然後體現在篇章中，因此，「敘」與「論」必然是可以相適應的；而且從具體的事物中提煉出抽象的理論，揭示了客觀的真理，這個過程本身即會產生美感，張紅雨說：

> 對客觀規律的闡發和對客觀真理的揭示，也有個審美深度的問題。……寫得深刻，就會引起人們的美感。[25]

---

21 見劉雨：《寫作心理學》（高雄市：麗文文化事業公司，1995年3月），頁146。

22 詞家於詞作中明白寫出情語的情形並不多見，如王國維所說：「詞家多以景寓情。其專作情語而絕妙者，如牛嶠之『甘作一生拚，盡君今日歡。』、顧夐之『換我心為你心，始知相憶深，始知相憶深。』、歐陽脩之『衣帶漸寬終不悔，為伊消得人憔悴。』、美成之『許多煩惱，只為當時，一餉留情。』此等詞求之古今人詞中，曾不多見。」見《人間詞話》（臺北市：三民書局，2000年5月，再版），頁58。

23 周振甫：「寫景和抒情沒有一定規格，但必須情景相生，緊密呼應，來加強所表達的感情。」見《詩詞例話》（臺北市：五南圖書出版公司，1994年5月），卷2寫作編，頁65。

24 趙山林：「……『虛』一些，所以看起來更集中，更概括，更凝煉，更精粹，更富於想像，更含蓄有味，更耐人尋思。」見《詩詞曲藝術》（杭州市：浙江教育出版社，1998年6月），頁236。

25 見張紅雨：《寫作美學》（高雄市：麗文文化事業公司，1996年10月），頁81。

這種美感，是一種具有深度的「內容美」。

5 敲擊法

「敲擊法」是用正寫與側寫來安排篇章的一種章法。「敲」專指側寫，「擊」專指正寫，所以敲擊法就是側寫、正寫兼用的。正寫是合於人類慣性的思維，而側寫卻常出其不意，兩相配合之下，可以激盪讀者的心靈，而收突出主旨的奇功。正由於側寫、正寫兼用時，會造成「旁敲側擊」的效果，所以一方面具有側寫帶來的橫宕、流溢的美感，一方面又具有正寫所造成的痛快淋漓的感受，陳師滿銘更指出：

> 「敲擊」，由於介於「正反」與「賓主」之間，兼有兩者的好處，所以產生的美感也很特殊，可說兼「陽剛」與「陰柔」有之，是相當奇妙的。[26]

所以「敲擊法」是一種非常具有美感的章法。

（三）同一或不同事物皆可

1 知覺轉換法

「知覺轉換法」是指在篇章中描摹不只一種的知覺，藉此展現創作者對大千世界多面認識的一種章法。人的任何一種知覺活動，都離不開感覺；因此人的感覺器官接收客觀世界的訊息，經過審美心理的運作後，就產生了種種的知覺美。在這之中，視覺和聽覺出現的次數最頻繁，與美的關係也最密切，因此這兩種知覺特稱為「美的知覺」；不

---

26 見陳師滿銘：〈論篇章的「敲擊」結構〉，《國文天地》第18卷第1期（2002年6月），頁96-101。

過，各種知覺之間，都是彼此輔助的；而且最終都會匯歸為「心覺」，蔣孔陽將這種知覺的轉換與聯繫，歸因於人類固有之「通感」本能，他說：

> 人是一個有機的生命整體。各種感覺器官雖有分工，但它們之間並不是相互割裂，互不相通。以為光線或聲音，可以單獨地或純粹地被視覺或聽覺所感知，而不和其他方面的感官發生關係，這是不可能的。……我們平時是在大腦神經中樞分析器的指揮下，同時發揮各種器官的作用，相互協作，相互溝通，然後才能生活和工作的。這樣，各樣感官不僅有區別、有分工，它們之間還有協作，還有相互的影響和相互的溝通，這就是通感。[27]

各種知覺互相協作與溝通，而後匯歸於「心覺」，在心覺中獲得內在的統一，這才是「知覺轉換法」的目的與極致，而「繁多的統一」則是其美感效果。

二　對比性章法

所謂「對比性章法」，是指運用反差極大的辭章材料來組織辭章，材料之間所形成的關係，是反差極大的對比關係。這種「對比性章法」，又可依對象的異同再分為：一、針對同一事物、從兩種完全相反的角度來論述的章法，如「立破法」、「抑揚法」、「縱收法」；二、從相反的兩種事物來論述的章法，如「正反法」；三、可從同一事物切入，也可從不同事物來闡釋其相反關係的章法，如「張弛法」。

---

27 見蔣孔陽：《美學新論》（北京市：人民文學出版社，1995年9月，初版2刷），頁297。

（一）同一事物

1　立破法

「立破法」是將「立」與「破」之間形成針鋒相對的情形，使得所欲探討的主題更加是非分明的一種章法。立破法是根據對比的原理而成立的，但是因為強調「針鋒相對」，所以效果更加強烈。而且「立」通常是積非成是的成見，也就是「心理的惰性」，而「破」則是「以異常的材料組接向心理的惰性挑戰，啟迪思維的昇華」[28]，當「立」被「破」推翻時，自然會促成讀者理解上的飛躍，形成淋漓暢快的美感效果，使人感受到耳目一新的感染力量。

2　抑揚法

「抑揚法」是指針對同一事物，運用貶抑與讚揚的角度來闡述，使兩者之間產生對比與烘托，進而凸顯出褒或貶的態度。其中「抑」指的是負面的貶抑或壓制，而「揚」則是正面的讚揚或推崇，不論是「抑揚並重」或「抑揚偏重」，在文勢上皆會造成一起一伏的波瀾變化，因此，在這種「抑揚頓挫」的起伏變化中，會呈現「韻律和輕快之美」。[29]

3　縱收法

「縱收法」是將「縱離主軸」、「拍回主軸」的手段交錯為用的一種章法。「縱」就是放開，「收」就是拉回。當美感情緒四處流溢時，其表現出來的形態就是「縱」，但這其實是為了收束美感情緒，使之集中到一點上，也就是「收」。放開、收束的交互作用，會在文章中「形成

28 見錢谷融、魯樞元主編：《文學心理學》（臺北市：新學識文教出版中心，1990年9月），頁221。

29 見程兆熊：《美學與美化》（臺北市：明文書局，1987年10月），頁8。

了美感情緒放與收之間的落差，於是便增強了文章的感染力」[30]，自然也就能推深作品中的情意，增強了美感的效果。

（二）不同事物

1 正反法

「正反法」是將極度不同的兩種（或兩種以上）的材料並列起來，作成強烈的對比，藉反面的材料襯托出正面的意思，以增強主旨的說服力與感染力的一種章法。正反法是在「對比」的原理上產生的，對比因為具有極大的差異性，因而有鮮明、醒目、活躍、振奮的強烈感受。這種「正反」對比的組合意象方式，可以運用視覺與聽覺的感覺對比、靜態與動態的狀態對比、快樂與苦悶的心情對比等等，互相襯托、互相激越[31]，「在相互比照中造成強烈的反差，以突現『象』中之『意』」[32]，而且有「相對立的形態」出現在篇章中，反而能使主體（正）的特點更突出、姿態更優美，並進一步地增強主旨的感染力，使作者的情感更加強化。童慶炳更從審美心理學的角度談到：

> 詩中相異或相反情景的藝術組合，不僅可以產生平衡感，而且可以產生無窮的「味外之旨」。[33]

30 見張紅雨：《寫作美學》（高雄市：麗文文化事業公司，1996年10月），頁228。

31 黃永武：「詩中的對比，是把異質的字彙對比起來，這異質中包括色彩、形狀、數量、心情等強烈的對比，相互襯托、相互激越，以強化震撼人心的力量。」見《詩與美》（臺北市：洪範書店，1984年12月），頁129。

32 石克鴻：「反差式是以對比、反襯為手段來組合意象的，即把兩種或兩組相互對立的、矛盾的意象並列在一起，使之在相互比照中造成強烈的反差，以突現『象』中之『意』。」見〈李益邊塞絕句的意象組合〉，《甘肅教育學院學報（社科版）》1997年第1期，頁32。

33 見童慶炳：《中國古代心理詩學與美學》（臺北市：萬卷樓圖書公司，1994年8月），頁118。

這種「正反式」的章法，使材料由對立面而達致統一，除了給讀者一種平衡的美感之外，更能藉著鮮明對比的呈現，讓人體會出「味外之旨」，在曲折含蓄之中，蘊涵著極強的感染力量。

（三）同一或不同事物皆可

1 張弛法

「張弛法」是造成文章中緊張與鬆弛的不同節奏，並使之互相配合的一種章法。楊辛、甘霖在《美學原理》中談到「節奏韻律」時說道：

> 構成節奏有兩個重要關係：一是時間關係，指運動過程；一是力的關係，指強弱的變化。[34]

同樣地，審美情緒的波動也有一運動過程，並且伴隨著力的強弱變化，所以，也能形成節奏。就「張弛法」而言，當審美情緒波動大時，會產生「張」的節奏；波動小時，則產生「弛」的節奏。前者予人緊張感，後者則是舒緩的；張、弛節奏若作更多次不同的搭配，會有起伏呼應的效果，韻律感會更強烈。

三 中性章法

所謂「中性章法」是指其所運用的材料，可能形成調和的關係，也可能形成對比的關係，必須落實到具體的篇章結構上才能判定，如「今昔法」、「久暫法」、「遠近法」、「內外法」、「左右法」、「高低法」、「大小法」、「視角變換法」、「時空交錯法」、「空間的虛實法」、「時間的虛

---

34 見楊辛、甘霖：《美學原理》（北京市：北京大學出版社，1989年2月，初版4刷），頁173。

實法」、「假設與事實法」、「詳略法」、「天人法」、「眾寡法」、「圖底法」、「狀態變換法」、「問答法」等。

1 今昔法

「今昔法」是指將時間中的「今」（現在）與「昔」（過去），依篇章需求作適當安排的一種章法。其中「由昔而今」的順敘方式，是最為常見的敘述方式，也是最符合事物本身的發展規律的，張紅雨說：

> 順向，是人們的美感情緒正常發展的類型。從時間上看，是從現在走向未來（從過去到現在亦同）；從空間上看，是從地面升向太空；從事件上看，是從發生走向完善；從人物上看，是從幼稚走向成熟；從性質上看，是從簡單走向複雜……這一切都是符合事物本身的自然規律的。合乎規律的東西就是美的，就是真的。在正常的狀態下，人們的思維、人們的美感情緒都是這樣。[35]

「由昔而今」的順敘結構，便是這種合乎規律、合乎真的、具有美感的章法結構。至於「由今而昔」地逆敘，是將美感情緒波動最急促、最密集的部分先呈現出來，非常醒目。而「今、昔、今」的結構方式，會將激烈的美感情緒再次重現，形成呼應，有餘韻不絕的感受，是僅次於順敘結構外，最為常見的結構類型。其他還有「昔、今、昔」或「今昔迭用」的結構，「今」與「昔」之間會形成一再的、強烈的呼應，美感也因此而產生。

2 久暫法

「久暫法」是指將文學作品中的長、短時間作適當安排的一種章

---

35 見張紅雨：《寫作美學》（高雄市：麗文文化事業公司，1996年10月），頁350。

法。久、暫的時間安排，是配合情感的波動所形成的長時與瞬時的對照。當文學作品呈現「由暫而久」的時間設計，則「暫」會更強調出「久」，黃永武說：

> 一首詩中各句代表的時間長度不一樣，在起首很急促，繼而稍緩，愈到詩的結尾愈漫長，由一段有限的時間，漸趨悠長，乃至面向時間的無限性，就時間內涵來說，是愈來愈拉長，在讀者的情緒上也便引起一種悠然不盡的遠韻，容易產生餘音裊裊。[36]

而時間的悠久本身即會產生美感，而且最有利於歷史感的帶出。至於「由久而暫」的設計類型，則是強調出「暫」，黃永武又說：

> 在一首詩的直線進行中，有時由冗長而漸短，愈到詩的結尾愈急促，終至忽然截斷。在情感上會引起意有未盡、戛然收束的趣味。[37]

作者在這種結構中，是選取情意量最為豐富的一剎那，來作特寫的呈現，造成意猶未盡的韻味。

3　遠近法

「遠近法」是指將空間遠、近的變化記錄下來而形成的一種章法。在「由近而遠」的變化中，距離由近而遠地拉開，附著於空間的景物也

---

36 見黃永武：《中國詩學——設計篇》(臺北市：巨流圖書公司，1999年9月，初版12刷)，頁46。

37 見黃永武：《中國詩學——設計篇》(臺北市：巨流圖書公司，1999年9月，初版12刷)，頁44。

漸次的呈現在讀者眼前，造成一種「漸層」的效果，亦即劉思量所說：

> 愈遠之事物愈模糊，而與近物之清晰形成對比而產生漸層。[38]

而且空間若向遠方無限延伸時，常會使人湧起一股崇高感，並使其中醞釀的情緒得到最大的加強。而「由遠而近」則會將空間拉近，並讓近處的景物得到最大的注意。此外尚有多種「遠近迭用」的空間結構，這一方面可以滿足愛好新奇變化的審美心理，而且也合乎中國傳統遠近往還的遊賞方式。

4　內外法

「內外法」是指將文學作品中所出現建築物內、外的空間轉換表達出來的一種章法。因為有建築物（門、窗、帷、牆……）作為區隔，因此這種內外空間造成的「漸層」效果最好，黃永武在《中國詩學——設計篇》中說：

> 利用動態景物作一內一外的移動，這種律動感，有助於詩中空間深度感覺的形成。[39]

也因此這種具律動感的「內外法」，特別有一種幽深曲折的美感，最適合用來醞釀幽邃的境界。

5　左右法

「左右法」是指將空間在左、右之間移動造成的橫向變化記錄下來

38　見劉思量：《藝術心理學》（臺北市：藝術家出版社，1992年1月，二版），頁183。
39　見黃永武：《中國詩學——設計篇》（臺北市：巨流圖書公司，1999年9月，初版12刷），頁62。

的一種章法。向左、右延展的空間，最能營造出「對稱」、「均衡」的美感，楊辛、甘霖在《美學原理》中說：

> 「對稱」指以一條線為中軸，左右（或上下）兩側均等，如人體中眼、耳、手、足都是對稱，但既是左右相向排列，也就出現了方向、位置的差異。古希臘美學家曾指出：「身體美確實在於各部分之間的比例對稱」，不少動物的正常生命狀態也都如此。……對稱具有較安靜、穩定的特性。……人所固有的對稱感覺正是由人和動物的對稱樣式養成的。[40]

這種左右對稱的情形，符合人類生理的慣性，是所有視角變化中最為穩定、舒適的移動方式，故能產生安定靜穆的感受；而且「左右法」特別容易造成遼闊的空間感，陳望道在《美學概論》中就曾以一個簡單的實驗，說明眼球左右運動比上下運動容易[41]，因此視角較適合作水平的延展，而將空間向左右開拓便是極容易的事。

6　高低法

「高低法」是記載文學作品中空間高、低變化的一種章法。在「由低而高」的空間中，方向是往上的，因此給人一種輕鬆、自由的感受；而且當它創造出一個高偉的空間時，容易使審美主體由靜觀而融合，終於達致崇高的情境。至於「由高而低」的置景法，則方向是往下的，因此給人沉重、密集、束縛的感覺，可是其力量也因此而非常驚人。「高

40　見楊辛、甘霖：《美學原理》（北京市：北京大學出版社，1989年2月，初版4刷），頁154。

41　見陳雪帆：《美學概論》，收於《陳望道文集》（上海市：上海人民出版社，1980年5月，初版1刷），卷2，頁29。

低迭用」的空間，則可靈活的收納上上下下的景物，以烘托出作者的主觀情感。王秀雄說：

> 垂直線易產生兩眼視差，但水平線就不發生兩眼視差，所以為了把建築物或立體造型物的立體感，忠實地表現出來的話，垂直線就發揮很大的功能，然而水平線卻不能盡到它的作用。[42]

整體而言，「高低法」的空間高、低變化，比較容易呈現立體的美感，是其他章法所無法達成的。

7 大小法

「大小法」是指將空間中大的面與小的面之間，擴張、凝聚的種種變化記錄下來的一種章法。大小空間所展現的是平面之美，形成的若是「由大而小」的包孕式空間，則最後會凝聚在小小的一「點」上，具有最強大的集中效果。「由小而大」的輻射式空間剛好相反，會有擴大、奔放的效果，是平面美的極致。而「大小迭用」的空間，則會形成「大者更擴散、小者更集中」的效果。

8 視角變換法

「視角變換法」不從單一的角度去描摹景物，而是將空間三維——長、寬、高互相搭配，造成視角的移動，並將此種變化體現在文學作品中。中國傳統的觀照方式即是仰觀俯察、遠近遊目，因此特別容易形成視角變化的空間。劉雨在《寫作心理學》中說：

---

42 見王秀雄：《美術心理學：創造、視覺與造形心理》（臺北市：臺北市立美術館，1991年11月，修訂版），頁336。

> 按照繪畫透視學的理論，眼睛在攝入物象的過程中，與物體之間構成一種無形的錐體，物象正是沿著這簇錐形線進入人的視網膜。……在觀察過程中，一切物體衹有統一在觀察者的視點上，才有被感知的可能。同樣一個觀察對象，由於視點的角度不同，視網膜的投影會發生巨大變化。……蘇軾的〈題西林壁〉就是一例。「橫看成嶺側成峰，遠近高低各不同。不識廬山真面目，只緣身在此山中。」這裡，廬山千姿百態的美景，並不是固定在視點上感知到的，而是通過視點的變化，從不同角度觀察的結果。[43]

由於視點的不同變化，寫作主體對景物的感知亦有不同，從而在作品中表現出多樣的視覺美感。這樣的空間結構方式，不僅可以自由的蒐羅不同空間的不同景物；還會因空間的轉換而造成「躍動性的空間美」，十分靈動。

9　時空交錯法

「時空交錯法」是指在文學作品中，分別關顧了時間的流逝，以及空間的呈現，使兩者之間相輔相成，以求篇章內容完整、美感多元的一種章法。人處在四維時空中，都有空間知覺與時間知覺，體現在作品中，會形成空間與時間的混合美：這種美，美在同時掌握流動的時間與廣延的空間，因而更凸顯出人處在宇宙的一點中，種種作為、感受的意義，營造出一個專屬於作者個人的「小宇宙」。此外，陳佳君在《虛實章法析論》中提到時空交錯的美感時說：

---

[43] 見劉雨：《寫作心理學》（高雄市：麗文文化事業公司，1995年3月），頁132-133。

> 在時空的虛實變化與轉移之中，更會擦出難以言喻的火花，從而形成特殊的時空美。將長遠的時間之流，和寬闊的空間之域，同時壓縮於一篇文學作品當中時，必然會增加辭章的強度與張力。[44]

當全篇的材料以時、空交錯的方式呈現時，時空在密集地壓縮之下，作者的情意會被強烈地擠壓爆發出來，作品的張力便隨之增加。

10 空間的虛實法

「空間的虛實法」是將眼前所見的實空間，以及設想得來的虛空間糅雜於篇中，使空間處理靈活而有彈性的一種章法。「實」空間指的是眼前可感可觸的實景，「虛」空間指的則是由設想而來的虛景，如夢境、仙境、冥界等。[45]黃桂鳳說：「藝術家，尤其是詩人的情感，能飛越無限的物理時空而形成心理時空的藝術的濃縮與昇華，塑造一個動人的超時空的藝術境界，融注了詩人對於世界的一種特定的審美感受，融鑄了詩美、藝術美的意蘊」[46]；曾霄容《時空論》也說：

> 精神現象可分為機能與內容的兩個側面。精神機能依附於腦髓活動。腦髓是高等動物所具備的高級物質，其存在與活動均具有時空性。因此，依附於腦髓的精神機能亦要受制於時空。精神內容乃是精神機能所形成的觀念形態。呈現於精神內容的時空屬於觀

---

44 見陳佳君：《虛實章法析論》(臺北市：臺灣師範大學國文研究所碩士論文，2001年)，頁147。

45 見錢谷融、魯樞元主編：《文學心理學》(臺北市：新學識文教出版中心，1990年9月)，頁199。

46 見黃桂鳳：〈《古詩十九首》的時空藝術〉，《欽州師範高等專科學校學報》第15卷第4期（2000年12月），頁30。

> 念的存在。……精神又可能自由自在的描繪多種多樣的空間形象……其所構想的空間還要超過物質的空間。[47]

可見，人類憑藉其精神力，是可以超過物理時空的制約的。這種精神力量，邱明正稱之為「審美想像」，他在《審美心理學》提到「審美想像」的幾個特徵：

> 首先，審美想像是種創造性的思維活動，是創造思維的集中表現。……再次，審美想像比一般想像（如科學想像等）更自由、更廣闊，更具理想性、幻想性。……最後，審美想像是種形象思維活動，是依憑著、伴隨著形象所展開的高級神經活動，是將理智、情感融入於形象並依憑著想像而展開的思維活動，而這又正是形象思維的基本特徵。[48]

由此可知，「想像力」在創作者由物理時空跨越到心理時空時，是居於關鍵性的重要地位。由於「虛」空間憑藉了人類的「想像力」，所以顯得更加的廣袤、多樣，而文學作品「在實景的基礎上虛設了一個廣袤的空間，情感便會顯得更加的廣闊深遠」[49]，因而在「化實為虛」的空間變換中，不僅增強了篇章意境的感染力度，更流露出作者的無盡情思；除了展現出空間變化之美，更能「使得文勢變化起伏，有自由騰飛的美感」[50]，充分表現出一種超越空間的藝術美。

---

47 見曾霄容：《時空論》（臺北市：青文出版社，1972年3月），頁408。

48 見邱明正：《審美心理學》（上海市：復旦大學出版社，1993年4月），頁205。

49 見施春暉：〈非常情感的傳達——淺談《古詩十九首》的空間藝術〉，《麗水師範專科學校學報》第23卷第3期（2001年6月），頁25。

50 見拙著：〈韋莊《菩薩蠻》聯章五首篇章結構探析〉，《中國學術年刊》第26期（2004年9月），頁161，值得注意的是，在想像力的奔放縱馳下，虛、實空間轉換自如，是最能展現空間變化之美的；而且「實」與「虛」之間的相生相濟，又為文學作品增添了靈活調和的美感。

11 時間的虛實法

「時間的虛實法」是將「實」時間（昔、今）與「虛」時間（未來）糅雜於篇章中，以求敘事（寫景）、抒情（議論）的最好效果的一種章法。「實」時間指的是過去或現在，「虛」時間則是指未來。[51]由於「虛」時間的出現，作者超越了現在的時間限制，憑藉著想像，展現對未來的預測、盼望及幻想，即如羅曼．英加登（Roman Ingarden）在《對文學的藝術作品的認識》一書中所說：

> 當我們期待某些即將來臨的事件時，我們只是模糊地指出它的時間階段性質的形式來想像它們。[52]

對於未來的渺不可知，作者只能藉由「想像」的翅膀，來描寫心靈世界對即將來臨事物的期盼或恐懼。如此一來，不僅大大地豐富了文學創作的內涵，「更增添了一種多變的姿態，而且對『實』的部分也起了加強的作用」。[53]同時，在「虛」（未來）、「實」（過去、現在）時間的轉換之際，透過作者的想像，過去、現在與未來交融成一片，造成迷離撲朔的特別效果，作者的情意會在時間的擺盪之中更顯得纏綿曲折、含蓄動人。

---

51 參見陳師滿銘：《章法學新裁》（臺北市：萬卷樓圖書公司，2001年6月），頁107-108。

52 見羅曼．英加登（Roman Ingarden）著，陳燕谷、曉未譯：《對文學的藝術作品的認識》（臺北市：商鼎文化出版社，1991年12月），頁109。

53 見仇小屏：《篇章結構類型論》（臺北市：萬卷樓圖書公司，2000年2月），上冊，頁304。

「時間的虛實法」能掌握過去、現在、未來，是其他章法所沒有的優勢。而且「實」與「虛」之間互相聯繫、滲透、轉化，而生生不窮，也就由局部性的交流而產生了靈動美，並且在趨向整體統一時產生了和諧美。

12 假設與事實法

「假設與事實法」是將假設與事實作對應安排的一種章法。此處的「假設」，指的是虛構的事物；而「事實」，指的是現實世界中已發生的一切；兩兩對應、結合，組織成文學作品。所謂的「事實」是指從現實世界中提煉出來的真實；而「假設」在文學中更佔有特別的地位，是人類心理的直接投射，是出乎現實而超乎現實，可以說是比真實更真實。此種章法的創作動機，錢谷融、魯樞元主編的《文學心理學》解釋說：

> 不能得到滿足的本能慾望，在通往現實的道路被阻塞的情況下，有時就會通過幻想的途徑獲得一種替代的滿足。[54]

而當事實與假設二者在作品中相互呼應時，輝耀出的是客觀世界與主觀世界所共同彰顯的真實，在思維活動的放縱形態中，表現出騰飛的美感。

13 詳略法

「詳略法」是將詳寫、略寫的筆法在篇章中相互為用，以突出主旨的一種章法。一般而言，人所未言或難言者宜詳寫，而人所已言或易言者宜略寫，此即符合「陌生化效應」，錢谷融、魯樞元解釋這種效應

---

54 見錢谷融、魯樞元主編：《文學心理學》（臺北市：新學識文教出版中心，1990年9月），頁121-122。

說：

> 人有好奇的天性，因為人的心靈有個經濟性原則：凡是熟悉的、認識了的事物，人們就不再注意它了，否則，人的心理就要弄得精疲力盡、窮於應付。只有那些新鮮的、尚未認識到的事物才能引起人的興趣。[55]

由此可知，「詳略法」是很合乎陌生化效應的。至於其美感的一個很大的來源是「比例」，「比例」指的就是兩部分配稱或不配稱；而詳寫、略寫都必須以突出主旨為第一考量，所以這就涉及了部分與全體的比例是不是很適當的問題；不只如此，詳寫與略寫之間也要配合得恰到好處，這就是部分與部分的比例協調。當部分與全體、部分與部分之間都配置得十分匀當時，自然會給人極大的審美享受。

14　天人法

「天人法」是將「自然」與「人事」形成層次來描寫的一種章法。所謂「天」，指的是「自然」；所謂「人」，指的是「人事」。如就寫景來說，「天」就是自然之景，「人」就是人事之景；若就說理而言，則「天」就屬於天道，「人」就屬於人道。「天人法」所憑依的是作者的「移情」作用，童慶炳說：

> 詩人把自己在生活中體驗過的情感移入這些景物身上的結果，是典型的審美移情現象。但問題還在於詩人何以會把自己的情感移入這些景物中，這就在於詩人有一種可以推廣到天地萬物的博大

55 見錢谷融、魯樞元主編：《文學心理學》（臺北市：新學識文教出版中心，1990年9月），頁216。

的同情感。[56]

當同一篇作品中出現「天」與「人」時，實亦即作者將自己的情感移入這些景物中，兩者之間遂產生交流；於是，自然界因而增添了情味，人事界也獲得開展，因此產生了溫潤自由的美感。

15　眾寡法

「眾寡法」是指將多數與少數形成相映成趣的一種章法。此法產生的心理基礎可以「有意注意優勢」來加以解釋，錢谷融、魯樞元說：

> 人對某一對象的某一特徵的注意越集中，在大腦皮層的相應部位就越能引起優勢興奮中心。此時舊的暫時神經聯繫被抑制，新的暫時聯繫容易形成，因而能保證外界刺激信息充分被感知。被感知的信息引起大腦皮層相應部位的興奮，對於同時可能興奮起來的其他部位來說是一種抑制。興奮程度強的佔了優勢，壓倒興奮程度弱的，使之處於抑制狀態，這在心理學上稱之為「負誘導作用」。優勢興奮中心越是持久，越是強化，其他興奮部位越是弱化、越是抑制。……由於這一心理規律，文學家要達到有效的觀察，必須有一個注意中心。我們可以把這叫做「有意注意優勢」，這個優勢的建立，有助於作家實現真正有效的觀察感受。[57]

在作品中，「由眾而寡」的結構，「寡」會受到更多的注意，而強化其

56 見童慶炳：《中國古代心理詩學與美學》（臺北市：萬卷樓圖書公司，1994年8月），頁155-156。

57 見錢谷融、魯樞元主編：《文學心理學》（臺北市：新學識文教出版中心，1990年9月），頁101。

優勢，成為突出的焦點；而「由寡而眾」的結構，「眾」則受到較大的注意，且會因涵蓋範圍的擴大，而有一種放大的作用，給人壯闊的感受。「眾寡法」就是運用這種心理注意優勢，來達成突顯事物的目的；而且眾、寡的變化也可以打破沉悶，造成新鮮的感受。

16　圖底法

「圖底法」是組合焦點與背景而形成的一種章法。在篇章中出現的材料，有一些是焦點所在的「圖」，有一些是充當背景的「底」，兩兩配合起來，就形成邏輯層次。這是將視覺心理上「背景」與「焦點」的概念運用在篇章的一種章法，王秀雄的《美術心理學》說：

> 在視覺心理學上，把視覺對象從其背景浮現出來，而讓我們視認得到的物叫做「圖」(Figure)，其周圍之背景叫做「地」(Ground)，「圖」與「地」間，其形、色與明度必須有些差異，我們才能視認其存在。[58]

其中的「地」即章法上的「底」，「底」相對於「圖」而言，能起著烘托的作用，「圖」相對於「底」而言，卻有著聚焦的功能，因此一烘托、一聚焦，篇章就會顯得豐富有層次，而且能使得焦點十分突出。此外，由於「底」的烘托「圖」，可以展現出立體的美感；又因為「底」與「圖」的相互交融，而呈顯出靈動的動態之美。

17　狀態變換法

「狀態變換法」是指將外在世界中，萬事萬物某一狀態本身的變

---

58 見王秀雄：《美術心理學：創造、視覺與造形心理》（臺北市：臺北市立美術館，1991年11月，修訂版），頁126。

化，呈現在文章中的一種章法。例如「動靜法」就是其中最常見的，「動」與「靜」是宇宙生成規律中的普遍現象，《老子》與《周易》（含《易傳》）早就有詳細的討論，章法既是源於宇宙的規律，那麼，「動靜法」也應是符合自然事物生成變化的一種章法。從心理學來看，由於人對某一對象的某種特徵的注意愈集中，在大腦皮層的相應部位就愈能引起優勢興奮中心，這就是先前提到的「有意注意優勢」，藉助於此，人們可以達到非常有效的觀察，創作者對觀察的結果感覺到美，便會用文字準確傳達出來，於是出現對狀態變化的刻畫。此法所強調的，便是對事物的狀態變化作細膩的描繪，作者可藉此落實他的情緒波動，讀者可因而接收作者所傳達的美感訊息。

18　問答法

「問答法」是藉著「問」與「答」來組織篇章的一種章法。不過，「連問不答」既有組織的效果，而且「對話」也應包括在其中。[59]語言具有「刺激」與「反應」的雙重屬性，前者會形成「問」，後者會形成「答」，而且一般的對話也會形成「刺激－反應」的關係，因此可以將兩個不同的部分連結起來。並且「問」有懸疑的效果，「答」則會帶來撥雲見日的輕鬆感。至於「連問不答」則因意脈的流貫而連結為一個整體，而且因為一直沒有回答，於是造成了懸宕的特別效果。

第二節　章法四大律概說

「秩序」、「變化」、「聯貫」（局部）、「統一」（整體），是章法的四大律。其中「秩序」、「變化」、「聯貫」三者，主要是著重在個別材

---

59 以上關於章法的類型及定義等論述，主要參考陳師滿銘：《章法學綜論》（臺北市：萬卷樓圖書公司，2003年6月），頁17-33；以及仇小屏：《篇章結構類型論》（臺北市：萬卷樓圖書公司，2000年2月）上、下冊。

料（景、事）的佈置，來梳理各種章法結構，是偏於分析的思維；而「統一」主要是著眼於情、理的表出或材料的統合，以表現可貫穿全篇的主旨或綱領，是偏於綜合的思維。這樣兼顧局部的材料分析，以及整體情意的通貫，來牢籠各種章法，可說是十分周全的。同時，就根源而言，這四大規律原則，是經由人心的邏輯思維而得的，可說是貫通了人我、物我，完全合乎天理、人情的。[60]茲分述如下：

一　秩序律

所謂「秩序」，是將材料依序加以整齊安排的意思。任何章法都可依循此律，經由「移位」（順、逆）而形成其先後順序。由於章法是以中國哲學之「陰陽二元」的對待關係為基礎而建構起來的，因此章法所呈現的結構類型都是「陰陽二元對待」的形態，凡事物屬於本、先、靜、低、內、小、近等特質者，多可歸屬於「陰柔」的範疇；凡事物屬於末、後、動、高、外、大、遠等特質者，多可歸屬於「陽剛」的範疇[61]，因此，當情、景（物）、事、理等辭章材料經由「移位」而形成結構之時，會因「力」（勢）的移動方向的不同，而造成「順向移位」或「逆向移位」等差異。其中由「陰」向「陽」移動時，會形成「順向移位」；而由「陽」向「陰」移動時，會形成「逆向移位」，章法即依循這樣的秩序律來組織辭章材料的順序，經由順向移位而形成順向結構；經由逆向移位而形成逆向結構。茲舉較常見的十幾種章法來看，它們可就其組織材料的先後順序及陰陽定位，形成如下的結構：

今昔法：「先昔後今」（順）、「先今後昔」（逆）

60 章法四大律，由陳師滿銘所提出。本節關於四大律的理論部分，主要參考陳師滿銘：《章法學綜論》（臺北市：萬卷樓圖書公司，2003年6月），頁33-57。

61 參考陳望衡：《中國古典美學史》（長沙市：湖南教育出版社，1998年8月），頁184。

遠近法：「先近後遠」（順）、「先遠後近」（逆）
大小法：「先小後大」（順）、「先大後小」（逆）
本末法：「先本後末」（順）、「先末後本」（逆）
虛實法：「先虛後實」（順）、「先實後虛」（逆）
賓主法：「先主後賓」（順）、「先賓後主」（逆）
正反法：「先正後反」（順）、「先反後正」（逆）
抑揚法：「先抑後揚」（順）、「先揚後抑」（逆）
立破法：「先立後破」（順）、「先破後立」（逆）
詳略法：「先略後詳」（順）、「先詳後略」（逆）
凡目法：「先凡後目」（順）、「先目後凡」（逆）
因果法：「先因後果」（順）、「先果後因」（逆）
情景法：「先情後景」（順）、「先景後情」（逆）
縱收法：「先收後縱」（順）、「先縱後收」（逆）
底圖法：「先圖後底」（順）、「先底後圖」（逆）[62]

這些依循秩序律、經由順向或逆向移位所造成的結構，是隨處可見的。詩如李商隱的〈賈生〉，其原詩為：

> 宣室求賢訪逐臣，賈生才調更無倫。可憐夜半虛前席，不問蒼生問鬼神。[63]

62 參考陳師滿銘：〈章法風格論——以「多、二、一（0）」結構作考察〉，《成大中文學報》第12期（2005年7月），頁151-153。
63 見李商隱著，馮浩箋注：《玉谿生詩集箋注》（臺北市：里仁書局，1980年），頁314。

其結構分析表為：

```
┌ 揚（帝訪賈生）┬ 因（漢文帝求賢）:「宣室」句
│              └ 果（賈生才高被召）:「賈生」句
│
└ 抑（只問鬼神）┬ 反（禮賢下士）:「可憐」句
               └ 正（不問民生）:「不問」句
```

本詩旨在藉賈誼的懷才不遇而慨嘆作者自己的不遇，全篇以「先揚後抑」的結構寫成。開頭二句是「揚」筆，以「先因後果」的順敘方式，讚美了漢文帝的求賢若渴，也讚美了賈誼的才氣縱橫；但此等褒揚卻只是為了鋪陳賈生「可憐」的主旨。末二句筆鋒一轉，而為「抑筆」：此處又形成了「先反後正」的結構，「反」的部分寫漢文帝夜半前席的召問，看起來是禮賢下士的作為，「正」的部分點明題旨，原來漢文帝竟然只問賈生關於鬼神等虛無之事，而無一語及於實際民生的關懷。如此以「先揚後抑」（篇）、「先因後果」、「先反後正」（章）等結構，形成「秩序」來寫，尤其「抑」與「揚」、「反」與「正」之間形成了極大的反差，令人凜然一驚，從而更加凸顯出賈生懷才不遇的可憐、文帝的不知才，同時也寄託了作者隱於篇外的懷才不遇的感嘆。

詞如韋莊〈菩薩蠻〉五首之一，其原詞為：

紅樓別夜堪惆悵，香燈半捲流蘇帳。殘月出門時，美人和淚辭。
琵琶金翠羽，絃上黃鶯語。勸我早歸家，綠窗人似花。[64]

64 見趙崇祚輯，李一氓校：《花間集》（臺北市：源流出版社，1982年8月），頁31。

其結構分析表為：

- 凡（別夜惆悵）
  - 情（惆悵）：「紅樓」句
  - 景（紅樓之內）：「香燈」句
- 目（具寫辭別）
  - 目一（門外惆悵）
    - 點（我出門時）：「殘月」句
    - 染（美人流淚）：「美人」句
  - 目二（樓內惆悵）
    - 實（琵琶聲）：「琵琶」二句
    - 虛（絃外音）：「勸我」二句[65]

本詞旨在寫別夜的惆悵之情，全篇以「先凡後目」的結構寫成。韋莊開門見山地以「紅樓」句揭出主旨，以「別夜惆悵」統括全詞的情意；第二句則以室內香艷精美之景詳寫首句「紅樓」這一夜別的所在，葉嘉瑩即點出此句是承上句而來：

> 「流蘇帳」者，飾以流蘇之帳也，其精美可知；「燈」上更著一「香」字，則香閨蘭麝，掩映宵燈，其情事亦復可想，何況「流蘇帳」前還更有「半捲」二字，更使人益增繾綣之思，而卻與上句之「別夜」相承，於是所有的春宵繾綣之情，便都化而為離別惆悵之感。[66]

可知此句借景抒情，更能襯托出作者離別時的繾綣不捨及惆悵傷感。而

---

65 本結構分析表及以下的說明文字，詳參拙著：〈韋莊《菩薩蠻》聯章五首篇章結構探析〉，《中國學術年刊》第26期（2004年9月），頁158-161。

66 見葉嘉瑩：〈從人間詞話看溫韋馮李四家詞的風格〉，《迦陵論詞叢稿》（臺北市：明文書局，1981年），頁57。

大陸學者黃墨谷對這兩句的章法也有論述：

> 上片首韻「紅樓別夜堪惆悵」，既敘事，又言情，……次韻「香燈半捲流蘇帳」，寫當年別夜房中的情景：香燈未滅，帳已半捲，即知離人通宵不曾入寐。詞中寫景，往往兼寓比興，則以言內之事實，寫言外之情意，所謂融情入景，唐、五代詞，最擅此法。[67]

也認為第二句的寫景對第一句有加強情意的作用，而且意在言外，更加含蓄蘊藉。以上是「凡」的部分。

至於「目」的部分，則是由第三句「殘月出門時」至末句「綠窗人似花」，是依主旨分別具寫門外淚別的惆悵（目一）及樓上辭別的惆悵（目二）。就「目一」而言，又形成「先點後染」的結構：「殘月」句是「點」的部分，寫離別的時、空，其中「殘月」點明時間，「門」則是空間，作者在天邊掛著殘月的清晨出門，準備離去；而「美人」句是「染」的部分，敘述美人流淚送別的情形，俞平伯說：「美人句從對面說出，若說我辭美人則徑直矣」[68]，韋莊寫美人流淚，其實自己也是依戀不已。

就「目二」而言，包括下片四句，寫樓上辭別的惆悵，在事件發生順序上，先於「目一」，理應置於「目一」之前，在此是一種逆敘的手法，更能顯現作者在追憶這些場景時恍惚惆悵的心緒。而這四句之間，又形成「先實後虛」的結構：「琵琶金翠羽，絃上黃鶯語」二句是「實」，以美人彈奏的琵琶聲使「惆悵」形象化，以黃鶯的宛轉歌聲比喻琵琶絃

---

67 見黃墨谷：《唐宋詞選析》（北京市：高等教育出版社，1990年11月），頁38。

68 見俞平伯：〈讀詞偶得〉，附於《唐宋詞選釋》（臺北市：木鐸出版社，1981年5月，再版），頁24。

音之美，更增添作者的留戀及傷感之情；末二句「勸我早歸家，綠窗人似花」是「虛」，是美人彈琵琶的絃外之音，美人勸作者「早歸」，原因是「綠窗人似花」，花雖美麗，卻也易謝，遊子稍一蹉跎，美人如花的容顏很快就凋謝了！使作者更增加了一份警惕之心，而早作歸計。

如此以「先凡後目」(篇)、「先情後景」、「先點後染」、「先實後虛」(章)等結構，形成「秩序」來寫，使得全篇籠罩在「惆悵」的情緒中，曲折而成功地表現了韋莊離別前的惆悵傷感。

而且，值得注意的是，順向移位的變化強度較弱，逆向移位的變化強度較強，涂光社將這股移動的力量稱之為「勢」，他在《因動成勢》中說：

> 他們（指藝術家）或隱或顯地把宇宙萬物，尤其是把一切藝術表現物件都理解為不斷運動變化的存在，乃至是與自己心靈相通的有生命有個性的活物。他們總是企求體察和反映出物態中存在的這種靈動之「勢」。[69]

涂光社還指出「勢」有順、有逆，以反映出藝術家們不同的體察結果，他說：

> 「勢」有「順」有「逆」。「順」指其運動方式和取向與審美主體的心理傾向或思維習慣協調一致，能使欣賞者有意氣宏深盛壯、淋漓暢快的感受；「逆」則是其運動方式和取向與審美主體的心理傾向或思維習慣相抵觸、相違背，於是波瀾陡起，衝突、騷動

69 見涂光社：《因動成勢》（南昌市：百花洲文藝出版社，2001年10月），頁256。

和搏擊成為心態的主導方面。[70]

由此可知，「順勢」較為渾成暢快，「逆勢」則較為激蕩騷動，其所形成的風格及帶出的美感是有別的。但是，無論順向或是逆向，這些合乎「秩序」的移位結構，都是作者將寫作材料，訴諸人類求「秩序」的心理，經過邏輯思考，加以組合而成的，至於秩序律發生的心理基礎及美感效果，將在第六章詳論。

二 變化律

所謂「變化」，是把材料的次序加以參差安排的意思。每一章法依循此律，都可經由「轉位」造成順、逆交錯的效果。如前所述，由於章法是以中國哲學之「陰陽二元」的對待關係為基礎而建構起來的，因此章法所呈現的結構類型都是「陰陽二元對待」的形態。於是，當情、景（物）、事、理等辭章材料經由「轉位」而形成結構之時，會因「力」（勢）的移動方向的不同，而造成「抝向陰的轉位」或「抝向陽的轉位」等差異。其中由「陰」向「陽」移動再回到「陰」時，會形成「抝向陰的轉位」；而由「陽」向「陰」移動再回到「陽」時，會形成「抝向陽的轉位」，章法即依循這樣的變化律來組織辭章材料的順序，經由抝向陰的轉位或抝向陽的轉位而形成不同方向的轉位結構。同樣舉以上十幾種常見的章法為例，可以形成如下的結構：

今昔法：「昔、今、昔」（抝向陰）、「今、昔、今」（抝向陽）
遠近法：「近、遠、近」（抝向陰）、「遠、近、遠」（抝向陽）
大小法：「小、大、小」（抝向陰）、「大、小、大」（抝向陽）

---

70 見涂光社：《因動成勢》（南昌市：百花洲文藝出版社，2001年10月），頁265。

本末法：「本、末、本」（拗向陰）、「末、本、末」（拗向陽）
虛實法：「虛、實、虛」（拗向陰）、「實、虛、實」（拗向陽）
賓主法：「主、賓、主」（拗向陰）、「賓、主、賓」（拗向陽）
正反法：「正、反、正」（拗向陰）、「反、正、反」（拗向陽）
抑揚法：「抑、揚、抑」（拗向陰）、「揚、抑、揚」（拗向陽）
立破法：「立、破、立」（拗向陰）、「破、立、破」（拗向陽）
詳略法：「略、詳、略」（拗向陰）、「詳、略、詳」（拗向陽）
凡目法：「凡、目、凡」（拗向陰）、「目、凡、目」（拗向陽）
因果法：「因、果、因」（拗向陰）、「果、因、果」（拗向陽）
情景法：「情、景、情」（拗向陰）、「景、情、景」（拗向陽）
縱收法：「收、縱、收」（拗向陰）、「縱、收、縱」（拗向陽）
底圖法：「圖、底、圖」（拗向陰）、「底、圖、底」（拗向陽）

這些依循變化律、經由順向和逆向移位（即轉位）所造成的結構，也是隨處可見的。詩如張九齡的〈感遇〉十二首之四，其原詩為：

孤鴻海上來，池潢不敢顧。側見雙翠鳥，巢在三珠樹。矯矯珍木巔，得無金丸懼？美服患人指，高明逼神惡。今我遊冥冥，弋者何所慕？[71]

---

[71] 見清聖祖御纂：《全唐詩》（上海市：上海古籍出版社，1996年11月，初版14刷），頁144。

其結構分析表為：

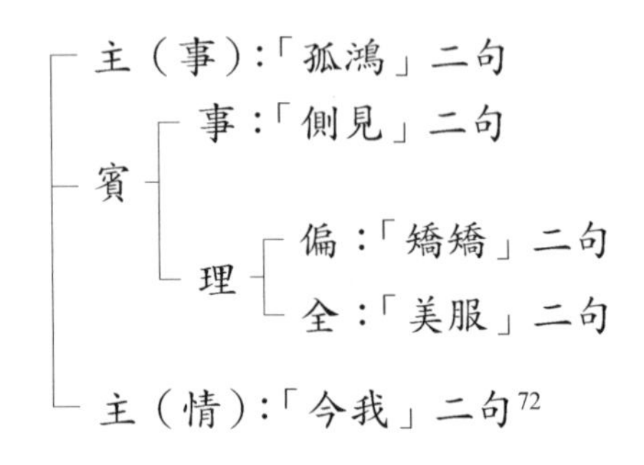

這是一首詠物感發之作；唐玄宗開元二十四年，作者因極言直諫，遭李林甫的讒謗，貶為荊州長史，不久又歸鄉里，作此詩[73]，詩中以「孤鴻」自喻，以「雙翠鳥」喻李林甫、牛仙客，表達出自己的感觸。全篇採「主、賓、主」的結構寫成，首先以「孤鴻」二句自比，寫海上來的孤鴻（主），不敢稍微顧視下面小小的池塘。其次以雙翠鳥（賓）喻他的政敵李林甫等人，與開頭的孤鴻（主）形成強烈的對比；「側見」六句，先敘事、再說理，先敘雙翠鳥不知危險，竟然築巢在珍貴的樹木之上；再以化特例（偏）為通則（全）的手法，並暗用揚雄〈解嘲〉「高明之家，鬼瞰其室」的意思，承上列的敘事來說理，藉以勸告他的政敵：那些穿著華麗的人，尚且怕遭到別人的指摘；居高位的人，也會害怕遭到鬼神的憎惡！更何況是小人居高位，又怎能長久呢？結尾二句，又回到孤鴻（主）作結，以回應首二句，交待不敢顧視池塘的原因：我高遊在廣大的天空中，打鳥的人就無法獵得我了。全篇就如此以「主、賓、主」的變化結構，在「賓」的強烈襯托之下，抒發了自己逍遙自得、忘卻人間

72 參考陳師滿銘：《章法學論粹》（臺北市：萬卷樓圖書公司，2002年7月），頁70。

73 參考邱師燮友：《新譯唐詩三百首》（臺北市：三民書局，2002年6月，修訂四版4刷），頁7。

得失的感懷。

詞如蘇軾〈浣溪沙〉五首之一：

> 覆塊青青麥未蘇。江南雲葉暗隨車。臨皋煙景世間無。　雨腳半收檐斷線。雪牀初下瓦跳珠。歸來冰顆亂黏鬚。[74]

其結構分析表為：

```
┌ 目一（煙景－雨）┬ 地面：「覆塊」句
│                 └ 空中：「江南」句
├ 凡　（煙景美）：「臨皋」句
│
└ 目二（煙景－雪）┬ 屋檐：「雨腳」二句
                  └ 人身：「歸來」句[75]
```

本詞旨在寫欣賞臨皋美景之喜，因此，全篇皆是對臨皋冬景的讚美之語，綱領在「臨皋煙景世間無」一句，泛說臨皋的煙景非人世間所有，這是「凡」的部分。至於「目」的部分，則呼應題目「雨後微雪」[76]：「目一」寫「雨」勢造成的「煙景」，「目二」描寫「雪」霰形成的「煙景」，

---

74 見龍榆生（沐勛）：《東坡樂府箋》（臺北市：華正書局，1980年2月），頁126。

75 本篇的結構分析表及以下的說明文字，主要參考陳師滿銘：《詞林散步——唐宋詞結構分析》（臺北市：萬卷樓圖書公司，2000年1月），頁172；以及拙著：〈東坡詞篇章結構探析——以黃州作《浣溪沙》五首為考察對象〉，《師大學報》第49卷第2期（2004年10月），頁33-34。

76 本詞為〈浣溪沙〉詞組五首的第一首，原題作「十二月二日雨後微雪，太守徐君猷携酒見過，坐上作〈浣溪沙〉三首。明日酒醒，雪大作，又作二首」，見龍榆生（龍沐勛）：《東坡樂府箋》（臺北市：華正書局，1980年2月），頁126。

「有了這首尾兩個目的部分來為篇腹的主意作有力襯托，作品的感染力自然增強不少」。[77]其中「覆塊」二句，是「目一」，是作者在車上所見遠距離的自然美景：地面是一片青青的麥苗，在濛濛煙雨之中，看似尚未蘇醒；而整個江南的天空被烏雲籠罩著，這些雲朵像片片樹葉輕輕地飄落在車蓋上。「目二」是下片三句，是作者在車上所見近距離而融入人事的景致：先描寫微雪飄落的景象，以「檐斷線」寫雨停，以「瓦跳珠」具寫雪霰降在屋檐上，然後在作者進屋後發現「冰顆亂黏鬚」，「暗寫天氣寒凝」。[78]全詞以「目、凡、目」的變化結構，呈現臨皐冬日清晨的迷濛煙景，在首尾具體的景物描繪中，詳盡而曲折地表現出作者的欣喜之情。

這種由陰陽二元互相對立、滲透所造成的章法結構的轉位變化，拗向陰的轉位變化更強化了陰柔的力量；拗向陽的轉位變化則強化了陽剛的力量；合而觀之，「拗」的「轉位」變化，其強度又較「移位」來得更激烈；且「轉位」變化所形成的章法風格與所帶出的美感，也與「移位」變化有所不同。同時，這些合乎「變化」的結構，無論順向或是逆向，都是作者將寫作材料，訴諸人類求「變化」的心理，經過邏輯思考，加以組合而成的，至於變化律發生的心理基礎及其美感效果，將在第六章詳論。

三　聯貫律

所謂「聯貫」，是就材料先後的銜接或呼應來說的，也稱為「銜接」。在中國的文論中，劉勰《文心雕龍》〈章句〉已注意到這種行文之間聯絡照應的問題，他說：

---

77 見陳師滿銘：《詞林散步——唐宋詞結構分析》（臺北市：萬卷樓圖書公司，2000年1月），頁172。

78 見唐玲玲：《東坡樂府研究》（成都市：巴蜀書社，1993年2月），頁108。

> 啟行之辭，逆萌中篇之意；絕筆之言，追媵前句之旨；故能外文綺交，內義脈注，跗萼相銜，首尾一體。[79]

認為前後的章句材料間需適當地搭配，方能順理而成章，使文章的首尾能結成「一個有機的整體」。[80]劉師培《漢魏六朝專家文研究》也說「古人文章之轉折最應研究」[81]，是著眼於文章段落間的聯絡照應來談「轉折」；章微穎的《中學國文教學法》更直接點出文章以各種不同的思想材料，組合成統一有秩序的整體，全靠聯絡照應的意匠本領，始能穩密而靈活。[82]由此可見，辭章材料間的銜接、聯絡、呼應是極其重要的。

陳師滿銘則進一步指出，無論是哪一種章法，都可以由局部材料間的「調和」關係與「對比」關係，形成銜接或呼應，而達到篇章全體「聯貫」的效果。[83]在約四十種章法中，除了貴與賤、親與疏、正與反、抑與揚、立與破、眾與寡、詳與略、張與弛……等，比較容易形成「對比」外，其他的如今與昔、遠與近、大與小、高與低、淺與深、賓與主、虛與實、平與側、凡與目、縱與收、因與果……等，都極易形成「調和」的關係；而有的則要落到某一篇辭章來看，才能看出是「調和」還是「對比」。主要形成「調和」的，如王融的〈古意〉：

> 遊禽暮知反，行人獨不歸。坐銷芳草氣，空度明月輝。嚬容入朝

---

79 見劉勰著，王師更生注譯：《文心雕龍讀本》（臺北市：文史哲出版社，1983年11月），下篇，頁120。

80 見劉勰著，王師更生注譯：《文心雕龍讀本》下篇，關於〈章句〉篇的解題部分，頁118。

81 見劉師培：《漢魏六朝專家文研究》（臺北市：臺灣中華書局，1982年3月，臺五版），頁17。

82 參考章微穎：《中學國文教學法》（臺北市：蘭臺書局，1973年10月，再版），頁53。

83 見陳師滿銘：《章法學綜論》（臺北市：萬卷樓圖書公司，2003年6月），頁45。

鏡，思淚點春衣。巫山彩雲沒，淇上綠條稀。待君竟不至，秋雁雙雙飛。[84]

其結構分析表為：

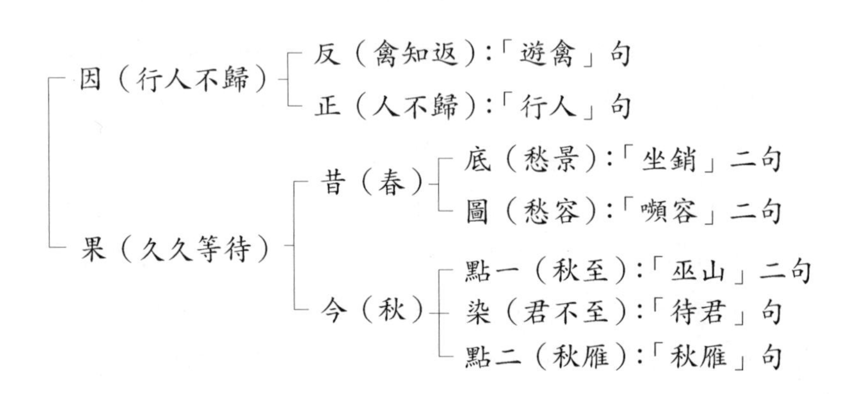

本詩的主旨在寫愛人久別不歸的相思之情，全篇以「先因後果」的結構寫成，首二句是「因」，又以遊禽的知返（反）來反襯行人的不歸（正），因此，形成了「先反後正」的結構。而第三句以下至末句是「果」，此處作者以女子由春（昔、先）到秋（今、後）的漫長等待，來寫相思之久之苦：「昔」的部分又形成「先底後圖」的結構，「坐銷」二句是「底」（背景），指出女子為了等待愛人，連春日的芳草明月都無心欣賞；「嚬容」二句是「圖」（焦點），寫出了女主人翁在明媚的春光中，竟然只是鎮日愁容滿面、淚眼對鏡。「今」的部分又形成「點、染、點」的結構，「待君」句為「染」，是女子苦苦等待的事件本身；「巫山」二句是「點一」，其時空的落足點在秋天的山水，寫秋天在女子的

84 見徐陵撰，吳兆宜注，程琰刪補，穆克宏點校：《玉臺新詠箋注》（臺北市：明文書局，1988年7月），頁157。

等待中不知不覺地來臨，往日巫山歡會的樂事已被行人遺忘，淇水邊的猗猗綠竹也日漸稀少，作者反用了「巫山雲雨」的典故暗示兩人愛情的消逝，反用了「瞻彼淇奧，綠竹猗猗」（《詩經．衛風．淇奧》）的意象暗示愛人的歸期無望，十分含蓄感人；「秋雁」句是「點二」，其時空的落足點在秋天的天空，女子久候愛人不至，望著比翼雙飛的秋雁，內心更加淒涼孤寂。[85]全篇這種「先因後果」的移位結構，「因」與「果」兩種材料間形成調和性的關係；整篇作品的材料在由「因」而「果」的核心章法結構的順推之下，巧妙地將「先反後正」、「先底後圖」、「果、因、果」等輔助結構，聯貫得十分自然協和，能充分地表現出女子滿懷的相思之情。

至於全篇材料形成「對比」聯貫情形的，如周密的〈聞鵲喜〉（天水碧），其原詞為：

> 天水碧，染就一江秋色。鼇戴雪山龍起蟄，快風吹海立。　數點煙鬟青滴，一杼霞綃紅濕。白鳥明邊帆影直，隔江聞夜笛。[86]

其結構分析表為：

- 動（潮起迅猛）
  - 遠（江天一碧）：「天水碧」二句
  - 近（潮水陡起）：「鼇戴」二句
- 靜（潮過平靜）
  - 遠（遠山雲霞）：「數點」二句
  - 近（鷗鷺夜笛）：「白鳥」二句

85 關於本首詩的說明文字，詳參拙著：〈論《玉臺新詠》中女子對鏡的意象〉，《東方人文學誌》第1卷第4期（2002年12月），頁43。

86 見周密：《蘋洲漁笛譜》，收於《叢書集成續編》（臺北市：新文豐出版公司，1984年），冊207，頁792。

這闋詞題作「吳山觀濤」，旨在詠錢塘江的潮水；而本詞作於宋亡之後，末句「夜笛」應有「亡國之痛」的寓意。全篇以「先動後靜」的結構寫成，上片是「動」的部分，寫潮起的迅猛情形：此處又形成「先遠後近」的結構，首二句寫江天一碧的秋色，是潮起之時「遠處」的廣大背景；「鼇戴」二句，以鼇背雪山、龍躍水底來喻「近處」潮起的迅猛景象，又以快風使海高高聳立，來增加潮起的威勢。下片是「靜」的部分，寫潮過的平靜：此處也形成「先遠後近」的結構，「數點」二句寫潮過後的遠山和雲霞，青紅相映，分外美麗；「白鳥」二句分別以視覺、聽覺寫鷗鳥及夜笛，呈現出平和的靜景。李祚唐曾針對此闋詞說：

> 上片依人的視覺，由遠及近，潮來時雷霆萬鈞之勢，已全在眼前。下片復由上片的劇烈動態轉為平緩，逐漸消失為靜態。……這種平靜，正是在洶湧喧囂過後，才體驗得分外真切；而它反過來，不也襯托出錢塘江潮的格外壯觀嗎？詞人寫潮，即充分借助了這種靜與動的相互對比和彼此轉換，因而著語雖不多，效果卻非常明顯。[87]

可知，周密藉由「動靜法」將兩種對立的材料前後聯貫起來，使得「動」與「靜」兩種材料，在相互對比和轉換中，表現了作者所欲傳達的喧囂後的平靜之感及隱於心中、難以言喻的亡國之痛。

此外，值得注意的是，「調和」與「對比」兩者，並非永遠固定不變。所謂的「調和」，在某個層面來看，指的乃是「對比」前的一種「統一」；而所謂的「對比」，或稱「對立」，如果著眼於進一層，則形成的又是「調和」或「統一」的狀態；兩者可說是一再互動、循環，終而形

87 見《詞林觀止》（上海市：上海古籍出版社，1994年4月），上冊，頁694。

成「螺旋結構」[88]的。

四　統一律

所謂的「統一」，是就材料情意的通貫來說的。這裡所說的「統一」，是側重於辭章內容（包含內在的情理與外在的材料）的整體而言，與前三律側重於個別或部分內容材料的情形有所不同。也就是說，這個「統一」，和聯貫律中由「調和」所形成的「統一」不同，因此要達成內容的「統一」，非訴諸主旨（情意）與綱領（大都為材料的統合）[89]不可。劉勰《文心雕龍》〈附會〉將這種內容與材料的「統一」稱為「附會」，他說：

> 何謂附會？謂總文理，統首尾，定與奪，合涯際，彌綸一篇，使雜而不越者也。……凡大體文章，類多枝派，整派者依源，理枝者循幹，是以附辭會義，務總綱領，驅萬塗於同歸，貞百慮於一致，使眾理雖繁，而無倒置之乖，群言雖多，而無棼絲之亂，扶陽而出條，順陰而藏跡，首尾周密，表裏一體。[90]

通篇的材料無論有多麼複雜繁多，作者都可以憑藉其思想情意將之相附而會於「一」，使其「雜而不越」，歸於「統一」。由此可知，辭章要達

88 兩種對立的事物，往往會產生互動、循環而提升的作用，而形成螺旋結構。參見陳師滿銘：〈談儒家思想體系中的螺旋結構〉，《國文學報》第29期（2002年6月），頁1-34。

89 一篇辭章中，作者真正要表達的思想為主旨，它可以也是綱領，也可不是；而所用的內容材料，與主旨、綱領間的關係固然密切，卻不等於是主旨或綱領。見陳師滿銘：〈談辭章主旨、綱領與內容的關係〉，《章法學新裁》（臺北市：萬卷樓圖書公司，2001年6月），頁194-204。

90 見劉勰著，王更生注譯：《文心雕龍讀本》（臺北市：文史哲出版社，1983年11月），下篇，頁243-244。

成「統一」，非訴諸主旨（情意）與綱領（材料）不可；而且須以主旨統攝材料，方能達致思想與言辭的「統一」。如杜甫的〈登樓〉詩：

> 花近高樓傷客心，萬方多難此登臨。錦江春色來天地，玉壘浮雲變古今。北極朝廷終不改，西山寇盜莫相侵。可憐後主還祠廟，日暮聊為〈梁甫吟〉。[91]

其結構分析表為：

- 點（登樓）
  - 果（登樓傷心）:「花近」句
  - 因（國家多難）:「萬方」句
- 染（感懷）
  - 景（所見）:「錦江」二句
  - 情（所感）
    - 一（憂心時局）:「北極」二句
    - 二（壯志未酬）:「可憐」二句

這首詩寫於唐代宗廣德二年（西元764年）春天的成都，當時官軍已收復了河南河北，安史之亂平定；但不到一年，吐蕃卻攻陷了長安，代宗奔赴陝州，幸賴郭子儀收復京師，代宗才得以重返長安；不料，吐蕃又接連攻破松州、維州、保州，以及劍南、西山諸州。杜甫目睹國家的多難、戰爭的紛擾、君民的流離，在登樓遠眺之時，百感交集，於是寫下這首〈登樓〉。本詩的主旨在結尾二句「可憐後主還祠廟，日暮聊為〈梁甫吟〉」，寫出了對時局的憂心及自己壯志未酬的遺憾。全篇以「先點後染」的結構寫成，開頭二句是「點」，點明自己身處的空間是在高樓，此處又形成「先果後因」的結構：登上高樓，春花就在眼前，卻反

91 見杜甫：《杜工部集》（臺北市：臺灣學生書局，1967年5月），卷11，頁480。

而愈覺傷心，原因便在於國家正處多難之秋，再美的景色也無法令他感到欣喜。「錦江」以下六句是「染」的部分，是本詩的主體所在，也就是作者登樓之後的所見及所感：「所見」是「錦江」二句，從空間上來看，登樓所見是洶湧的錦江，從天地之間帶來無限遼闊的春色，從時間上來看，登樓所見是玉壘山上的浮雲，自古到今一直在生滅變幻，如同歷代世局的興衰起伏。「所感」是「北極」以下四句，作者由對眼前山河的讚嘆轉而為發自內心的吶喊：一是憂心唐代宗過於重用宦官，會招致像蜀漢後主寵信黃皓的亡國命運；一是為自己已年過五十卻仍流落他鄉，無法如孔明般地在二十七歲時就受劉備重用，全詩就在〈梁甫吟〉的悲涼氣氛中戛然而止，其言外之悲，是不言而喻的。本詩的成功之處，就在於作者能將眼前之景與心中之情密切綰合，構成一種特殊的境界，使得他所欲表達的情境與運用的物境充分疊合，交融在一起，達致統一。

而主旨又有置於篇首、篇腹、篇末與篇外的不同，綱領也有單軌、雙軌或多軌的差別，這就必須以「邏輯思維」為主、輔以「形象思維」來加以完成。一篇辭章，無論是何種類型，都可以由此「一以貫之」，來呈現出其特殊的條理。如韋莊〈菩薩蠻〉五首之二：

> 人人盡說江南好，遊人只合江南老。春水碧於天，畫船聽雨眠。爐邊人似月，皓腕凝雙雪。未老莫還鄉，還鄉須斷腸。[92]

其結構分析表為：

---

92 見趙崇祚輯、李一氓校：《花間集》（臺北市：源流出版社，1982年8月），頁32。

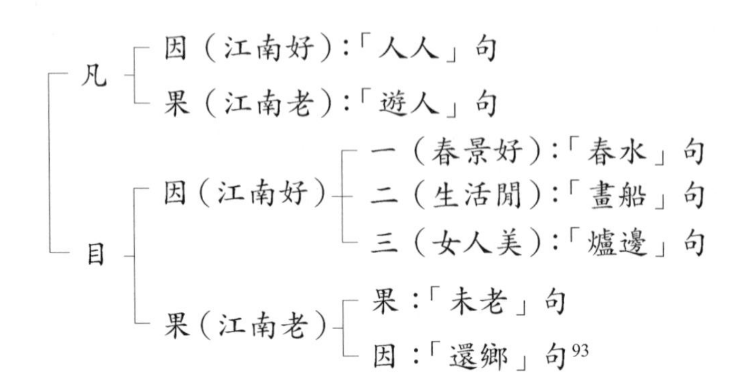

本詞的主旨在寫「江南好」，是以「先凡後目」的結構寫成。此首在「凡」與「目」的部分皆形成雙軌，在篇章的結構變化上，較單軌更豐富，所謂雙軌，是「將平列或有主從關係的兩個意思安置於前端，以依次組合下面兩組材料的一個形式」[94]，其簡式為：「江南好」「江南老」（凡）→「江南好」（目一）・「江南老」（目二）。本詞開頭二句就是「凡」的部分，首句「人人盡說江南好」即主旨所在，是第一軌；正因「江南好」，所以第二句接著說「遊人只合江南老」，是第二軌，二句為因果關係。韋莊四十八歲至五十八歲之間一直寄居江南求食求仕，其間長達十年之久，對江南自然有無限思念之情，因此，追憶之時，便從江南的「好」切入，唐圭璋指出此二句的關係說：

> 起兩句自為呼應。人人既盡說江南之好，勸我久住，我亦可以老於此間也。[95]

93 本結構分析表及以下的說明文字，詳參陳師滿銘：〈韋莊的菩薩蠻（二）〉，《國文天地》第13卷第2期（1997年7月），頁38；及拙著：〈韋莊《菩薩蠻》聯章五首篇章結構探析〉，《中國學術年刊》第26期（2004年9月），頁161-163。

94 見陳師滿銘：〈談見於詩詞裡的凡目結構〉，《章法學新裁》（臺北市：萬卷樓圖書公司，2001年6月），頁363。

95 見唐圭璋：《唐宋詞簡釋》（臺北市：鼎文書局，2001年5月），頁14。

他所說的「呼應」，其實就是因果關係。

至於「目」的部分，則是由「春水碧於天」至末句「還鄉須斷腸」。其中「春水」句起四句是「目一」，呼應「凡」的第一軌，具寫江南之好，所以也是「因」：「春水碧於天」具寫江南的第一個好——景致美，春水碧綠與天色相映成趣；「畫船聽雨眠」具寫江南的第二個好——生活閒，在畫船中伴著雨聲悠然入眠；「爐邊人似月」二句具寫江南的第三個好——女人美，賣酒的女子貌美如月，舉手投足間露出的手腕白皙如雪。江南有如此美好的三個特點，當然值得終老於此。因此，末二句「目二」便呼應「凡」的第二軌，寫「果」，但這個「果」，表面上看是因為「江南好」，令人流連忘返，如果現在還鄉，會因思念江南而「斷腸」，所以未老不還鄉，而實際上是因為中原正遭受黃巢之亂，有家歸不得，正如唐圭璋所說：

> 「未老」句陡轉，謂江南縱好，我仍思還鄉，但今日若還鄉，目擊離亂，只令人斷腸，故惟有暫不還鄉，以待時定。情意宛轉，哀傷之至。[96]

因此，有家歸不得之恨，才是作者真正要表達的意思。而這份惱人的情緒，以「先果後因」的逆向結構展現，陳師滿銘指出其作用說：

> 這樣顛倒因果來寫，將句式由敘事改為判斷，使得「斷腸」之苦更趨濃烈，產生了最大之感染力。[97]

---

96 見唐圭璋：《唐宋詞簡釋》（臺北市：鼎文書局，2001年5月），頁14。

97 見陳師滿銘：〈韋莊的菩薩蠻（二）〉，《國文天地》第13卷2期（1997年7月），頁38。

可知這樣「由果溯因」的結構，能配合作者此時心情的逆轉變化，而「因」的最後出現，也較能挑起讀者的期待感，使作品產生更深的感動力量。

十分明顯地，本詞雖然形成雙軌式的結構，但全篇自始至終皆以「江南好」（暗藏有家歸不得之恨）一意貫穿，統合「因」與「果」兩軌來寫，使得全詞前後都維持著一致的情意，材料與情意之間達成了統一。

這種主旨或綱領的「統一」，說的就是「整體結構的統一和諧」，吳應天在其《文章結構學》中，除了提及「整體結構的統一和諧」外，還談到了其他的統一，他說：

> 此外，還有觀點和材料的統一，論點和論據的統一，這都是邏輯思維的問題，但同時顧及和諧的心理因素。[98]

這雖是專就論說文而言，但其原理可以適用於其他文體。而所謂的「觀點和材料的統一」，擴大來講，就是主旨或綱領與全篇材料之間的統一，這和章法結構的統一，可說是疊合在一起，共同使得辭章整體達於最高的和諧。這種疊合辭章內容與形式、使之達於統一和諧，可說是運用綜合思維的結果。

綜上所述，可知「秩序律」是將辭章材料依序加以安排的規律，任何章法皆可依循此律、經由順向或逆向移位而形成秩序性的結構；「變化律」（狹義）是將辭章材料的次序加以參差安排的規律，任何章法都可以依循此律、經由轉位而造成拗向陰或拗向陽的變化性結構。此二種

98 見吳應天：《文章結構學》（北京市：中國人民大學出版社，1989年8月，初版3刷），頁359。

規律，又可合併而成廣義的「變化律」，也是本論文題目所採取的定義。至於「聯貫律」則是指任何章法，都可以由局部材料的「調和」或「對比」的關係，形成銜接或呼應，而達到聯貫的效果；「統一律」則是指一篇辭章由主旨或綱領發揮統攝的力量，而達成全篇材料與情意的「統一」和諧，進而使文章產生最大的說服力及感染力量。這章法的四大律，可說是本乎天理，且為人心所共同具有的自然規律，讀者如能依四大律進行辭章的鑑賞，可具體而條理地掌握辭章的創作理路及主旨，從而在文章的分析中欣賞到辭章的形式與內容的豐富美感。

尤其，依秩序律所造成的「移位」及依變化律（狹義）所造成的「轉位」，是作者組織材料的變化歷程，也是各種章法結構形成時必然出現的歷程，其多樣的變化組合，使得章法結構展現出豐富的樣貌及美感；鑑賞者也可經由章法結構的探析而深入文章的底蘊，不僅能掌握篇章的主旨，還可達到再創造的境界。「變化律」（含「秩序律」），可說是四大律應用於辭章章法時，運動變化的重要基礎，唯有在「變化律」（含「秩序律」）的組織、變化之下，辭章的材料才能形成結構、造成「移位」或「轉位」，然後聯貫律、統一律方能發揮其功用，從而在「核心結構」徹上徹下的聯絡照應下，凸顯出篇章的主旨，表現出篇章的風格、韻律、氣象及美感。因此，我們可以說，「變化律」（含「秩序律」）在四大律中佔有極基礎而必要的地位。

第三章
章法變化律的理論基礎

第一節 變化律的哲學義涵

一篇辭章，兼具了「形象思維」與「邏輯思維」兩種特性。[1]前者多訴諸主觀聯想，精心設計「物材」或「事材」的表現技巧以表達抽象的「情」或「理」，所涉及的主要是「立意」、「取材」及「措詞」等問題，形成了主題學、意象學、修辭學等研究領域；而後者則多訴諸客觀聯想，對應於自然規律，安排佈置「物材」或「事材」的條理結構以表達「情」或「理」，所涉及的主要是「運材」、「佈局」及「構詞」等問題，形成了文（語）法學、章法學等研究領域。而結合二者以探究全篇辭章體性的，則成為文體學、風格學。[2]

其中章法學所欲探求的，就是辭章的條理或結構，而其所運用的思維方式，即是對應於自然規律的邏輯思維，亦即如吳應天所言：「文章結構規律作為文章本質的關係，恰好跟人類的思維形式相對應，而思維形式又是客觀事物本質關係的反映。」[3]人類觀察自然界客觀事物的變化、宇宙生成變動的現象，而建立了哲學之理，這個「理」，即是規

---

1 吳應天：「人們的思維既有形象性，也有邏輯性，所以既可寫成形象體系，也可寫成邏輯體系。……由於簡明扼要的邏輯系統很容易為人們所理解，而生動具體的形象體系更容易使人感動，所以許多文學作品往往是形象性和邏輯性結合的複合文。」見《文章結構學》（北京市：中國人民大學出版社，1989年8月，初版3刷），頁345。

2 參考陳師滿銘：《章法學綜論》（臺北市：萬卷樓圖書公司，2003年6月），頁60-61。

3 見吳應天：《文章結構學》（北京市：中國人民大學出版社，1989年8月，初版3刷），頁359。

律，亦可投射於文學、藝術等範疇，陳師滿銘曾特別指出：「這個『理』……透過人之『心』，投射到哲學上，即成哲學之理；投射到藝術（音樂、繪畫、電影等）上，變成為藝術之理，而投射到文學上，當然就成文學之理了。如進一步將此文學之理落在『章法』上來說，則是『章法』之理，那就是：秩序、變化、聯貫、統一。」[4]而這「秩序」、「變化」、「聯貫」及「統一」四種規律，不僅是章法之理，更是來自於宇宙自然的萬物運動變化之理。

整個宇宙由一股動力推動著，萬事萬物經由運動變化的開展而形成秩序，並建立聯貫關係，終而達到統一和諧之境。而在這運動變化的歷程中所形成的「移位」與「轉位」現象，即為所謂的「秩序律」及「變化律」，無論是中國古代的思想家，或是西方古代的哲人，都極為重視這些變化規律，張岱年說：「中國哲學有一個根本的一致的傾向，即承認變是宇宙中之一根本事實。變易是根本的，一切事物莫不在變易之中，而宇宙是一個變易不息的大流。」[5]西方的黑格爾也說：「一切有限之物並不是堅定不移，究竟至極的，而毋寧是變化、消逝的。而有限事物的變化消逝不外是有限事物的辯證法。」[6]都在強調「變化」的宇宙觀。本節即以《周易》（含《易傳》）及《老子》為考察對象[7]，並結合西洋相關哲學學說，來探討「移位」及「轉位」的宇宙變化歷程，期能為章法「變化律」（廣義的「變化律」含「秩序律」）[8]尋得哲學上的根

---

4 見陳師滿銘：〈論辭章章法的四大律〉，收於《章法學論粹》（臺北市：萬卷樓圖書公司，2002年7月），頁17。

5 見張岱年：《中國哲學大綱》（北京市：中國社會科學出版社，1982年8月），頁94。

6 見黑格爾（G. W. Hegel）著，賀麟譯：《小邏輯》（臺北市：臺灣商務印書館，1998年4月），頁181。

7 主要參考陳師滿銘：〈章法結構及其哲學義涵〉一文，《中國學術年刊》第26期（2004年9月），頁67-104；以及〈論「多」、「二」、「一（0）」的螺旋結構——以《周易》與《老子》為考察重心〉一文，《師大學報》第48卷第1期（2003年4月），頁1-20。

8 就章法的角度言，所謂「秩序」，是將材料依序加以整齊安排的意思。任何章法都可

源及理論依據。

一　變化的發生

（一）《周易》（含《易傳》）

《周易》（含《易傳》）的作者觀察到現行世界有著「日月運行」（《周易》〈繫辭上〉）、四時成歲的規律變化，體會到宇宙萬物「變動不居」（《周易》〈繫辭下〉）、生生不已，於是用六十四卦、三百八十四爻的推衍，來「象徵萬物在時間之流中演進之情況」[9]，其中用「易」、「道」或「太極」來統括「陰」（坤）與「陽」（乾），作為萬物發生、變化的根源：

> 乾知大始，坤作成物。（〈繫辭上〉，卷7，頁2）[10]
>
> 一陰一陽之謂道，繼之者善也，成之者性也。……生生之謂易，成象之謂乾，效法之謂坤。（同上，卷7，頁7-8）

依循此律，經由「移位」（順、逆）而形成其先後順序，如「先虛後實」（順）、「先實後虛」（逆）等結構；而所謂「變化」，是把材料的次序加以參差安排的意思。每一章法依循此律，也都可經由「轉位」而造成順、逆交錯（即往復）的現象，如「正、反、正」、「反、正、反」等結構。以上敘述參考陳師滿銘：《章法學綜論》（臺北市：萬卷樓圖書公司，2003年6月），頁35-41。又因「秩序」屬規則性的變化，故將「秩序律」涵括於廣義的「變化律」之中，在本文一併討論。

9 見黃師慶萱：《周易縱橫談》（臺北市：三民書局，1995年3月），頁99。徐復觀也說：「易由兩個基本符號衍變為六十四卦，都是象徵的性質，這即是一般所謂的『象』。古人大概是以這六十四卦、三百八十四爻的相互衍變，來象徵，甚至是反映宇宙人生的變化；在這種變化中，找出一種規律，以成立吉凶悔吝的判斷，因而漸漸找出人生行為的規律。」見《中國人性論史》〈先秦篇〉（臺北市：臺灣商務印書館，1978年10月，四版），頁202。

10 見王弼、韓康伯注，孔穎達疏，阮元校勘，陸費逵總勘：《周易正義》（臺北市：臺灣中華書局，1965年，臺1版），以下凡引《周易》（含《易傳》）原文處，皆直接以括弧標明此「四部備要」本的卷數及頁碼，不另附注。

> 是故易有太極，是生兩儀，兩儀生四象，四象生八卦。（同上，卷7，頁17）

由以上的文字可知，世界上萬物發生、變化的根源，就「生生」的特點言，是「易」；就象數的始點言，是「太極」[11]，也可說是宇宙最初的、無邊無際的混元一氣[12]；就所具的「陰」、「陽」屬性說，是「道」。[13]而由「易有太極，是生兩儀，兩儀生四象，四象生八卦」的文字，再結合《周易》〈說卦〉：「乾為天，坤為地，震為雷，巽為風，坎為水，離為火，艮為山，兌為澤」，更可以描繪出世界萬物生成變化的圖式：

> 宇宙最初是一團無邊無際的混元之氣，它一分為二而為陰氣與陽氣，由陰氣與陽氣而凝固成天地。有天地就有了春、夏、秋、冬四時的運行，隨著春、夏、秋、冬四時的運行，而產生了天、

---

11 黃師慶萱說：「太極，是原始，也是無窮。從數方面來講，原始的數是一，所以《說文解字》於『一』篆下云：『惟初太極，道立於一，造分天地，化成萬物。』可見太極既為初為一；及其化成萬物，又可至於無窮。」見《周易縱橫談》（臺北市：三民書局，1995年3月），頁33-34。

12 孔穎達《周易正義疏》：「太極謂天地未分之前，元氣混而為一。」認為「太極」是宇宙萬物發生的原質，它是一個無邊無際的混沌整體。見王弼、韓康伯注，孔穎達疏，阮元校勘，陸費逵總勘：《周易正義》（臺北市：臺灣中華書局，1965年，臺1版），卷7，頁17。

13 馮友蘭認為這裏的「道」可以等同於「太極」，他說：「《易傳》中講的話有兩套：一套是講宇宙及其中的具體事物，另一套是講《易》自身的抽象的象數系統。〈繫辭傳．上〉說：『易有太極，是生兩儀，兩儀生四象，四象生八卦。』這個說法後來雖然成為新儒家的形上學、宇宙論的基礎，然而它說的並不是實際宇宙，而是《易》象的系統。可是照《易傳》的說法：『易與天地準』（同上），這些象和公式在宇宙中都有其準確的對應物。所以這兩套講法實際上可以互換。『一陰一陽之謂道』這句話固然是講的宇宙，可是它可以與『易有太極，是生兩儀』這句話互換。『道』等於『太極』，『陰』、『陽』相當於『兩儀』。〈繫辭傳．下〉說：『天地之大德曰生。』〈繫辭傳．上〉說：『生生之謂易。』這又是兩套說法。前者指宇宙，後者指易。可是兩者又是同時可以互換的。」見《馮友蘭選集》（北京市：北京大學出版社，2000年7月），上卷，頁286。

> 地、雷、風、水、火、山、澤八種基本物質。這八種基本物質各有特性與功能，其特性與功能對萬物的產生和發展又各有作用。這種作用唯有兩兩的對立統一相反相成才得以發揮，從而推動萬物生生化化終始無窮。[14]

《周易》（含《易傳》）藉著「太極」、「兩儀」（陰陽二氣）、「四象」（四時）、「八卦」的發展過程，來表述宇宙萬物生成變化的過程。以今日的科學觀點而言，雖然不夠準確，卻代表了古代哲人因直觀自然而產生的樸素的哲學思維特徵。

如果更具體地說，宇宙萬物生成變化的根源，實是由於「陰」、「陽」[15]兩種對立性質相互作用的結果。在《周易》（含《易傳》）中，有許多因二元對立而發生變化的說法，例如：

> 大哉乾元，萬物資始，乃統天。……乾道變化，各正性命。（〈乾〉〈彖〉，卷1，頁4）
> 至哉坤元，萬物資生，乃順承天。（〈乾〉〈彖〉，卷1，頁14）
> 剛柔相推，變在其中矣，繫辭焉而命之，動在其中矣。（〈繫辭下〉，卷8，頁1-2）
> 陰疑於陽必戰。（〈坤〉〈文言〉，卷1，頁17）
> 剛柔相摩，八卦相盪。（〈繫辭上〉，卷7，頁2）

14 見徐志銳：《周易陰陽八卦說解》（臺北市：里仁書局，1995年5月，初版3刷），頁48。

15「陰」與「陽」並不是某種具體事物的實體，而是普遍存在於事物中的對立因素的抽象，是抽象化、符號化了的兩極對立因素。此二者表示一種功能關係，它們互相對立，截然相反；正因為它們是截然相反的兩極，所以又必然相引相吸、相摩相蕩、相感相應、相交相合。參考葉太平：《中國文學之美學精神》（臺北市：水牛圖書出版公司，1998年7月），頁368-369。

> 是故闔戶（靜止）謂之坤，辟戶（運動）謂之乾，一闔一辟謂之變，往來不窮謂之通。（〈繫辭上〉，卷7，頁17）
> 夫乾，其靜也專，其動也直，是以大生焉。夫坤，其靜也翕，其動也闢，是以廣生焉。（〈繫辭上〉，卷7，頁9）
> 剛柔相推而生變化。（〈繫辭上〉，卷7，頁3）
> 咸，感也。柔上而剛下，二氣感應以相與。……天地感而萬物化生。（〈咸〉〈彖〉，卷4，頁1-2）
> 天地相遇，品物咸章也。（〈姤〉〈彖〉，卷5，頁3）
> 天地絪縕，萬物化醇，男女構精，萬物化生。（〈繫辭下〉，卷8，頁9）
> 陰陽合德而剛柔有體，以體天地之撰，以通神明之德。（〈繫辭下〉，卷8，頁9）

其中的「乾、坤」、「剛、柔」、「陽、陰」、「動、靜」、「天、地」，都是代表兩兩對立的性質，「世界萬物就是由陰陽兩種基本的對立力量運動推移而產生著、發展著、演化著」。[16]

而這股生化萬物的原動力，不存在於「道」的外部，卻存在於其內部陰陽（正反）兩面的對立、往來之中，它是一種「內動力」。[17]正如馮友蘭所說：

> 在「太極」中本涵有對立面；由此分化出兩個對立面；兩個對立面的相互作用，產生了其它的各種現象。這意味著，事物的發展

16 見姜國柱：《中國歷代思想史》〈先秦卷〉（臺北市：文津出版社，1993年12月），頁431。

17 宋志明等：《中國古代哲學研究》：「《易傳》還把兩種相反相成的因素的相互作用看成生化創新的內動力。」（北京市：中國人民大學出版社，1998年8月），頁65。

> 過程是統一物分裂為對立面和對立面相互作用的過程。關於對立面的相互作用，《易傳》認為有相互推移（「剛柔相推」），有相互摩擦（「剛柔相摩」），也有相互衝擊（「八卦相蕩」）等各種表現形式。這些材料表明，《易傳》的作者猜測到，事物變化的根源，在於其自身存在著內部的矛盾。[18]

可知《周易》（含《易傳》）認為變化的發生，可以說是陰陽二元之間，由靜態的矛盾、「對待」[19]，而至動態往來（相摩、相推、相蕩）的結果。這種二元對待的思想，在書中處處可見。例如八卦，以兩兩為一組，不僅符號結構是相反的，其物質特性也是互相對立的，〈說卦〉說：

> 天地定位，山澤通氣，雷風相薄，水火不相射，八卦相錯。（第三章，卷9，頁3）
>
> 故水火相逮，雷風不相悖，山澤通氣，然後能變化，既成萬物也。（第六章，卷9，頁4）

---

18 見馮友蘭：《中國哲學史新編》（臺北市：藍燈文化事業公司，1991年12月），冊2，頁376。

19「對待」一詞，見於朱熹《朱子語類》：「陰陽有個流行底；有個定位底。一動一靜，互為其根，便是流行底，寒暑往來是也。分陰分陽，兩儀立焉，便是定位底，天地上下四方是也。易有兩義：一是變易，便是流行底；一是交易，便是對待底。」（卷六十五）曾春海解釋「對待」一詞說：「所謂對待，係指陰陽性質上的對立相待，例如東陽西陰或者是南陽北陰，這是就陰陽靜態的分別性質而言。其分別是從同一件事象所區別出來的正反兩面相對立之現象。此類一事含具二面現象的情況是萬物的普遍相。」見《易經的哲學原理》（臺北市：文津出版社，2003年3月），頁68。而陳師滿銘更進一步指出：「凡『二元對待』之兩方，如仁與智、明明德與親民、天（自誠明）與人（自明誠）等，都會產生互動、循環而提昇的作用，而形成螺旋結構。」可知靜態的「對待」是具足動能、會向對待面移動、往來的。參見陳師滿銘：〈談儒家思想體系中的螺旋結構〉，《國文學報》第29期（2000年6月），頁1-36。

「乾」(☰)為天，「坤」(☷)為地，一上一下，其位置是對立的；「艮」(☶)為山，「兌」(☱)為澤，是一高一低的對立；「巽」(☴)為風，「震」(☳)為雷，風雷因互相悖逆而對立；「坎」(☵)為水，「離」(☲)為火，水火因不相容而對立。但在兩兩對立中，又能經由動態的相通、相薄（應和）、相逮（資助）而推動萬物的生成變化。此外，在六十四卦中，兩卦之間內外卦的形式對應，也可以看出二元對待的思想：

屯（坎上震下）和解（震上坎下）
蒙（艮上坎下）和蹇（坎上艮下）
需（坎上乾下）和訟（乾上坎下）
師（坤上坎下）和比（坎上坤下）
小畜（巽上乾下）和姤（乾上巽下）
履（乾上兌下）和夬（兌上乾下）
泰（坤上乾下）和否（乾上坤下）
同仁（乾上離下）和大有（離上乾下）
謙（坤上艮下）和剝（艮上坤下）
豫（震上坤下）和復（坤上震下）
隨（兌上震下）和歸妹（震上兌下）
蠱（艮上巽下）和漸（巽上艮下）
臨（坤上兌下）和萃（兌上坤下）
觀（巽上坤下）和升（坤上巽下）
噬嗑（離上震下）和豐（震上離下）
賁（艮上離下）和旅（離上艮下）
無妄（乾上震下）和大壯（震上乾下）
大畜（艮上乾下）和遯（乾上艮下）
頤（艮上震下）和小過（震上艮下）

大過（兌上巽下）和中孚（巽上兌下）
咸（兌上艮下）和損（艮上兌下）
恆（震上巽下）和益（巽上震下）
晉（離上坤下）和明夷（坤上離下）
家人（巽上離下）和鼎（離上巽下）
睽（離上兌下）和革（兌上離下）
困（兌上坎下）和節（坎上兌下）
井（坎上巽下）和渙（巽上坎下）
既濟（坎上離下）和未濟（離上坎下）

這些卦都是二二相耦的，如「坎上震下」（屯）與「震上坎下」（解）、「坎上離下」（既濟）與「離上坎下」（未濟）……等等，皆形成了二元對待的關係。此外，還有兩卦之間同位之爻的二元對待關係：

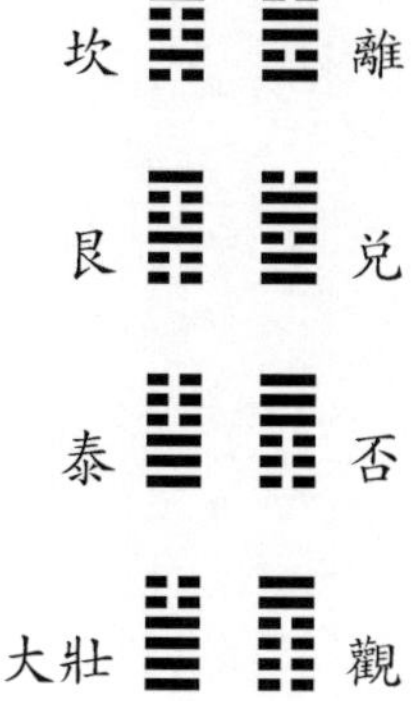

乾　坤

震　巽

坎　離

艮　兌

泰　否

大壯　觀

需 ䷄ ䷢ 晉

大畜 ䷙ ䷬ 萃

小畜 ䷈ ䷏ 豫

大有 ䷍ ䷇ 比

夬 ䷪ ䷖ 剝

无妄 ䷘ ䷭ 升

訟 ䷅ ䷣ 明夷

遯 ䷠ ䷒ 臨

姤 ䷫ ䷗ 復

同人 ䷌ ䷆ 師

履 ䷉ ䷎ 謙

屯 ䷂ ䷱ 鼎

頤 ䷚ ䷛ 大過

益 ䷩ ䷟ 恒

噬嗑 ䷔ ䷯ 井

隨 ䷐ ䷑ 蠱

解 ䷧ ䷤ 家人

蒙 ䷃ ䷰ 革

渙 ䷺ ䷶ 豐

困 ䷮ ䷕ 賁

小過 ䷽ ䷼ 中孚

蹇 ䷦ ䷥ 睽

漸 ䷴ ䷵ 歸妹

旅 ䷷ ䷻ 節

咸 ䷞ ䷨ 損

既濟 ䷾ ䷿ 未濟

這三十二組卦爻的形式，皆兩相對待，如乾（䷀）與坤（䷁）、需（䷄）與晉（䷢）……等等，各組同位之爻都是陰爻、陽爻兩相對待的。另外，我們還可從〈雜卦〉的內容中，看出二元對待的思想：

> 乾，剛；坤，柔。比，樂；師，憂。臨、觀之義，或與或求。……震，起也；艮，止也。損、益，盛衰之始也。大畜，時也；无妄，災也。萃，聚；而升，不來也。……兌，見；而巽，伏也。隨，无故也；蠱，則飭也。剝，爛也；復，反也。晉，晝也；明夷，誅也。井，通；而困，相遇也。咸，速也；恒，久也。渙，離也；節，止也。解，緩也；蹇，難也。睽，外也；家人，內也。否、泰，反其類也。……革，去故也；鼎，取新也。……豐，多故也；親寡，旅也。離，上；而坎，下也。……大過，顛也；……頤，養正也。既濟，定也；……未濟，男之窮也。夬，決也；剛決柔也，君子道長，小人道憂也。（卷9，頁9）

這些卦的要義或特性，如剛和柔、樂和憂、與和求、起和止、衰和盛、時和災、聚和不來、見和伏、無故和飭亂、剝爛和復反、晝明和誅滅、通暢與遇難、速和久、離和止、外和內、否與泰、去故和取新、上和下、君子和小人……等等，也都是兩相對待的。

靜態的兩相對待，會經由彼此的內在吸引力，[20]而有動態的往來、感應。於是，「天地感而萬物化生」（〈咸〉〈彖〉）、「天地相遇，品物

---

20 方東美認為陰陽之間所以能相吸引、相感應，是基於宇宙內部的「愛之理」。「愛」有六相四義，其中的「六相」為：陰陽交感、雌雄和會、男女構精、日月貞明、天地交泰、乾坤定位；其中的「四義」為：睽通、慕悅、交泰、恒久。陰陽是依其本性自然而然地相傾慕、相吸引的。參見〈生命情調與美感〉，收於《生生之德》（臺北市：黎明文化事業公司，1982年12月，四版），頁133。

咸章也」（〈姤〉〈彖〉）、「天地交而萬物通也」（〈泰〉〈彖〉）、「天地解而雷雨作，雷雨作而百果草木皆甲坼」（〈解〉〈彖〉）、「天地不交則萬物不通也」（〈否〉〈彖〉），由於天與地的對立、交感，而創生了萬物；「剛柔相推而生變化」（〈繫辭上〉），由於萬事萬物的內在皆含具著陰陽二元對立的性質，陰陽異質間的相吸引、相感應，在往來推移中，形成了盈虛消長的動態變化。這個由靜態的二元對待、進而發生動態的往來、推移所產生的變化之道，也就是〈繫辭上〉所說的「一陰一陽之謂道」的「道」，牟宗三針對此「道」說：

> 陰陽是氣的兩個相反的作用，「一陰一陽」是陰了又陽，陽了又陰，連續下去成個變化，道就在變化過程裡面呈現。[21]

正強調了由於「陰」、「陽」二元的相反對待及二者間永不停止的互動，遂引起了變化。張立文更進一步闡釋這種由對待而生「動」的變化之理：

> 變與化，是指事物的變通和化生。……對待的互相交感、摩蕩、絪縕中和會融合，化生萬物。變通和化生是一個統一的運動過程，變通才能化生，滯塞就會死亡；化生是變通的體現，並促進變通，兩者相輔相成。[22]

於是，在對待的陰陽二元持續不斷地互動、交感之中，「生生之謂易」

---

21 見牟宗三主講，盧雪崑錄音整理：《周易哲學演講錄》（臺北市：聯經出版社，2003年7月），頁96-97。

22 見張立文：《中國哲學範疇發展史》（臺北市：五南圖書出版公司，1996年7月），天道篇，頁431。

(〈繫辭上〉),雜然不齊的萬物生生不息地化生而出;而在「陰陽合德」(〈繫辭上〉)的作用之下,宇宙萬物間的運動變化也就不斷地發生了。

(二)老子

《老子》與《周易》(含《易傳》)一樣,以「道」為「一切發展變化的動力和主宰者」。[23]《老子》說:

> 有物混成,先天地生,寂兮寥兮,獨立不改,周行而不殆,可以為天下母,吾不知其名,字之曰道,強為之名曰大。大曰逝,逝曰遠,遠曰反。(二十五章,上篇,頁14)[24]
> 反者道之動,弱者道之用。天下萬物,生於有,有生於無。(四十章,下篇,頁4)
> 道生一,一生二,二生三,三生萬物。(四十二章)
> 道生之,德畜之,物形之,勢成之。是以萬物莫不尊道而貴德。(五十一章,下篇,頁10)

這幾段話,指出了「道」是現象世界得以成立的理據,天地萬物都由它而得以變化、生成。「道」的性質是「無」與「有」的統一:「道」的自身可視為「無」,是一能實生而實現萬物之「有」的「混成之道」[25],

23 見徐克謙:〈論《易傳》和《老子》基本思想體系的一致〉,《江蘇社會科學》1994年第2期,頁84。

24 見李耳著,王弼注,陸費逵總勘:《老子》(臺北市:臺灣中華書局,1992年,據華亭張氏本校刊之《四部備要》本,十一版2刷),以下凡引《老子》原文處,皆直接以括弧標明此「四部備要」本的篇目及頁碼,不另附注。

25 唐君毅就人之常情的思考開始,從義理上逼出這能生有的「無」的形而上的無形質卻有真實存在的性格。他說:「人之常情,在其未觀此當下之此物之有。必待其再求此當下之此物,於其前之物之中,而不見此物,乃知此物之先無而後有;又必待人把穩此物之先無而後有,而又覺此無若為空無,便不應生有,而有亦不應自此空無它不完全等於「零」，而是「天地萬物所以生之總原理」[26]，是「創生宇宙萬物的一種基本動力」。[27]它也可視為「有」，代表著萬物由無而有的形氣之始，是一種「尚未有分化的存在」[28]，是道體分化成萬物「由無形而有形」、「由一而多」[29]過程的起點。所以羅光解釋「道」生萬物的原理說：

> 「道」之動，在內在外：在內，「道」本體變易；在外，「道」生萬物。「道」本體的變易，常久不斷；但「道」的本質不變，仍舊常是恍惚不定，常常稱為「無」。雖然「有」從「無」中所生，「有」生了，「無」並不變為「有」，仍舊是「無」。假使「道」的本質一旦變為固定了的「定形」，它的變易就要終止，萬物就失了根源。

之無而生；人乃能思及：此先無之『無』之中，應自有一形而上之有，或混成之道，方知此所謂『無』者，應唯是無形無物之義；乃謂有形之物之有，原自此無形無物之混成之道。是即老子之道生物之思想。」可知，此「無」應指一能實生而實現萬物之有之一混成之實有。見《中國哲學原論》〈導論篇〉（臺北市：人生出版社，1966年3月），頁382。

26 馮友蘭：「道即是無。不過此『無』乃對於具體事物之『有』而言的，非即是零。道乃天地萬物所以生之總原理，豈可謂為等於零之『無』。」見《馮友蘭選集》（北京市：北京大學出版社，2000年7月），上卷，頁84。

27 見徐復觀：《中國人性論史》〈先秦篇〉（臺北市：臺灣商務印書館，1978年10月，四版），頁329。

28 吳汝鈞：「道自身可視為無，一可視為有。萬物的原始狀態，是由無而有。無是虛靈的狀態，有則指形氣之始，是尚未有分化的存在。存在由未分化到分化，便成天地，或陰陽二氣，這便是二。天地或陰陽的二與作為有的一合起來便成三。」見《老莊哲學的現代析論》（臺北市：文津出版社，1998年6月），頁7。

29 宗白華說：「『萬物生於有，有生於無』這個素樸混沌一團的道體，運轉不已，化分而成萬有。……道體化分而成萬有的過程是由一而多，由無形而有形。」見《宗白華全集》（合肥市：安徽教育出版社，1994年12月，初版2刷），頁810。又徐復觀也有類似的說法，他說：「宇宙萬物創生的過程，乃表明道由無形無質以落向有形有質的過程。但道是全，是一。道的創生，應當是由全而分，由一而多的過程。」見《中國人性論史》〈先秦篇〉（臺北市：臺灣商務印書館，1978年10月，四版），頁337。

> 從哲學方面去看，「生」代表原因。一物由另一物所生，生者為被生者的原因。原因可以有幾種，第一有材料因素，……第二有動力原因，……「道」生萬物，「道」為「物」的全部原因，因為既然除「道」以外沒有第二個「道」，它便該由自己而化生萬物。「物」的材料因素和動力因都是「道」，因此，乃稱「道」為萬物之母。[30]

一方面強調「道」的本質為「恍惚不定」的「無」，所以能成為化生萬物的形上根源；另一方面則從「有」的觀點，指出萬物的材料因及動力因皆是「道」，「道」就是宇宙萬物發生、變化的全部原因。

至於「道」的變化動力，與《周易》（含《易傳》）相似，也是來自於其內部「陰」、「陽」二元對待面的聯繫。《老子》說：

> 道生一，一生二，二生三，三生萬物。萬物負陰而抱陽，沖氣以為和。（四十二章，下篇，頁5）

其中的「道」是沒有具體形象、渾然一體的原始實體，但當它向下落實到有形的「氣」（即「道生一」之「一」[31]）時，就稟賦了「陰」、「陽」二種性質（即「一生二」之「二」）；而這二種相互對待的性質也構成了萬物內部基本的原質，所以說「萬物負陰而抱陽」；最後，在陰陽二氣頻繁的活動之後，各個和諧體就一一產生了。[32]整個宇宙生成變化的

30 見羅光：《中國哲學思想史》（一）（臺北市：先知出版社，1975年8月），頁160-161。

31 羅光說：「老子之所謂一，可以說是『氣』。王弼注謂『一，人之真也。』這個『一』字，乃是指人身之元氣。」見《中國哲學思想史》（一）（臺北市：先知出版社，1975年8月），頁161-162。

32 參考陳鼓應解釋《老子》四十二章之語：「本章為老子宇宙生成論。這裡所說的『一』、『二』、『三』乃是指『道』創生萬物時的活動歷程。『混而為一』的『道』，對於雜

圖式，可以描述如下：

道→　一　→　二　→　三
道→　有　→　有、無　→　有、無、有無相生
（有無不分）（由無到有）（有無相對）（有無相用）
道→　氣　→　陰、陽　→　陰、陽、沖氣
（混融之體）（一氣化生）（陰陽之判）（陰陽相和）[33]

由混融一體的「道」，而至有形的「氣」，再到陰陽二元對待的分立、交互作用，形成一個完整的宇宙生成過程。

如果更具體地說，宇宙生成、變化的根源——「道」，是由「道」本身「自化」（《莊子》〈秋水〉）而來的，其自身具有變化的潛能，這個潛能就是其內部的「陰」、「陽」二元對待。如此由陰陽二氣相合而生「三」、生萬物，實與《周易》（含《易傳》）的由兩儀生四象的主張相似。莊子也說：

> 至陰肅肅，至陽赫赫。肅肅出乎天，赫赫發乎地，兩者交通成和而物生焉。（《莊子》〈田子方〉）

更是直接以陰陽的相交而化生萬物，由此可知，道家在宇宙萬物創生、

多的現象來說，它是獨立無偶，絕對對待的，老子用『一』來形容『道』向下落實一層的未分狀態。渾淪不分的『道』，實已稟賦陰兩氣；《易經》所說『一陰一陽之謂「道」』；『二』就是指『道』所稟賦的陰陽兩氣，而這陰陽兩氣便是構成萬物最基本的原質。『道』再向下漸趨於分化，則陰陽兩氣的活動亦漸趨於頻繁。『三』應是指陰陽兩氣互相激盪而形成的均適狀態，每個新的和諧體就在這種狀態中產生出來。」見《老子今注今譯及評介》（臺北市：學生書局，1991年10月），頁231。

33 見吳怡：《新譯老子解義》（臺北市：三民書局，1994年2月），頁349。

變化的觀念上，與《周易》（含《易傳》）一樣，都極為重視陰陽二元對待間的動態聯繫。

雖然《老子》直接運用陰、陽這兩個概念之處，僅見於〈四十二章〉，但《老子》書中卻處處體現著陰陽二元對待的思想，如：

> 天下皆知美之為美，斯惡已。皆知善之為善，斯不善已。故有無相生，難易相成，長短相較，高下相傾，音聲相和，前後相隨。（二章，上篇，頁2）
>
> 是以聖人之治：虛其心，實其腹；弱其志，強其骨。（三章，上篇，頁3）
>
> 是以聖人後其身而身先。（七章，上篇，頁5）
>
> 寵辱若驚，貴大患若身。何謂寵辱若驚？寵為下，得之若驚，失之若驚，是謂寵辱若驚。（十三章，上篇，頁7）
>
> 曲則全，枉則直，窪則盈，敝則新，少則得，多則惑。（二十二章，上篇，頁13）
>
> 飄風不終朝，驟雨不終日。（二十三章，上篇，頁13）
>
> 重為輕根，靜為躁君。（二十六章，上篇，頁15）
>
> 知其雄，守其雌，為天下谿。……知其白，守其黑，為天下式。……知其榮，守其辱，為天下谷。（二十八章，上篇，頁16）
>
> 君子居則貴左，用兵則貴右。……吉事尚左，凶事尚右；偏將軍居左，上將軍居右。（三十一章，上篇，頁18）
>
> 將欲歙之，必固張之。將欲弱之，必固強之。將欲廢之，必固興之。將欲奪之，必固與之。（三十六章，上篇，頁21）
>
> 是以大丈夫處其厚，不居其薄；處其實，不居其華。故去彼取此。（三十八章，下篇，頁11）

貴以賤為本，高以下為基。（三十九章，下篇，頁4）

明道若昧，進道若退，夷道若纇。（四十一章，下篇，頁5）

萬物負陰而抱陽，沖氣以為和。……故物或損之而益，或益之而損。（四十二章，下篇，頁6）

天下之至柔，馳騁天下之至堅。（四十三章，下篇，頁6）

大成若缺，其用不弊；大盈若類，其用不窮。大直若屈，大巧若拙，大辯若訥。躁勝寒，靜勝熱，清靜為天下正。（四十五章，下篇，頁7）

出生入死。生之徒十有三，死之徒十有三。（五十章，下篇，頁9）

故不可得而親，不可得而疏；不可得而利，不可得而害；不可得而貴，不可得而賤。故為天下貴。（五十六章，下篇，頁13）

以正治國，以奇用兵。（五十七章，下篇，頁13）

禍兮福之所倚，福兮禍之所伏。孰知其極？其無正。正復為奇，善復為妖。（五十八章，下篇，頁14）

圖難於其易，為大於其細。（六十三章，下篇，頁17）

為之於未有，治之於未亂。……民之從事，常於幾成而敗之。慎終如始，則無敗事。（六十四章，下篇，頁17-18）

強大處下，柔弱處上。（七十六章，下篇，頁23）

天之道其猶張弓與，高者抑之，下者舉之；有餘者損之，不足者補之。（七十七章，下篇，頁23）

天下莫柔弱於水，而攻堅強者莫之能勝。……正言若反。（七十八章，下篇，頁23）

如上所引，「美」(喜)與「惡」(怒)、「善」(是)與「不善」(非)[34]、「有」與「無」、「難」與「易」、「長」與「短」、「高」(上)與「下」、「前」與「後」、「寵」(榮)與「辱」、「得」與「失」、「曲」(偏)與「全」、「枉」(曲)與「直」、「窪」與「盈」、「敝」與「新」、「少」與「多」、「重」與「輕」、「靜」與「躁」、「雄」與「雌」、「白」與「黑」、「左」與「右」、「歙」與「張」、「弱」(柔)與「強」(剛)、「廢」與「興」、「奪」與「與」、「厚」與「薄」、「實」與「華」、「彼」與「此」、「貴」與「賤」、「明」與「昧」、「進」與「退」、「夷」(平)與「纇」(不平)、「陰」與「陽」、「損」與「益」、「巧」與「拙」、「辯」與「訥」、「寒」與「熱」、「生」與「死」、「親」與「疏」、「利」與「害」、「正」與「奇」(反)、「禍」與「福」、「大」與「細」、「治」與「亂」、「成」與「敗」、「終」與「始」等等，都是兩相對待的。[35]而這些靜態的對待雙方，因為是對立的兩極，有著極大的差別、矛盾、相反、衝突，進而就會產生吸引，在兩極之間產生「交易效應」；有了不平衡，就會形成趨向於平衡的運動態勢。[36]於是，陰陽對待的二元開始互相轉化、聯繫，運動、變化就因而發生了。

---

34 王弼注〈二章〉:「美者，人心之所進樂也；惡者，人心之所惡疾也。美、惡猶喜、怒也；善、不善，猶是、非也。喜、怒同根，是、非同門；故不可得而偏舉也。此六者，皆陳自然不可偏舉之明數。」見李耳著，王弼注，陸費逵總勘:《老子》(臺北市：臺灣中華書局，1992年，十一版，2刷)，上篇，頁2。

35 李澤厚:「《老子》把《孫子兵法》中所列舉的軍事活動中的那許多對立項（矛盾），進一步擴展到了自然現象和人事經驗，諸如明昧、高下、長短、先後、直曲、美惡、寵辱、成缺、損益、巧拙、辯納……等等，使矛盾成為貫串事事物物的普遍性的共同原理。」見《中國古代思想史論》(臺北市：風雲時代出版公司，1990年8月)，頁97。

36 參考葉太平:《中國文學之美學精神》(臺北市：水牛圖書出版公司，1998年7月)，頁370。

（三）西洋相關學說

中國的《周易》（含《易傳》）以「易」、「太極」（內含「陰」、「陽」二元對待的動力）為萬物生成、變化的根源，《老子》亦以「道」（內含「陰」、「陽」二元對待的動力）為萬物生成、變化的根源，都認為混沌的元氣是萬物生成、變化的起始。同樣地，西方哲人從觀察紛雜的自然萬象中，也產生類似的宇宙變化觀。恩格斯在談到西洋古代哲學時曾說：

> 在希臘的哲學家看來，世界在本質上是某種從混沌中產生出來的東西，某種逐漸生成的東西。[37]

可知古代的西方人也認為萬物的生成變化是由混沌不明的狀態產生的。而古希臘的哲學之父，米利都（Miletos）學派的泰利斯（Thales, 624-546 B.C.），更具體地以「水」為萬物變化生成的原質，是觸發一切存在者生成變化的唯一實在，而其實早於泰利斯三百多年的《周易》（含《易傳》），已用八種基本原素（天地雷風水火山澤）作為萬物生成變化的原質了。泰利斯及當時的希臘人認為自然本身能夠自動生成變化[38]，泰氏猜測，萬物本源的水所以能夠變化而為萬物，乃是由於水本身具有一種生氣活潑的生命原理。[39]

---

37 見《馬克思恩格斯全集》（北京市：人民出版社，1985年版），卷20，頁365。

38 例如與泰利斯同樣為米都利學派三鉅子之一的阿納克西曼德（Anaximander, 610?-546? B.C.）認為「無限」是萬物的原質，而另一鉅子阿納克西米尼斯（Anaximenes, 588?-524? B.C.）則認為萬物的原質不是水，而是空氣。因為空氣在量上較水更無際限，能夠包容水與地等。然而，儘管三人所認為的萬物變化的原質皆不相同，但水、空氣等都是自然界的物質。參考傅偉勳：《西洋哲學史》（臺北市：三民書局，1994年2月，十三版），頁18-19。

39 以上有關泰利斯哲學的敘述，參考傅偉勳：《西洋哲學史》（臺北市：三民書局，1994年2月，十三版），頁15-18。

而這個促成萬物變化的生命原理，被稍後的阿納克西曼得（Anaximander, 610 ？ -546 ？ B.C.）指出是：「分離」兩種對立之物的永刼運動。[40]阿氏援用正義概念到自然界生成變化的現象，譬如夏生，是熱與乾蠶食冷與濕（對立者）的權限的結果。他認為：由於冷和熱、乾和濕、黑暗和光明、……等對立，使得世上東西有的上昇，有的下降，成了一個立體的宇宙。[41]此時的哲學家們，多認為自然界是晝夜、醒睡、生死等對立、相互作用的生成過程。

到了畢達哥拉斯（Pythagoras, 570-469 B.C.），更加注意二元對立的問題，甚至列舉了十對對立物，即：「有限與無限，奇與偶，一與多，右與左，陽與陰，靜與動，直與曲，明與暗，善與惡，正方與長方」[42]等，使二元對立的範疇更加擴展。

至於赫拉克里特斯（Herakleitos, 544-484 B.C.）則以為凡諸存在，皆由「火」轉變而成，且萬物本身皆能自變，而復歸於火。[43]而後安培鐸克爾（Empedocles, 495-435 B.C.）更提出「萬物四根」（火、氣、土、水）作為萬物變化生成的原質，與中國《周易》中八卦所象徵的天地雷風水火山澤，有類似之處，都是人類古初社會生活與自然界日常親接之物。[44]此二人也都主張世界萬物是由相反二原素構合而成，有著二元對待的宇宙生成觀念，如赫氏在他的斷片中，就列舉了許多二元對待的概

---

40 傅偉勳說：「阿氏規定原質為所謂『無限者』，……阿氏依從泰利斯式的自然概念（物活觀），准許『無限者』以永刼的運動。此所謂永刼的運動乃是一種『分離』，『無限者』首先分離而成兩種對立之物，宇宙生成由此開始。」見《西洋哲學史》（臺北市：三民書局，1994年2月，十三版），頁18。

41 參考鄔昆如：《西洋哲學史話》（臺北市：三民書局，2004年1月，增訂二版1刷），頁21。

42 見李武林、譚鑫田、龔興主編：《歐洲哲學範疇簡史》（濟南市：人民出版社，1987年），頁204-205。

43 參考吳康：《西洋古代哲學史》（臺北市：臺灣商務印書館，1984年4月），頁50-51。

44 參考吳康：《西洋古代哲學史》（臺北市：臺灣商務印書館，1984年4月），頁97。

念：

白天－黑夜（五十七、六十七）
冬天－夏天（六十七）
戰爭－和平（六十七）
飽－飢（六十七、一一一）
善－惡（五十八）
醒－睡（一、八十八、八十九）
生－死（八十八）
年輕－年老（八十八）
疾病－康健（一一一）
作－息（一一一）
冷－熱（一二六）
濕－乾（一二六）
陽－陰（十）
高－低（十）
長－短（十）
直－彎（五十九）
上－下（六十）[45]

可知他和中國哲人如《周易》（含《易傳》）作者、老子一樣，觀察到這個世界的萬物，都是由對立的兩方，經由相互作用的生滅變化、統一和諧而生成。赫氏針對這種二元對待提出「對立的和諧」（Patintropos

45 見鄔昆如：《西洋哲學史話》（臺北市：三民書局，2004年1月，增訂二版1刷），頁195-196。

Harmonie），認為宇宙萬物都是由對立的原素所構成，但這些對立，都在傾向著和諧的統一。因此，中古時期的古撒奴士（Nicolaus Cusanus, 1401-1464 A.D.）就將赫氏的這個主張稱為「對立統一」（Coincidentia Oppositorum），亞里斯多德（Aristoteles, 384-322 B.C.）也指出赫氏這種思想的特徵說：

> 大自然也向著對立的事物，它們不是同類相和諧，而是異性相吸，使對立的變成統一；而不是統一那些相同的。在藝術界也是如此，顯然的是依照大自然的啟示。畫家會用白色和黑色的混合，用黃色和紅色的調和，來描繪圖畫的每一部分，使它與原稿近似。音樂則調勻了高和低，長和短的音階，應用各種不同的音響，因此而創造出統一的和諧。書法家混合了子音和母音，而展示出書法的藝術。黑暗者赫拉克利圖斯在斷片中也說了同樣的意見：整體的與非整體的，一元的與二元的，單音的與雙音的，都連結在一起了。統一來自一切，而一切也就來自統一。[46]

他以藝術為喻，具體指出了赫氏的萬事萬物皆具二元對待的想法。除此之外，赫氏更認為在現象界之上，在這些矛盾和對立之上，還存在著「羅哥士」（Logos），使一切現象界，雖因相互對立而矛盾，卻能「共存」不散，甚至超乎了對立和統一，走向合一和諧之路，終使萬物成為一體，這個「羅哥士」就相當於中國《老子》的形上的「道」，「有生成變化的能力」。[47]赫氏察覺到兩種不同的變化現象，一是認為變化現

46　見鄔昆如：《莊子與古希臘哲學中的道》（臺北市：臺灣中華書局，1972年5月），頁217-218。

47　見鄔昆如：《西洋哲學史話》（臺北市：三民書局，2004年1月，增訂二版1刷），頁45。

象背後有根源，即其所謂的「羅哥士」，相當於《老子》的形上之「道」（「無」）；一是認為變化即是根源，這是停駐於變化現象本身來觀察體悟[48]，發現自然中許多對立和矛盾，造成了現象界的變化、生成，這種觀念，實即《周易》（含《易傳》）、《老子》中「陰」、「陽」（正、反）二元對待為變化的內動力的觀念。此外，赫氏更強調：宇宙萬物都在變動著，無一時刻停止。他說：「投足入水已非前水」，意謂事事物物總在流轉不息，變化不已，與中國《周易》（含《易傳》）「生生」、「變易」的觀點近似。由此可知，赫氏的宇宙變化觀，與中國古代哲學如《周易》（含《易傳》）、《老子》有許多不謀而合之處。

亞里斯多德也認為世界所有事物都在運動變化著，但他認為：就外在而言，所有運動變化的原因是「上帝」（第一原動不動者），它是第一動力因與第一形式因，同時也是目的因，是「一切存在者生成變化的究極目的」。[49]亞氏所謂的「上帝」，極接近於《老子》的「道」，既是萬物生成變化的依據，也是萬物生成變化的動力。亞氏又認為：就內在而言，自然萬物本身具有一種內在轉變的傾向，以更高的形式或顯態為內在轉變的目的，而「運動」乃是物質獲取較高形式的努力過程，傅偉勳曾闡述亞氏這種「運動」的變化理論說：

> 就廣義言，運動是涉及事物本質的運動、創生與死滅。就狹義

---

48 方非：「關於事物的變化，我們認為，可以有這樣兩種不同的變化觀：一是認為變化現象背後有根源，二是認為變化即是根源。……赫拉克利特是察覺到了兩種不同的變化現象，也傳達了兩種不同的變化形式的，『河流』與『戰爭』就是這兩種變化形式的傳達。……『戰爭』變化觀立足於本質與現象的區分，它追問變化現象背後的根源，所指向的是人類知性的追求，獲取對變化現象的認識和把握；而『河流』變化觀則無分本質與現象，它停駐於變化現象本身，所指向的是變化現象的體蘊，獲取對生命境遇的感悟。」見〈「火」、「河流」與「戰爭」—赫拉克利特的變化觀新論〉，《長沙電力學院學報（社會科學版）》第18卷第1期（2003年2月），頁18。

49 見傅偉勳：《西洋哲學史》（臺北市：三民書局，1994年2月，十三版），頁137-138。

> 言，則可分為三種：第一是性質的變化；第二是分量的增減；第三才是我們所了解的運動，乃指位置行動的改變而言。祇有自然事物具有內在的運動傾向，人工事物如睡牀則無自我運動的能力。[50]

亞氏認為自然萬物因為具有生命，所以具有內在的運動傾向，亦即具有一股內在的動力，所以可以發生運動、創生與死滅等變化。可知生成變化的動力在萬物內部的想法，中、西方哲人所見略同。

以上所述古希臘時代的變動宇宙觀，到了德國觀念論的學者手中，有了更大的發揮，他們更加著力於討論宇宙和人生的生生不息的原理，而這個課題也正是中國哲學討論最多的。其中黑格爾（Georg Wilhelm Friedrich Hegel, 1770-1831 A.D.）特別重視變易的觀念，他把思想的法則——辯證法，以「正、反、合」的過程解釋一切生生不息的現象，把知識和思想過渡到存在宇宙當中。他在《小邏輯》中認為「變易」是「有」與「無」的統一[51]，與《老子》的「道」有異曲同工之妙；而大陸學者賀麟則以為黑氏的「變易」與《周易》（含《易傳》）的「易」近似，他說：

> 《小邏輯》裡「變易」一詞和《易經》一書中的「易」字有近似的含義，後者包含有「變易、簡易、不易」等意義，但主要是變易的意思。它是有與無的統一。[52]

---

50 見傅偉勳：《西洋哲學史》（臺北市：三民書局，1994年2月，十三版），頁133。

51 黑格爾說：「如果說，無是這種自身等同『有』的直接性，那麼反過來說，有正是同樣的東西。因此『有』與『無』的真理，就是兩者的統一。這種統一就是變易。」見黑格爾著，賀麟譯：《小邏輯》（臺北市：臺灣商務印書館，1998年4月），頁197。

52 見黑格爾著，賀麟譯：《小邏輯》序言（臺北市：臺灣商務印書館，1998年4月），頁14-15。

可見黑格爾「有」、「無」統一的變化觀，類似於中國上古《老子》、《周易》(含《易傳》)的哲學思想。此外，他在《大邏輯》中還主張「矛盾」是一切運動和生命力的根源：

> 事物只因為自身具有矛盾，它才會運動，才具有動力和活動。……矛盾不單純被認為僅僅是在這裡、那裡出現的不正常現象，而且是在其本質規定中的否定物，是一切矛盾的直接實有。……某物之所以有生命，只是因為它自身包含矛盾，並且誠然是矛盾在自身中把握和保持住的力量。……假如它不能夠在自己本身中具有矛盾，那麼，它就不是一個生動的統一體，……上與下、左與右、父與子等等以至無窮最瑣屑的例子，全都在一個事物裡包含著對立。[53]

其中「上」與「下」、「左」與「右」、「父」與「子」，皆是兩相對待的概念，萬事萬物唯有其內在含具著二元對立的勢力，才能成就生動的變化，終至於統一和諧之境。換言之，變化的發生，端賴於事物內在二元對待力量的矛盾作用。由此可見，中、西方關於萬物生成、變化的發生哲學，實有其相通之處。

二　變化的歷程——移位

(一)《周易》(含《易傳》)

如前所述，《周易》(含《易傳》)認為變化的發生根源是混沌一氣

---

53 見黑格爾著，楊一之譯：《邏輯學》(通稱《大邏輯》)(北京市：北京商務印書館，1991年12月，初版6刷)，下卷，頁66-67。

的「太極」，而其變化的動力在其內部「陰」、「陽」（正、反）性質的二元對待。所謂「一陰一陽之謂道」（〈繫辭上〉），就是在通過一陰一陽對立統一的往來變化，展現出宇宙萬物生成變化的歷程。又所謂「剛柔相推而生變化」（〈繫辭上〉），更指明了陰陽二種對待的勢力，會由靜態的對立，進而發生動態的相攻、相摩、相推、相盪、相感、相應、相取、相求、相得、相錯、相雜、相和，終而達至「動態的和諧」[54]，生生不息地化生萬物。而所謂「變化者，進退之象也」（〈繫辭上〉）、「一闔一闢謂之變」（〈坤〉〈文言〉），則具體點明變化的歷程是一進一退、一闔一闢、向對立面轉化的「移位」。[55]

進一步地說，《周易》（含《易傳》）的作者對客觀事物的變化生成進行觀察，發現事物在變化過程中會產生向對立面轉化的「移位」現象，也就是由盈到虛，由虛而盈；由盛到衰，由衰而盛，「發展至極而後轉向其對立面」[56]的現象，因而「得到『物極必反』的辯證思想」[57]，例如〈泰卦〉九三爻辭說：「無平不陂，無往不復」，認為平地不可能沒有斜坡，過往者不可能沒有返回，因此九三爻既居下乾之終，陽剛達到極盛，盛極必衰，便開始向上坤轉化[58]；又如〈豐卦〉的〈彖〉說：「日中則昃，月盈則食」，認為太陽位居中天之後必將西斜，月亮滿盈之後

54 見林義正：〈中國哲學的「通變之道」研議〉，收於《詮釋與創造——傳統中華文化及其未來發展》（臺北市：聯合報系文化基金會，1995年1月），頁191。

55 徐志銳：「由於陰陽互相爭勝和『貞夫一』，事物就不可能是一成不變的。吉與凶，禍與福，生與死，治與亂，新與舊，興與衰，正與反，一切對立的兩個方面無不在一定條件下互相移位。」見《周易陰陽八卦說解》（臺北市：里仁書局，1995年5月，初版3刷），頁110。

56 見沈清松：〈對比、懷德海與《易經》〉，收於東海哲研所主編：《中國哲學與懷德海》（臺北市：東大圖書公司，1989年9月），頁35。

57 見馮友蘭：《中國哲學史新編》（臺北市：藍燈文化事業公司，1991年12月），冊2，頁379。

58 參考郭建勳注譯：《新譯易經讀本》（臺北市：三民書局，2002年2月，初版3刷），頁100。

必將消蝕，指出自然界盛極必衰、物極必反的普遍規律。又如，其爻辭論各卦吉凶時，吉象之卦到最後會反為凶，而凶象之卦到最後則反為吉。前者如〈乾〉、〈坤〉、〈泰〉、〈復〉、〈益〉、〈豐〉等卦，皆為吉利之卦，但其末爻卻反而不吉，其末爻爻辭依次為：

〈乾〉之「上九」:「亢龍有悔。」(卷1，頁4)

〈坤〉之「上六」:「龍戰于野，其血玄黃。」(卷1，頁16)

〈泰〉之「上六」:「城復于隍，勿用師，自邑告命，貞吝。」(卷2，頁14)

〈復〉之「上六」:「迷復凶。有災眚。用行師，終有大敗，以其國君凶；至于十年不克征。」(卷3，頁13)

〈益〉之「上九」:「莫益之，或擊之。立心勿恒，凶。」(卷4，頁19)

〈豐〉之「上六」:「豐其屋，蔀其家。闚其戶，闃其无人。三歲不覿，凶。」(卷6，頁3)

所謂「亢龍有悔」、「其血玄黃」、「勿用師」、「貞吝」及「凶」，都有由吉反於不吉的意思。[59]後者如〈否〉、〈剝〉、〈睽〉、〈蹇〉、〈損〉、〈困〉等卦，皆為凶危之卦，但其末爻卻轉而為吉，其末爻爻辭依次為：

〈否〉之「上九」:「傾否，先否後喜。」(卷2，頁15)

---

59 馮友蘭：「照《易傳》的解釋，有些卦爻的次序，也表示『物極必反』的規律。例如，〈乾卦〉的六爻說明，一個有『聖人之德』的人，由下位逐步上升到君位。初九代表下位，九二、九三、九四，依次上升，到九五就是『飛龍在天』，成為最高的統治者了。上九比九五還高一層，可是到上九就成為『亢龍』而『有悔』了。為什麼是如此呢？〈文言〉解釋說：『亢龍有悔，窮之災也』;到了上九就要『窮則變』了。」見《馮友蘭選集》(北京市：北京大學出版社，2000年7月)，上卷，頁413。

〈剝〉之「上九」:「碩果不食，君子得輿，小人剝廬。」(卷3，頁11)
〈睽〉之「上九」:「睽孤，見豕負塗，載鬼一車。先張之弧，後說之弧。匪寇，婚媾，往，遇雨則吉。」(卷4，頁12)
〈蹇〉之「上六」:「往蹇來碩，吉。利見大人。」(卷4，頁14)
〈損〉之「上九」:「弗損益之。无咎，貞吉。利有攸往，得臣无家。」(卷4，頁17)
〈困〉之「上六」:「困于葛藟，于臲卼，曰動悔。有悔，征吉。」(卷5，頁9)

所謂「先否後喜」、「君子得輿」、「遇雨則吉」、「利見大人」、「无咎，貞吉」、「征吉」，都有由不吉反於吉的意思。勞思光解釋說：

> 爻辭論各爻之吉凶時，常有「物極必反」的觀念。具體地說，即是卦象吉者，最後一爻多半反而不吉；卦象凶者，最後一爻有時反而吉。[60]

明確地指出卦爻所反映的「物極必反」的變化規律。

《周易》(含《易傳》)的作者既然認為萬物發展變化的歷程是「物極必反」規律的展現，於是以六畫卦來做為事物運動變化的模式，所以〈繫辭〉說：

> 因而重之，爻在其中矣。(〈繫辭下〉，卷8，頁1)

60 見勞思光：《中國哲學史》(香港：香港中文大學崇基學院，1980年11月，3刷)，卷1，頁11。

> 爻者，言乎變者也。（〈繫辭上〉，卷7，頁5）
> 爻也者，效天下之動者也。（〈繫辭下〉，卷8，頁5）

兩個三畫卦組成六畫卦，在下的三畫卦稱做內卦，在上的三畫卦稱做外卦，內外卦之間可以互相往來升降[61]，六爻之間也可以互相往來升降，通過「爻位」[62]的升降、移動，而產生了種種的變化和運動，事物動態的變化歷程就清楚地呈現出來了。而這個歷程，包含著「由低級到高級、由微入顯」[63]的順向移位，及「物極必反」、「當事物發展到了頂點時，就沒有前途，而要向它的反面轉化」[64]的逆向移位。所以〈繫辭上〉說：「變化者，進退之象也。」孔穎達《周易正義》解釋說：

> 萬物之象，皆有陰陽之爻，或從始而上進，或居終而倒退，以其往復相推，或漸變而頓化，故云進退之象也。（卷7，頁4）

可知「進」與「退」都是變化的過程，其中「始而上進」就是指順向移位，「居終而倒退」就是指順向往上發展到極點時，會向對立面轉化的逆向移位。

其實，在《周易》（含《易傳》）各卦中的爻位及爻辭，處處展現

---

61 例如〈泰〉（☷☰），下乾上坤。乾（☰）為天，天在上而降於下，是逆向移位。坤（☷）為地，地在下而升於上，是順向移位。天地的這一升降交換位置，反映了陰陽向對立面移位的變化規律。參考徐志銳：《周易陰陽八卦說解》（臺北市：里仁書局，1995年5月，初版3刷），頁76。

62 戴璉璋認為在〈彖傳〉中所見的「爻位」觀念，大致可區分為：上中下位、剛柔位、同位、反轉位、比鄰位、內外位等六種。見《易傳之形成及其思想》（臺北市：文津出版社，1989年6月），頁80-86。

63 見姜國柱：《中國歷代思想史》〈先秦卷〉（臺北市：文津出版社，1993年12月），頁432。

64 見姜國柱：《中國歷代思想史》〈先秦卷〉（臺北市：文津出版社，1993年12月），頁432。

著這種順向移位及逆向移位的變化歷程。如〈乾〉與〈坤〉的六爻變化，便展現了陰陽向對立面轉化而產生的移位現象，先就〈乾〉六爻來說：

> 初九，潛龍勿用。
> 〈象〉曰：潛龍勿用，陽在下也。
> 九二，見龍在田，利見大人。
> 〈象〉曰：見龍在田，德施普也。
> 九三，君子終日乾乾，夕惕若，厲无咎。
> 〈象〉曰：終日乾乾，反復道也。
> 九四，或躍在淵，无咎。
> 〈象〉曰：或躍在淵，進无咎也。
> 九五，飛龍在天，利見大人。
> 〈象〉曰：飛龍在天，大人造也。
> 上九，亢龍有悔。
> 〈象〉曰：亢龍有悔，盈不可久也。（卷1，頁2-6）

乾卦取龍為象[65]，來象徵陽氣由下而上、「順向」移位的變化：陽氣由初九的潛藏於地下，移向九二的出現在地上，而能普施萬物，再移向九三的有反有復，但仍未離軌道，再移向九四的躍起上進，再移向九五的鼎盛之境，形成了一連串的順向移位。到了上九，〈象〉說「盈不可久也」，表示陽氣發展到了盡頭，無法長久存在，將向對立面轉化，而形

---

65 惠棟解釋〈乾〉六爻取龍為象的原因：「《管子》曰：『伏闇能存而能亡者，蓍龜與龍是也。』龜生於水，發之於火，於是為萬物先，為禍福正。龍生於水，被五色而游，故神。欲小則化如蠶蠋，欲大而藏於天下，欲尚則陵於雲氣，欲下則入於深泉，變化無日，上下無時。謂之神龜與龍，伏闇能存而能亡者也。若然，乾之取象于龍，以其能變化也。」可知是因為龍為多變之物，所以適於用來說明六爻的變化。見《周易述》卷一，收於《惠氏易學》（臺北市：廣文書局，1971年1月），頁4-5。

成逆向移位。龍，在人事上則比喻為「一個有聖人之德的人」[66]，六爻的變化則象徵著此人由初九下位，而九二、九三、九四逐步向上移到九五君位的順向發展變化，到了上九，成為「亢龍」，是「知進而不知退，知存而不知亡，知得而不知喪」(〈文言〉)的，所以就要「窮則變」(同前)，向對立面轉化，而形成逆向移位了。再就〈坤〉六爻來說：

> 初六，履霜，堅冰至。
> 〈象〉曰：「履霜堅冰」，陰始凝也。馴致其道，至堅冰也。
> 六二，直方大，不習无不利。
> 〈象〉曰：六二之動，直以方也。「不習无不利」，地道光也。
> 六三，含章可貞，或從王事，无成有終。
> 〈象〉曰：「含章可貞」，以時發也。「或從王事」，知光大也。
> 六四，括囊，无咎无譽。
> 〈象〉曰：「括囊无咎」，慎不害也。
> 六五，黄裳元吉。
> 〈象〉曰：「黄裳元吉」，文在中也。
> 上六，龍戰于野，其血玄黄。
> 〈象〉曰：「龍戰于野」，其道窮也。(卷1，頁14-16)

坤卦以六爻的變化，來象徵陰氣上升的順向移位過程：陰氣由初六的開始凝結，移向六二的呈現飽滿充沛，再移向六三的使大地煥發華美的光彩，再移向六四的持重謹慎，再移向六五的處於尊貴卻能謙下，此時陰

---

66 馮友蘭說：「乾卦的六爻說明，一個有『聖人之德』的人，由下位逐步上升到君位。初九代表下位，九二、九三、九四，依次上升，到九五就是『飛龍在天』，成為最高的統治者了。上九比九五還高一層，可是到上九就成為『亢龍』而『有悔』了。」見《中國哲學史新編》(臺北市：藍燈文化事業公司，1991年12月)，冊2，頁380-381。

的勢力已極強盛，形成了一連串的順向移位。到了上六，陰氣由極盛開始向對立面（陽）轉化，於是陽氣萌生，〈象〉說「龍戰於野」，表示發展到盡頭的陰氣與剛萌生的陽氣發生爭戰，陰將轉化為陽而產生逆向移位。由此可知，各卦通過六爻之間的相互往來升降，就產生了一連串的順向及逆向移位。

此外，在《周易》的卦序上，也展現出相反相生的順向移位及逆向移位的變化歷程。依〈序卦〉所言，六十四卦排列的次序為：

> 〈乾〉→〈坤〉→〈屯〉→〈蒙〉→〈需〉→〈訟〉→〈師〉→〈比〉→〈小畜〉→〈履〉→〈泰〉→〈否〉→〈同人〉→〈大有〉→〈謙〉→〈豫〉→〈隨〉→〈蠱〉→〈臨〉→〈觀〉→〈噬嗑〉→〈賁〉→〈剝〉→〈復〉→〈无妄〉→〈大畜〉→〈頤〉→〈大過〉→〈坎〉→〈離〉→〈咸〉→〈恒〉→〈遯〉→〈大壯〉→〈晉〉→〈明夷〉→〈家人〉→〈睽〉→〈蹇〉→〈解〉→〈損〉→〈益〉→〈夬〉→〈姤〉→〈萃〉→〈升〉→〈困〉→〈井〉→〈革〉→〈鼎〉→〈震〉→〈艮〉→〈漸〉→〈歸妹〉→〈豐〉→〈旅〉→〈巽〉→〈兌〉→〈渙〉→〈節〉→〈中孚〉→〈小過〉→〈既濟〉→〈未濟〉

從卦的結構來看，六十四卦從〈乾〉、〈坤〉兩卦開始，至〈既濟〉、〈未濟〉終結，相承相鄰的兩卦所形成的關係，都是相反相成的「配卦」[67]，

67 戴璉璋：「奇偶兩個符號，形成明顯的對比，根據這種對，在卦的結構上可以找出反轉成偶或相對成偶的兩卦，而把它們配成一組。前者如〈屯〉與〈蒙〉，〈屯〉的初、二、三、四、五、上六爻，反轉過來，依次成為〈蒙〉的上、五、四、三、二、初六爻。此外〈需〉與〈訟〉，〈師〉與〈比〉等都屬這類。後者如〈乾〉與〈坤〉、〈頤〉與〈大過〉、〈坎〉與〈離〉、〈中孚〉與〈小過〉等，這八個卦，爻序反轉不能變成另外一卦於是就從奇偶相對上著眼，這樣也可以配成一對。這種反轉或相對成偶的配卦觀念，可以發展出關於六十四卦次序安排的一些構想。」見《易傳之形成及其思想》（臺北市：文津出版社，1989年6月），頁21-22。

展現了「物極必反」的變化觀。孔穎達《周易正義》說：

> 今驗六十四卦，二二相耦，非覆即變。覆者，表裡視之，遂成兩卦，〈屯〉〈蒙〉、〈需〉〈訟〉、〈師〉〈比〉之類是也；變者，反覆唯成一卦，則變以對之，〈乾〉〈坤〉、〈坎〉〈離〉、〈大過〉〈頤〉、〈中孚〉〈小過〉之類是也。（卷9，頁7）

指出六十四卦都是兩兩相配的關係：有因六爻反轉而陰爻、陽爻不變的「覆」卦，如〈屯〉（䷂）與〈蒙〉（䷃）、〈需〉（䷄）與〈訟〉（䷅）、〈師〉（䷆）與〈比〉（䷇）、……等二十八組；也有因同位之爻陰、陽互變的「變」卦，如〈乾〉（䷀）與〈坤〉（䷁）、〈坎〉（䷜）與〈離〉（䷝）、〈大過〉（䷛）與〈頤〉（䷚）、〈中孚〉（䷼）與〈小過〉（䷽）等四組。由這一對對爻位相反或陰陽相對的「配卦」安排，可知《周易》（含《易傳》）的作者認為：「物極必反」的移位現象是事物變化所呈現的歷程。

再從〈序卦〉中對整體卦象排序的說明來看，更可具體看出順、逆向移位的變化思想，如：

> 有天地然後萬物生焉，盈天地之間者唯萬物，故受之以〈屯〉。〈屯〉者，盈也；屯者，物之始生也；物生必蒙，故受之以〈蒙〉。〈蒙〉者，蒙也，物之穉也。（卷9，頁7）
> 〈姤〉者，遇也；物相遇而後聚，故受之以〈萃〉。萃者，聚也；聚而上者謂之升，故受之以〈升〉。（卷9，頁8）

作者揭示了萬物創生的順向變化歷程，是先有天地，而後才有萬物的萌生（〈屯〉），萬物剛生之時必定蒙昧（〈蒙〉），其特點是幼稚的。又說明了事物順向發展的過程中，祗有在二者遇合（〈姤〉）之後才能會聚（〈萃〉），會聚之後必然會壯大而上進（〈升〉）。但是，發展到了極致，就會向對立面轉化，而產生逆向移位的情形：

> 升而不已必困，故受之以〈困〉。困乎上者必反下，故受之以〈井〉。（卷9，頁8）

上升不止而發展到極致，必定走向困厄（〈困〉）；在上面遭遇困厄，必定會反歸於下面（〈井〉）。這就是「物極必反」所導致的逆向移位現象，〈序卦〉中有關這種向對立面移位的變化觀點極多，如：

> 〈泰〉者，通也。物不可以終通，故受之以〈否〉。物不可以終否，故受之以〈同人〉。（卷9，頁7）

認為通泰（〈泰〉）的事物最後會轉變到閉塞（〈否〉）的情形，而人處在封閉不通的境遇中，最後會轉而生出與人溝通合作（〈同人〉）的品德。又如：

> 〈剝〉者，剝也；物不可以終盡，剝窮上反下，故受之以〈復〉。（卷9，頁7）

認為事物不可能永遠剝落（〈剝〉），剝落至極致，在上者將復反於初下、初始之時而重生（〈復〉）。又如：

> 損而不已必益，故受之以〈益〉。益而不已必決，故受之以〈夬〉。（卷9，頁8）

認為事物不斷受損（〈損〉）到了極點之後，就會反向逼出求益（〈益〉）的意願；而增益不止以致過於滿盈，就會被斷然決去（〈夬〉）。又如：

> 震者，動也；物不可以終動，止之，故受之以〈艮〉。艮者，止也；物不可以終止，故受之以〈漸〉。漸者，進也。（卷9，頁8）

認為事物不可能永遠震動，須適時抑止（〈艮〉）；事物也不可能永遠被抑止，總會漸進（〈漸〉）發展。因此，唐君毅在《中國哲學原論》〈原道篇〉中說：

> 序卦傳之言卦之排列之序，即所以見天地萬物，與人事之演生之有序。卦之有反對，即以見天地萬物之有相反，而可合相反者為一全、為一大中。此中序卦傳以上經乾坤之卦始，而屯、而蒙、而訟、而師……，即言由天地、而萬物、而人類社會之事之演生之序。又以下經之由咸恒之卦始，即言由男女夫婦、而有人倫之事之演生之序。此中一切事物之演生，皆有所自始，更由順承其始而發展，至乎其極；乃更轉變至其相反者，由相反以見相成。如其言物生必蒙，而始于蒙，于是物不可不養而有需，由需而有訟，由訟而有眾有師，由師而有比，由比而有所畜，有禮可履，有履而後安泰，即皆一順承其始之發展。然由泰而否，更言「物不可以終通，故受之以否」，「物不可以終否，故受之以同人」，則皆為言正面直轉變至反對面之事。[68]

---

68 見唐君毅：《中國哲學原論》〈原道篇〉（臺北市：人生出版社，1966年3月），頁166-167。

明確地指出，從〈序卦〉的排列順序，可以見出一切事物由開始、而順向發展、而發展至極點後，向反對面逆向轉化的一系列「移位」的變化歷程。

（二）老子

關於上述「物極必反」、「相反相生」的移位現象，在《老子》書中也有不少與《周易》（含《易傳》）相應的說法。所謂「反者道之動」（四十章），「道」是萬有發生、運動、變化的規律。就萬有的發生而言，「道」顯現了從「無」到「有」的順向移位及從「有」返「無」的逆向移位歷程，方東美說：

> 大道的作用顯現在本體界與現象界之間，形成了雙軌運動。在向下面流注的時候，總是宇宙的力量逐漸廢棄，逐漸衰竭。一衰竭之後，再憑藉「反者道之動」的上迴向作用，回到萬有的根源上面，重新向它稱貸，而取得新生的力量。[69]

又說：

> 道之發用，呈雙迴向：順之，則道之本無，委生萬有；逆之，則當下萬有，仰資於無，以各盡其用，故曰：「有之以為利，無之以為用。」[70]

---

69 見方東美：《原始儒家道家哲學》（臺北市：黎明文化事業公司，1983年9月），頁222-223。

70 見方東美：《原始儒家道家哲學》（臺北市：黎明文化事業公司，1983年9月），頁169。

指出《老子》的宇宙觀：一方面是自無而有、化生萬有的順向開展；另一方面是自有而無、萬有返於自然根源的逆向回歸的歷程。

再就萬有的運動變化而言，「道」的運動變化所依循的規律為「反」，即「相反相成」、「正反互轉」之義。[71]老子觀察經驗世界之萬有，發現萬有無不「變」：「飄風不終朝，驟雨不終日」（二十三章）。而且由於「反」的作用，萬事萬物在變化運動中，對立的雙方會「各向著其對立面轉化」[72]，因此《老子》說：「有無相生，難易相成」，認為任何事物都是在相反中產生，在相依中存在、變化、發展，且發展到了頂點，就向其對立面轉化。其中「相生」就是順向移位，而由相反而「相成」就是逆向移位。《老子》書中，處處體現著這種「物極必反」、「相反相成」的思想：

> 曲則全，枉則直，窪則盈，敝則新，少則得，多則惑。（二十二章，上篇，頁13）
> 物壯則老。（三十章，上篇，頁18）
> 貴以賤為本，高以下為基。（三十九章，下篇，頁4）
> 物或損之而益，或益之而損。……強梁者不得其死。（四十二章，下篇，頁6）
> 天下之至柔，馳騁天下之至堅。（四十三章，下篇，頁6）
> 禍兮福之所倚，福兮禍之所伏。孰知其極？其無正。正復為奇，善復為妖。（五十八章，下篇，頁14）
> 天之道其猶張弓與，高者抑之，下者舉之；有餘者損之，不足者

71 見勞思光：《中國哲學史》（香港：香港中文大學崇基學院，1980年11月，3刷），卷1，頁194。

72 見姜國柱：《中國歷代思想史》〈先秦卷〉（臺北市：文津出版社，1993年12月），頁59。

> 補之。（七十七章，下篇，頁23）
>
> 天下莫柔弱於水，而攻堅強者莫之能勝。……正言若反。（七十八章，下篇，頁23）

在「道」的運行之下，萬事萬物不斷地順向發展，直到最後無法再向前發展時，就折反而回，向它的反面逆向發展，於是產生了由「美」而「惡」或由「惡」而「美」、由「善」而「不善」或由「不善」而「善」、由「無」而「有」或由「有」而「無」、由「難」而「易」或由「易」而「難」、由「長」而「短」或由「短」而「長」、由「上」而「下」或由「下」而「上」、由「前」而「後」或由「後」而「前」、由「寵」而「辱」或由「辱」而「寵」、由「得」而「失」或由「失」而「得」、由「曲」而「全」或由「全」而「曲」、由「枉」而「直」或由「直」而「枉」、由「窪」而「盈」或由「盈」而「窪」、由「敝」而「新」或由「新」而「敝」、由「少」而「多」或由「多」而「少」、由「重」而「輕」或由「輕」而「重」、由「靜」而「躁」或由「躁」而「靜」、由「雌」而「雄」或由「雄」而「雌」、由「白」而「黑」或由「黑」而「白」、由「左」而「右」或由「右」而「左」、由「歙」而「張」或由「張」而「歙」、由「弱」（柔）而「強」（剛）或由「強」（剛）而「弱」（柔）、由「廢」而「興」或由「興」而「廢」、由「奪」而「與」或由「與」而「奪」、由「厚」而「薄」或由「薄」而「厚」、由「華」而「實」或由「實」而「華」、由「此」而「彼」或由「彼」而「此」、由「貴」而「賤」或由「賤」而「貴」、由「明」而「昧」或由「昧」而「明」、由「進」而「退」或由「退」而「進」、由「夷」（平）而「纇」（不平）或由「纇」（不平）而「夷」（平）、由「陰」而「陽」或由「陽」而「陰」、由「益」而「損」或由「損」與「益」、由「巧」而「拙」或由「拙」而「巧」、由「辯」而「訥」或由「訥」而「辯」、由「寒」

而「熱」或由「熱」而「寒」、由「生」而「死」或由「死」而「生」、由「親」而「疏」或由「疏」而「親」、由「利」而「害」或由「害」而「利」、由「正」而「奇」(反)或由「奇」(反)而「正」、由「福」而「禍」或由「禍」而「福」、由「細」而「大」或由「大」而「細」、由「治」而「亂」或由「亂」而「治」、由「成」而「敗」或由「敗」而「成」、由「始」而「終」或由「終」而「始」[73]等等的順向移位或逆向移位。

因此，在「反」的作用下，萬事萬物不停地運動變化，而不斷產生順向及逆向的移位現象。

(三)西洋相關學說

上述有關變化歷程中發生的移位現象，在西洋學說中也可看見。赫拉克里特斯(Herakleitos, 544-484 B.C.)以火為原質，由火生地的方向下降，從地變水，再變化而為各種凝固的物體，形成「順向移位」；而大地物質會向上變化而復為天火，形成「逆向移位」，因此他說：

> 下降之道與上昇之道原是一般無二。(斷簡六十)[74]

認為火既是原質，又是萬物生成變化之理，萬物的生與死、始與終，其實就是由火而生、再復歸於火的順、逆向(下降、上昇)移位的歷程。[75]鄔昆如更針對赫氏這種變化觀中的「上昇之道」，認為與中國莊子的變化觀有共通之處，他指出：

---

73 此部分的《老子》原文，可參見本節第一大項之(二)老子。

74 見傅偉勳：《西洋哲學史》(臺北市：三民書局，1994年2月，十三版)，頁25。

75 參考吳康：《西洋古代哲學史》(臺北市：臺灣商務印書館，1984年4月)，頁57-58；以及傅偉勳：《西洋哲學史》(臺北市：三民書局，1994年2月，十三版)，頁24-25。

> 赫拉克利圖斯：
> 宇宙萬物——對立和矛盾——火——變化——羅哥士。
> 莊子：
> 天地萬物——陰和陽——易——道。
> 赫拉克利圖斯：
> 陸地破裂之後，出現海洋；而海洋則依羅哥士的尺度去生成變化。
> 莊子：
> 大宗師：
> 萬物之所繫，一化之所待，……夫道，有情有信……
> 以上的兩種對比，都指示著「向上之道」之共通性，不但「羅哥士」是超越的，是一切生成變化之最終原因，而且「道」亦是「萬物之所繫」與「一化之所持」，仍然是高高在上的原理原則；萬物要抵達「羅哥士」或「道」，都需步步上升，走那條「向上之道」，以致抵達最高的境界為止。[76]

指出了由萬物的對立、矛盾，而向對立面逆向移位，最後將向上回歸到根源之處，赫氏稱之為「羅哥士」，道家稱之為「道」。方非也說：

> 就「火」而言，無論是否認為「火」是一種世界的元素，但「火」轉化為「水」以至萬物的提法在赫拉克利特那裡是毋庸置疑的。這種轉化說明了事物是不斷地從一種狀態向另外一種相反狀態轉變的。[77]

---

76 見鄔昆如：《莊子與古希臘哲學中的道》（臺北市：臺灣中華書局，1972年5月），頁215-216。

77 見方非：〈「火」、「河流」與「戰爭」——赫拉克利特的變化觀新論〉，《長沙電力學院學報（社會科學版）》第18卷第1期（2003年2月），頁17。

由此可知，西洋哲人赫拉克里特斯與中國的道家，在變化的移位現象上，有類似的觀察，都發現了萬物化生所形成的順向移位，及物極必反、向對立面逆向移位轉化的變化歷程。

黑格爾更看重正反相生的變化規律，他認為「一切有限之物皆免不了變化」，而變化的規律就是：「有生者必有死」，「生命本身即包含有死亡的種子」。[78]這與莊子「方生方死」的話相輔相成[79]，都是在論及正反相生的變化歷程。黑格爾還說：

> 一切有限之物並不是堅定不移，究竟至極的，而毋寧是變化、消逝的。而有限事物的變化消逝不外是有限事物的辯證法。有限事物，本來以它物為其自身，由於內在的矛盾而被迫超出當下的存在，因而轉化到它的反面。……如果事物或行動到了極端總要轉化到它的反面。[80]

明白指出事物在變化歷程中，會由順向的移位發展而抵達極端，在內在發生矛盾、超出當下的存在，再向對立面轉化，而產生逆向移位的現象。

黑格爾在《邏輯學》一書中，還明確指出變化的兩個方向是相反的，即發生與消滅：

> 變是有與無的不分離，……變包含有與無兩個這樣的統一體；一

---

78 以上所引三項皆見黑格爾著，賀麟譯：《小邏輯》（臺北市：臺灣商務印書館，1998年4月），頁208。

79 參見遲維東：〈黑格爾變化觀與莊子變化觀之比較〉，《烟台師範學院學報（哲學社會科學版）》第19卷第1期（2002年3月），頁47。

80 見黑格爾著，賀麟譯：《小邏輯》（臺北市：臺灣商務印書館，1998年4月），頁181。

> 個是作為直接的有和對無的關係，另一個是作為直接的無和對有的關係。在這兩個統一體中，規定的價值並不相等。
>
> 變用這種方式，便在一個雙重規定之中了；在一重規定裡，無是直接的，即規定從無開始，而無自己與有相關，就是說過渡到有之中；在另一重規定裡，有是直接的，即規定從有開始，有過渡到無之中——即發生與消滅。
>
> 兩者都同樣是變，它們雖然方向不同，卻仍然相互滲透、相互制約。一個方向是消滅；有過渡到無，但無又是它自己的對立物，過渡到有，即發生。這個發生是另一個方向；無過渡到有，但有又揚棄自己而過渡到無，即消滅。它們不是相互揚棄，不是一個在外面將另一個揚棄，而是每一個在自身中揚棄自己，每一個在自身中就是自己的對立物。[81]

其中由「無」過渡到「有」（發生），即事物產生、發展的順向歷程，而由「有」到「無」（消滅），即事物消失、向對立面轉化的逆向歷程。這種關於「變化」歷程的闡述，與中國哲學《周易》（含《易傳》）、《老子》等思想有相通相似之處。

三　變化的歷程——轉位

（一）《周易》（含《易傳》）

由於陰陽二種勢力的相摩相盪、對待往來，而形成萬事萬物的盈虛消長現象。《周易》（含《易傳》）的作者透過長久的觀察，發現事物的

---

81 見黑格爾著，楊一之譯：《邏輯學》（通稱《大邏輯》）（北京市：北京商務印書館，1991年12月，初版6刷），上卷，頁97。

變化似依循著一定的規則而循環不已，這規則就是由產生、發展、遞進、轉化等「順逆相錯」[82]的移位過程，這種歷程類似四時的變化，在一往一來的移位之間形成「轉位」，呈現出終而復始、永遠不停止的循環現象。因此，《周易》（含《易傳》）說：

> 先甲三日，後甲三日，終則有始，天行也。（〈蠱〉〈彖〉，卷3，頁3）
> 无平不陂，无往不復。（〈泰〉〈九三爻辭〉，卷2，頁13）
> 天地之道，恒久而不已也。利有攸往，終則有始也。（〈恒〉〈彖〉，卷4，頁3）
> 日往則月來，月往則日來，日月相推而明生焉。寒往則暑來，暑往則寒來，寒暑相推而歲成焉。（〈繫辭下〉，卷8，頁6）

宇宙間的事物就是如此終而復始、經由移位及轉位的歷程，「生生」不已地拓展新的機運。約言之，變化的規律就是「窮則變，變則通，通則久」（〈繫辭傳下〉），是不斷地向前發展（順向移位），到了「窮」盡之處，就向對立面「變」化更新（逆向移位），形成轉位，並造成循環，「通」達而長「久」地前進的過程。

於是，《周易》（含《易傳》）以爻與爻間相生相反的「轉位」變化[83]，形成小循環；再擴展這種變化到卦，以卦與卦間相生相反的「轉

---

[82] 牟宗三：「胡煦《周易函書》：『然乾之陽支順，坤之陰支逆何也？天地之理，一往一來，一順一逆，然生生不息之妙出焉。若使一概皆順，則陰陽皆不能以相配，亦恐其易盡而易窮矣。』……于此納法中，有陽支順，陰支逆之義，順逆相錯，始能不息。故此納法，既可以表示陰陽之生成，往來順逆之錯綜，又可以構造時空之系列，而干支之序，世界之序，亦因而引出。」見《周易的自然哲學與道德函義》（臺北市：文津出版社，1998年8月，初版2刷），頁251。

[83] 勞思光：「爻辭論各爻之吉凶時，常有『物極必反』的觀念。具體地說，即是卦象吉者，最後一爻多半反而不吉；卦象凶者，最後一爻有時反而吉。」見《中國哲學史》（香港：香港中文大學崇基學院，1980年11月，3刷），卷1，頁11。

位」變化，形成大循環，來顯現宇宙間萬物萬事周流不已、循環往復的轉位變化。

先就爻與爻間的轉位現象來看，每卦有六爻，「始於初，分於二，通於三，革於四，盛於五，終於上」[84]，最後「物極必反」，發展到窮盡之時，開始向對立面轉化，而形成一個「小規模之周流變易」[85]；再就卦與卦間的轉位現象來看，乾卦（䷀）與坤卦（䷁）、頤卦（䷚）與大過卦（䷛）、坎卦（䷜）與離卦（䷝）、中孚卦（䷼）與小過卦（䷽）等四組八卦，都是卦象兩兩顛倒、六爻兩兩互變（陰陽相反）。兩卦之間的陰爻陽爻向對立方轉化而互相「移位」，進而形成了「轉位」，茲舉乾坤二卦說明如下。

〈乾〉卦：

用九，見群龍无首，吉。

〈象〉曰：用九，天德不可為首也。

〈坤〉卦：

用六，利永貞。

〈象〉曰：用六「永貞」，以大終也。（卷1，頁4-16）

九、六可以互變，也就是說，在一定的條件下，陰爻與陽爻可以互相轉化。就乾卦言，當乾陽發展到上九，已成為「亢龍」而「盈不可久」，

84 見黃師慶萱：《周易縱橫談》（臺北市：三民書局，1995年3月），頁236。

85 見黃師慶萱：《周易縱橫談》（臺北市：三民書局，1995年3月），頁99。

只有發揮「用九」九變六的作用[86]，才可以「見群龍无首」。[87]因數變爻必變，爻變卦亦變。六爻的六個九變成六個六，陰陽對轉移位，乾卦遂成坤卦。同時，坤卦亦成乾卦。乾坤二卦互相調換其位，才能「見群龍无首」，使「六龍」繼續存在，無終了之時；才能「天德不可為首」，使天道循環不已地運行，無終了之時。乾陽就在由初九→九二→九三→九四→九五，一序列的順向移位中，漸次向對立面轉化；而後九六互變，在一連串的變動歷程中，完成了「轉位」。

再就坤卦言，「用六」即六之用，六之大用在於可變為九。坤卦六爻的六個六皆變為九，坤卦變成了乾卦，因此「利永貞」，可以長久而正固。由於乾坤兩卦發展到上爻，乾為「亢龍」而「盈不可久」，坤又與「龍戰」而「其道窮」，所以，此時這個由乾坤組成的對立統一體不能正固長久，唯有「用六」發揮六變九的作用，六、九互變，乾坤易

86 徐志銳：「客觀事物發展變化的規律，凡處於少壯時期的東西，都是向上繼續發展，到了老朽時期則走衰亡。由少變老，是量變過程；老一變則衰亡，是質變過程。用七、八、九、六這四個數來模擬這一發展變化規律，於是規定七為少陽，八為少陰，陽進而陰退。陽進則七之少陽可進為九之老陽，所以凡得七、九之奇數都畫陽爻。陰退則八之少陰可退為六之老陰，所以凡得八、六之偶數都畫陰爻。七進為九，由少陽變為老陽，是量變過程，陽剛的性質並沒有改變，因而都用（──）的符號。八退為六，由少陰變為老陰，也是量變過程，陰柔的性質未改變，因而都用（－－）的符號。由於性質未改變，七、八這兩個數，就叫做不變數。九、六則叫做變數。物衰則老，老則變。九為老陽，六為老陰，衰老則發生質變，所以九、六可互變。九變六，是由陽而變為陰；六變九，是由陰而變為陽。命爻用九、六而不用七、八，以此表明陰陽剛柔在一定條件下都可以發生對立轉化，這就叫做以變動為占。為了闡明這一道理，乾、坤兩卦的六爻之上特設『用九』、『用六』兩爻，以發其通例。」見《周易陰陽八卦說解》（臺北市：里仁書局，1995年5月，初版3刷），頁23-24。又關於「大衍筮法」，可參見徐志銳：《周易陰陽八卦說解》，第二章〈說解蓍〉一文，頁15-36；及王新華：《周易繫辭傳研究》（臺北市：文津出版社，1998年4月）〈演蓍策之法〉一文，頁142-150。

87 〈象傳〉解「見群龍无首」說：「天德不可為首也。」首即終也。項安世《周易玩辭》卷一：「凡卦以初爻為趾，為尾，終爻為首。形至首而終也，故《易》中首字皆訓為終。」亦訓首為終。收於苗楓林主編：《孔子文化大全》（濟南市：山東友誼書社，1991年10月），頁36。

位，重組一對立統一體，才能正固而長久。所以〈象〉說：「用六永貞，以大終也」，即指坤卦以乾卦為終，如此方能使群龍無所終，才能利於對立統一體的正固而長久。[88]就在九、六互變，乾變坤，坤變乾，再重新組成了一個對立統一體的變動歷程中，乾陽及坤陰分別漸次由順向移位轉為逆向移位，終而完成了乾坤二者互易的「轉位」。

進一步說，在《周易》（含《易傳》）中，「用九」、「用六」並不僅局限在乾坤兩卦，而是為六十四卦發其通例，程石泉說：

> 六十四卦無非是乾坤之組合，每一卦不僅可與某一卦旁通，且相互攝取他卦之部分。若就六十四卦為一完整符號系統而言，乾坤實為其基因（gene）。基因分陰分陽，因旁通而生生不已。[89]

因此，由上述乾坤互易「轉位」的說明，可以推知其他六十二卦，每一卦位在九、六互變中，也都可以一一尋出因「移位」而造成「轉位」的變動歷程。而在六十四卦的位位互移之下，運動變化到達極點時，即會形成大反轉，反本而回復其根本，形成另一個循環，〈序卦〉說：

> 有過物者必濟，故受之以〈既濟〉。物不可窮也，故受之以〈未濟〉終焉。（卷9，頁9）

就是在強調一切事物發展到終極，都要走到它的反面；但終極是相對的，一切事物都是沒絕對的終極。不斷變化的物質世界是無始無終的循環世界，因而「轉位」的現象也不斷地發生。正如勞思光所說：

---

88 以上有關用九與用六的闡述，參考徐志銳：《周易陰陽八卦說解》（臺北市：里仁書局，1995年5月，初版3刷），頁127-138。

89 見程石泉：《易學新探》（臺北市：黎明文化事業公司，1989年1月），頁64。

> 六十四重卦，以既濟未濟二者為終。「既濟」是「完成」之意，「未濟」則指「未完成」。由乾坤開始，描述宇宙過程，至「既濟」而止，然宇宙之生滅變化永不停止，故最後加一「未濟」，以表宇宙過程本身無窮盡。[90]

這種無窮無盡的循環變化歷程，是永不停止的。黃師慶萱也說：

> 《周易》的周，……有周流的意思。《周易》每卦六爻，始於初，分於二，通於三，革於四，盛於五，終於上。代表事物的小周流。再看六十四卦，始於〈乾卦〉的行健自強；到了六十三卦的「既濟」，形成了一個和諧安定的局面；接著的卻是「未濟」，代表終而復始，必須作再一次的行健自強。物質的構成，時間的演進，人事的努力，總循著一定的周期而流動前進，於是生命進化了，文明日益發展。[91]

以「小周流」指明《周易》六爻間小循環的現象；以「終而復始」、「周期而流動前進」指出六十四卦體現的變化不已的大循環歷程。這種由六十四卦位位互移所造成的大反轉，就是一個「大轉位」。

值得注意的是，這種循環，並非「事事重復」[92]，而是一種「螺旋式的生成」，牟宗三解釋《周易》（含《易傳》）的變化生成觀說：

---

90 見勞思光：《中國哲學史》（香港：香港中文大學崇基學院，1980年11月，3刷），卷1，頁10。

91 見黃師慶萱：《周易縱橫談》（臺北市：三民書局，1995年3月），頁236。

92 程石泉：「天地因循環不已而得久生。所謂循環不已，並非『事事重復』。在天地循環中，每次有新佈局。在『種性』循環中產生新個體、具備新品德。」見《易學新探》（臺北市：黎明文化事業公司，1989年1月），頁62。

> 一個循環的終始，即是一個體之形成，即柏格森（Bergson）所謂「生命內浪反復循環而成為物質」是也。由這種循環的始終微盛之生成方面，時間即顯示出了。由這種循環的生成之擴延方面看，空間即顯示出了。……物質，空間，時間皆由一個根本的生成而派生出分化出。其生成是一種循環的盤化的，總之是曲線的而非直線的形態。這種生成形態可名之曰「螺旋式的生成」。[93]

無論是形成個體的小循環，或是擴延至廣大空間的大循環，都是經由大、小循環彼此互動、層層上升的曲線的螺旋結構。在天地間循環不已的「大轉位」歷程中，不斷地產生新的佈局，而新生的個體及品德也就生生不息地發生了。

（二）老子

關於上述由於陰陽彼此作用，在一往一來、順逆向移位之際所造成的「轉位」現象，《老子》也有相應的說法。《老子》同樣地重視運動的變化觀，所謂「反者道之動」（四十章），不僅是指出「物極必反」、「相反相成」的變化規律，其中「反」還可解為「返」[94]，有「返本歸根」、「循環交變」之義，可知，循環往復也是宇宙萬物運動變化的特點。鄔昆如解釋「反者道之動」這句話說：

> 老子的「歸」概念是「道」概念的活動，其行程是：由道本身出發，創生萬物，然後又吸引萬物回歸自己的本身。……道德經中

---

93 見牟宗三：《周易的自然哲學與道德函義》（臺北市：文津出版社，1998年8月，初版2刷），頁186。

94 見姜國柱：《中國歷代思想史》〈先秦卷〉（臺北市：文津出版社，1993年12月），頁63。

> 這「反」概念，就是從物到道的途徑；從道到物之途為正，而從物回到道之途即為反。[95]

指出「道」創生及回歸自身的活動行程：其中所謂的「從道到物」是「正」（順）向的移位，而「從物到道」是「反」（逆）向的移位。這樣的由正而反，再由反而正的大周流運動，與《周易》（含《易傳》）的說法不謀而合。如果配合《老子》其他的文字來看，更可明瞭「道」生萬物，萬物再復歸於「道」的循環變化，是一種常、久不息的「大轉位」，《老子》說：

> 致虛極，守靜篤，萬物並作，吾以觀復。夫物芸芸，各復歸其根。歸根曰靜，是謂復命；復命曰常，知常曰明。不知常，妄作凶。（十六章，上篇，頁9）
>
> 有物混成，先天地生，寂兮寥兮，獨立不改，周行而不殆，可以為天下母，吾不知其名，字之曰道，強為之名曰大。大曰逝，逝曰遠，遠曰反。（二十五章，上篇，頁14）
>
> 知其雄，守其雌，為天下谿；常德不離，復歸於嬰兒。知其白，守其黑，為天下式；為天下式，常德不忒，復歸於無極。知其榮，守其辱，為天下谷；為天下谷，常德乃足，復歸於樸。（二十八章，上篇，頁16-17）
>
> 天下萬物，生於有，有生於無。（四十章，下篇，頁4）
>
> 道生一，一生二，二生三，三生萬物。萬物負陰而抱陽，沖氣以為和。（四十二章，下篇，頁5）

---

95 見鄔昆如：《莊子與古希臘哲學中的道》（臺北市：臺灣中華書局，1972年5月），頁48。

其中所謂「有物混成，……可以為天下母」、「有生於無」、「道生一，……三生萬物」等，說明了由「無」而「有」的順向變化；而所謂「夫物芸芸，各復歸其根」、「遠曰反」、「復歸於無極」、「復歸於樸」等，則說明了由「有」返「無」的逆向變化。因此，在「道」的作用下，宇宙萬物的生成變化，是一個「無→有→無」循環往復的無窮發展過程。張立文針對此點也說：

> 從老子哲學的邏輯結構中，可以窺見：從「道」（無）開始的運動，通過「一」、「二」、「三」等階段的演化過程，派生了世界萬物；當「道」派生了萬物以後，就開始了「復歸」，最終復歸到「無」（道）。[96]

認為老子以「道」為起始及最終結果的宇宙變化觀，是一個「無→有→無」的變動歷程。姜國柱也說：

> 「道」的運動是周行不殆、循環往復的圓圈運動。運動的最終結果是返回其根：「復歸其根」、「復歸於樸」。這裡所說的「根」、「樸」都是指「道」而言。「道」產生、變化成萬物，萬物經過周而復始的循環運動，又返回、復歸於「道」。老子的這個思想帶有循環論的色彩。[97]

則更強調萬物由無到有、再由有返無的運動歷程，是周而復始、循環不

---

96 見張立文：《中國哲學邏輯結構論》（北京市：中國社會科學出版社，2002年1月），頁147。

97 見姜國柱：《中國歷代思想史》〈先秦卷〉（臺北市：文津出版社，1993年12月），頁63。

已的圓圈運動。羅光更進一步地提到，老子的「道」以反為進、以反為常的原因，在於使「道」的變化能久、能遠，他說：

> 不反的動，為直線之動，愈動愈離根越遠，愈變愈和根不同；這種變化雖然可以假想為無窮盡的，實際上則脫離泉源，將有涸乾的一日。[98]

因此，在《老子》的變化觀中，「道」的運動方向必須朝「反」面，並且作周而復始的[99]、否定再否定的螺旋式上升的進程[100]，才能循環不息，以混成始，亦以混成終。[101]整個宇宙變化生成的歷程，在「無→有→無」的互動循環中，形成了「大轉位」的現象。

就個別事物的運動發展言，在「反」的作用下，變化到了極限，也會向對待的一方轉化，在一往一復、一順一逆之際，形成了「轉位」現象。如：由「難→易→難」或由「易→難→易」、由「長→短→長」或由「短→長→短」、由「上→下→上」或由「下→上→下」、由「前→後→前」或由「後→前→後」、由「寵→辱→寵」或由「辱→寵→辱」、由「得→失→得」或由「失→得→失」、由「曲→全→曲」或由「全→曲→全」、由「枉→直→枉」或由「直→枉→直」、由「窪→盈→窪」

---

98 見羅光：《中國哲學思想史》（一）（臺北市：先知出版社，1975年8月），頁157。

99 陳鼓應：「宇宙是動態的，一切在常變之中，而變有『常』。由是探索出變動的規律，這規律便是『反復』。老子歸結出這樣一個重要的哲學命題：『反者道之動』，道的運動是朝對立的方面並反覆周行地進展。」見《易傳與道家思想》（臺北市：臺灣商務印書館，1994年9月），頁38。

100 參見陳望衡：《中國古典美學史》（長沙市：湖南教育出版社，1998年8月），頁190。

101 唐君毅：「老子之道體為一混成者，其生物即此混成者之開散而為器，遂失其所以為混成。惟賴物生之後，再復命歸根，以歸於無，乃不失其混成，是為天門之開而再闔。故此混成之道之常久，亦惟賴由萬物之終必返於此混成者。夫然，老子之天道，實以混成始，亦以混成終。」見《中國哲學原論》〈導論篇〉（臺北市：人生出版社，1966年3月），頁417。

或由「盈→窪→盈」、由「敝→新→敝」或由「新→敝→新」、由「少→多→少」或由「多→少→多」、由「重→輕→重」或由「輕→重→輕」、由「靜→躁→靜」或由「躁→靜→躁」、由「雌→雄→雌」或由「雄→雌→雄」、由「白→黑→白」或由「黑→白→黑」、由「左→右→左」或由「右→左→右」、由「歙→張→歙」或由「張→歙→張」、由「弱（柔）→強（剛）→弱（柔）」或由「強（剛）→弱（柔）→強（剛）」、由「廢→興→廢」或由「興→廢→興」、由「奪→與→奪」或由「與→奪→與」、由「厚→薄→厚」或由「薄→厚→薄」、由「華→實→華」或由「實→華→實」、由「此→彼→此」或由「彼→此→彼」、由「貴→賤→貴」或由「賤→貴→賤」、由「明→昧→明」或由「昧→明→昧」、由「進→退→進」或由「退→進→退」、由「夷（平）→纇（不平）→夷（平）」或由「纇（不平）→夷（平）→纇（不平）」、由「陰→陽→陰」或由「陽→陰→陽」、由「益→損→益」或由「損→益→損」、由「巧→拙→巧」或由「拙→巧→拙」、由「辯→訥→辯」或由「訥→辯→訥」、由「寒→熱→寒」或由「熱→寒→熱」、由「生→死→生」或由「死→生→死」、由「親→疏→親」或由「疏→親→疏」、由「利→害→利」或由「害→利→害」、由「正→奇（反）→正」或由「奇（反）→正→奇（反）」、由「福→禍→福」或由「禍→福→禍」、由「細→大→細」或由「大→細→大」、由「治→亂→治」或由「亂→治→亂」、由「成→敗→成」或由「敗→成→敗」、由「始→終→始」或由「終→始→終」等等變化，都是相反相成的對立項相互轉化時所形成的歷程，揭示了順向移位及逆向移位所形成的「轉位」現象。

由此可知，《老子》關於「轉位」現象的循環變化觀，無論是大至宇宙萬物生成的大轉位，或是小至事物本身發展變化的小轉位，都有與《周易》（含《易傳》）極為類似的看法。

（三）西洋相關學說

上述有關循環變化所形成的「轉位」現象，在西洋學說中也有類似的說法。阿納克西曼得（Anaximander, 610 ？ -546 ？ B.C.）提出始基是萬物復歸的想法，認為始基不但產生萬物，萬物亦復歸於始基。[102]而後赫拉克里特斯（Herakleitos, 544-484 B.C.）也認為宇宙的普遍生命，是一個生滅循環不息的變化歷程。[103]他更進一步地將循環變化分為兩種：一種是變化背後有形上根源（即陰陽對立面轉化、統一後的「羅哥士」（Logos））的大循環，以「火」為起點，轉化為「土」，以至萬物，形成順向移位；萬物又復歸於「火」，形成逆向移位，因而造成一個「大轉位」；另一種是事物本身的變化，「萬物皆流，物無常住」[104]，萬物都處於瞬息萬變之中，從無到發生，再歸於消滅，一往一復，形成一種部分循環的「轉位」現象。

接著，安培鐸克爾（Empedocles, 495-435 B.C.）不僅認為宇宙的歷程是循環的，還提出宇宙的循環歷程有固定的循環期，吳康在《西洋古代哲學史》說明了這些循環期：

> 在一循環期之始，四原素（火、氣、土、水）作微塵式的混合。此第一階段，「和愛」是中心原理，管制一切，其全體曰福神（blessed god）。惟同時「敵迕」已漸環布於宇宙圓球體之四周，而終寖入於球之內部，而拆散諸微分子（微塵）。分離程敍，於焉肇始。最後分離完成，水微分子，火微分子等，各自以類聚

102 參見尚美豐：〈從中西哲學比較角度看老子的本體論和變化觀〉，《江西社會科學》1994年第8期，頁38。

103 參見吳康：《西洋古代哲學史》（臺北市：臺灣商務印書館，1984年4月），頁57。

104 見方非：〈「火」、「河流」與「戰爭」——赫拉克利特的變化觀新論〉，《長沙電力學院學報（社會科學版）》第18卷第1期（2003年2月），頁18。

> 合，此時敵迕統馭萬有，和愛幾於告息，繼則和愛又漸回復其功能，使諸不同原素繼續混同結合，其程敘與初時相同，迄諸基本微分子混合不分為止。從而敵迕又回復其分離作用。此等宇宙程敘，遞衍不息，無始無終，永劫相續者也。[105]

由上述可知，安氏的宇宙循環是四原素「混合→分離→混合」的歷程。起初對立勢力尚未發生，因此是一片和諧的混融之體；當對立勢力介入之後，便開始分離，直到這股勢力完全佔了優勢，萬物就化生了；而物極必反，最後，對立勢力終將變弱，萬物又混而不分。而且，這樣的循環是「無始無終」、永不停息的。安氏宇宙循環的變化觀，與《老子》所論述的宇宙循環歷程，是相當吻合的，都描繪了宇宙生成變化的「大轉位」現象。

而黑格爾的「圓圈哲學」，更與中國道家循環往復的觀點不謀而合。他在《邏輯學》中說：「科學的整體本身是一個圓圈，在這個圓圈中，最初的也將是最後的東西，最後的也將是最初的東西」[106]，認為每一正反相合即為一圓圈，從而導致他整個的哲學體系，都充滿著無往不復的圓圈觀點，因此他說：

> 在相互作用裡，……由因到果和由果到因向外伸展直線式的無窮進程，已得到真正的揚棄，而繞回轉變為圓圈式的過程，因而返回到自身來了。直線式的無窮進程的圓圈化，而繞圓為一自成起結的關係，也如一般隨處皆有的簡單返回一樣。[107]

---

105 見吳康：《西洋古代哲學史》（臺北市：臺灣商務印書館，1984年4月），頁96。

106 見黑格爾著，楊一之譯：《邏輯學》（通稱《大邏輯》）（北京市：北京商務印書館，1991年12月，初版6刷），頁56。

107 見黑格爾著，賀麟譯：《小邏輯》（臺北市：臺灣商務印書館，1998年4月），頁326。

在黑格爾的圓圈論點中，事物的變化過程，是呈現著像「因－果－因」般的自成起結的循環進程。同時，他強調這種變化的歷程是一個無窮的進展過程：

> 某物成為一個別物，而別物自身也是一個某物，因此它也同樣成為一個別物，如此遞推，以至無限。
> 這種無限是壞的或否定的無限。因為這種無限不是別的東西，只是有限事物的否定，而有限事物仍然重複發生，還是沒有被揚棄。換句話說，這種無限只不過表示有限事物應該揚棄罷了。這種無窮進展只是停留在說出有限事物所包含的矛盾，即有限之物既是某物，又是它的別物。這種無限進展乃是互相轉化的某物與別物這兩個規定彼此交互往復的無窮進展。[108]

黑氏指出兩物在矛盾中「互相轉化」、「交互往復」的進程，具有無限遞推的特點。

黑格爾在論變化時，更具體地指出：無限循環的變化歷程是從有到無的過程，同時他又以有為主，認為循環往復的結果必然會回到有，他在《小邏輯》中說：

> 「有」是第一個純思想，無論從任何別的範疇開始，都是從一個表象的東西，而非一個思想開始；而且這一出發點就其思想來看，仍然只是「有」。……
> 有過渡到無，無過渡到有，是變易的原則。[109]

---

108 見黑格爾著，賀麟譯：《小邏輯》（臺北市：臺灣商務印書館，1998年4月），頁209。
109 見黑格爾著，賀麟譯：《小邏輯》（臺北市：臺灣商務印書館，1998年4月），頁192及198。

由以上文字可知，黑格爾提出的變化歷程是「有→無→有」，儘管其「有」「無」相互轉換的順序與中國道家的主張正好相反，但是他們都不約而同地主張無往不復的循環觀，是值得留意的課題。遲維東曾就中西哲學的這種異同加以比較，他在〈黑格爾變化觀與莊子變化觀之比較〉一文中說：

> 莊子與黑格爾不約而同地都主張無往不復觀。這也是他們的變化觀的重要組成部分。變化的可能源於正反相生，變化的結果是無往而不復，變化是一種狀態取消其自身到另一狀態。也就是黑格爾所謂由正到反，由反到正（即反之反）的道理。反是否一定回到正呢？我們可以說A之反為B，B之反不一定直接回到A。但我們至少可以說B若經過所有與它相反的C、D，……最後必遇到A，儘管此A之意義可能較原先之A升高了一層。由此我們仍可以說反之反一定要回到正。也就是我們只要承認有由正到反之往，必承認再回到正之復。……
> 《老子》第四章云：「天下萬物生於有，有生於無」；第一章又云：「無名天地之始」。莊子在此基礎上進一步說：「以無為首」；「泰初有無，無有無；一之所起，有一而未形」（天地篇）。譬如，他對人的生命的來源的看法就是如此，「察其始也，而本無生」。莊子認為變化是從無到有的，……黑格爾認為從無開始之說不當，「如果依照這個說法，無真是那種推理的結果，並造成以無為開端（如中國哲學），那就連手都不用轉了，因為在轉手之前，無就已轉為有了。」（《邏輯學》）[110]

110 見遲維東：〈黑格爾變化觀與莊子變化觀之比較〉，《烟台師範學院學報（哲學社會科學版）》第19卷第1期（2002年3月），頁48-49。

莊子在《老子》的基礎上，明確地指出「無」為變化的起點，而黑格爾則反對中國道家這種以「無」為開端的說法，堅持從「有」開始。這是中西學說相異之處。但黑氏所謂「由正到反」再「由反到正」的順、逆向移位歷程，或「從有到無」再「從無到有」的轉位現象，卻是和中國哲學有異曲同工之妙的。

四　變化哲學與「多、二、一（0）」結構

綜合以上有關中西方變化哲學的論述，可知古代哲人在面對紛紜萬狀的現象界時，孜孜不倦地觀察、探索，由「有象」（現象界）以探知「無象」（本體界），再由「無象」（本體界）以解釋「有象」（現象界），如此一順一逆、往復驗證，終於形成了他們的宇宙人生觀。雖然各家的觀點各有所見，但若自求同的角度來看，皆可以從「（0）一、二、多」（順）與「多、二、一（0）」（逆）二者因互動、循環而提昇的螺旋結構[111]來加以統合。

先就《周易》（含《易傳》）言，所謂「天下之動，貞夫一者也」（〈繫辭下〉），這裏的「一」，就是指「太極」而言，整個宇宙的成形，由太

111 凡「二元對待」之兩方，如仁與智、明明德與親民、天（自誠明）與人（自明誠）等，都會產生互動、循環而提昇的作用，而形成螺旋結構。參見陳師滿銘：〈談儒家思想體系中的螺旋結構〉，《國文學報》第29期（2000年6月），頁1-36。而所謂「螺旋」，本用於教育課程之理論上，早在十七世紀，即由捷克教育家夸美紐思所提出，乃「根據不同年齡階段（或年級），遵循由淺入深，由簡單到複雜，由具體而抽象的順序，用循環、往復螺旋式提高的方法排列德育內容。螺旋式亦稱圓周式」，見《簡明國際教育百科全書》（北京市：新華書局北京發行所，1991年6月），頁611。又，相對於人文，科技界亦發現生命之「基因」和「DNA」等都呈現螺旋結構。參見約翰．格里賓著、方玉珍等譯：《雙螺旋探密——量子物理學與生命》（上海市：上海科技教育出版社，2001年7月），頁271-318。又，程石泉具體地指出：「大多數粒子好像陀螺順著軸在旋轉。可是牠們旋轉有一定度數，那個度數屬於某一基本單元的倍數。」詳見《易學新探》（臺北市：黎明文化事業公司，1989年1月），頁123。本節所述中國哲學的部分，主要參考陳師滿銘：〈論「多」、「二」、「一（0）」的螺旋結構——以《周易》與《老子》為考察重心〉一文，《師大學報》第48卷第1期（2003年4月）。

極開始[112]，「是故易有太極，是生兩儀，兩儀生四象，四象生八卦」（〈繫辭上〉），如此，宇宙由「一」開始，再繁衍至無數。《周易》（含《易傳》）還說：

> 乾知大始，坤作成物。（〈繫辭上〉，卷7，頁2）
>
> 一陰一陽之謂道，繼之者善也，成之者性也。……生生之謂易，成象之謂乾，效法之謂坤。（〈繫辭上〉，卷7，頁7-8）

作者用「易」、「道」或「太極」來統括「陰」（坤）與「陽」（乾），作為萬物生生不已的根源、初始，從數的方面來講，「原始的數是一」[113]，因此《說文解字》在「一」篆下說：「惟初太極，道立於一，造分天地，化成萬物」；而「陰」（坤）與「陽」（乾）兩種對立的勢力就是「二」（「兩儀」）；在陰陽二元勢力的交互作用下，造成了一連串的「移位」、「轉位」歷程後，便形成了「多」（萬物、萬事）。如此，宇宙萬物由「一」而化生萬物的順向歷程，就可以用「一、二、多」的結構來呈現。又〈序卦〉中所言六十四卦的排列次序，也含有這種結構，所謂「有天地然後萬物生焉」、「有天地然後有萬物，有萬物然後有男女，有男女然後有夫婦，有夫婦然後有父子，有父子然後有君臣，有君臣然後有上下，有上下然後禮義有所錯」，就是在說明「由天地、而萬物、而人類社會之事」[114]的演生次序。這一個順向「移位」發展的歷程，就形成了

112 參見鄭金川：〈試論懷德海的創新與《易經》的生生之理〉，東海哲研所主編：《中國哲學與懷德海》（臺北市：東大圖書公司，1989年9月），頁195。

113 見黃師慶萱：《周易縱橫談》（臺北市：三民書局，1995年3月），頁33-34。

114 見唐君毅：《中國哲學原論》〈原道篇〉（臺北市：人生出版社，1966年3月），頁166-167。

「一、二、多」[115]的順向結構。

此外，〈序卦〉中以「既濟」卦受之以「未濟」卦的宇宙循環觀念，還揭示了「由人（人事）、物而天（天道）」的「多、二、一」的逆向結構，勞思光在論「《易經》中的『宇宙秩序』觀念」時就說：

> 卦爻之組織，原為占卜之用；就其本身而論，只是一種符號遊戲，本無深遠意義可說。但組成六十四重卦後，予以一定排列，而又各定一名，代表一特殊意義，便含有宇宙秩序觀念。例如：六十四重卦，以乾坤為首，「乾」原義為「上出」，故即指「發生」；「坤」原意為「地」，即指發生所需之質料。以乾坤為六十四卦之首，即是以能生之形式動力與所憑之質料為宇宙過程之基始條件。
>
> 又六十四重卦，以既濟未濟二者為終。「既濟」是「完成」之意，「未濟」則指「未完成」。由乾坤開始，描述宇宙過程，至「既濟」而止，然宇宙之生滅變化永不停止，故最後加一「未濟」，以表宇宙過程本身無窮盡。……此外，其餘各重卦之名，亦具一定意義，皆表示一種可能事態。因為「卦」原是為占卜而設，所以，六十四重卦指述之事態，一方面固指宇宙歷程，另一方面也皆可應用於人生歷程。由此，又透露出另一傳統思想，即是，宇宙歷程與人生歷程有一種相應關係。[116]

---

115 其中「一」指太極，「二」指「天地」或「陰陽」、「剛柔」，「多」指「萬物」（包括人事）。雖然「太極」（「道」）與「陰陽」（「剛柔」）等觀念與作用，在〈序卦傳〉中，未明確指出，卻都含蘊在其中。否則，「天地」失去了「太極」與「陰陽」等作用，便不可能「生萬物」（包括人事）了。參考陳師滿銘：〈論「多」、「二」、「一（0）」的螺旋結構——以《周易》與《老子》為考察重心〉，《師大學報》第48卷第1期（2003年4月），頁3。

116 見勞思光：《中國哲學史》（香港：香港中文大學崇基學院，1980年11月，3刷），卷1，頁10。

不僅指出了宇宙與人生歷程的相應關係，更強調了宇宙萬物生滅變化的歷程是無窮的，也就是循環不已的。而這個「轉位」的變化歷程，涵蓋了兩個方向：一是「由天而人」的順向移位所呈現的「一、二、多」結構；另一則是「由人而天」的逆向移位所呈現的「多、二、一」結構。

再就《老子》言，其由「無」而「有」而「無」的主張，更可明顯地看出這種螺旋結構。所謂「道可道，非常道」，「無，名天地之始；有，名萬物之母」（一章），「道之為物，惟恍惟惚」（二十一章），「有物混成，先天地生，……可以為天下母」（二十五章），「有生於無」（四十章），「道生一，一生二，二生三，三生萬物」（四十二章），都是就「由無而有」的順向移位歷程說的；而所謂「復歸其根」（十六章），「逝曰遠，遠曰反」（二十五章），「復歸於無極」（二十八章），「反者道之動」（四十章），都是就「由有而無」的逆向移位歷程說的。

如果專就「道生一，一生二，二生三，三生萬物」這句話來看，可知《老子》的「道」，是形而上的總原理，「本身體現了無」[117]，如勉強以「數」來表示，可以是「0」；「道」又是萬物創生的源頭，所以是「一」。至於「二」，則指「陰陽二氣」，黃釗說：

> 愚意以為「一」指元氣（從朱謙之說），「二」指陰陽二氣（從大田晴軒說），「三」即「叁」，「參」也。若木《薊下漫筆》「陰陽三合」為「陰陽參合」。「三生萬物」即陰陽二參合產生萬物。[118]

而這種「陰陽二氣」的說法，也可包含「天地」在內，因為「天」為乾

117 見林啟彥：《中國學術思想史》（香港：書林出版社，1994年，初版4刷），頁34。

118 見黃釗：《帛書老子校注析》（臺北市：學生書局，1991年10月），頁231。又河上公、吳澄、朱謙之、大田晴軒亦主此說。

為陽，而「地」為坤為陰，「應當生於萬物之先」。[119]「三」則指「萬物」，即「多」。陳鼓應解釋此章說：

> 本章為老子宇宙生成論。這裡所說的「一」、「二」、「三」乃是指「道」創生萬物時的活動歷程。「混而為一」的「道」，對於雜多的現象來說，它是獨立無偶，絕對對待的，老子用「一」來形容「道」向下落實一層的未分狀態。渾淪不分的「道」，實已稟賦陰陽兩氣；《易經》所說「一陰一陽之謂『道』」；「二」就是指「道」所稟賦的陰陽兩氣，而這陰陽兩氣便是構成萬物最基本的原質。「道」再向下漸趨於分化，則陰陽兩氣的活動亦漸趨於頻繁。「三」應是指陰陽兩氣互相激盪而形成的均適狀態，每個新的和諧體就在這種狀態中產生出來。[120]

認為這一章是對創生萬物歷程的描述，由「道」(一（0）)而生「萬物」(多)，「陰陽二氣」則介於中間，以產生承「一」啟「多」的作用。如此一來，《老子》的「一」該等同於《易傳》之「太極」，「二」該等同於《易傳》之「兩儀」（陰陽），因此所呈現的，也是「一、二、多」與「多、二、一」的結構。不同的是，《老子》的「道」還具有形而上的動力義，是「0」，於是，這樣的順、逆結構，就可調整為「（0）一、二、多」(順向)與「多、二、一（0）」(逆向)，以補《周易》(含《易傳》)的不足了。

最後就西洋相關學說言，赫拉克里特斯（Herakleitos, 544-484 B.C.）所謂的「羅哥士」（Logos）相當於老子的形上之「道」，具有生成變化

---

119 見徐復觀：《中國人性論史》〈先秦篇〉(臺北市：臺灣商務印書館，1978年10月，四版)，頁355。

120 見陳鼓應：《老子今注今譯及評介》(臺北市：學生書局，1991年10月)，頁349。

的能力，就數而言，即是「0」；而在現象界中，萬物皆由「火」轉化而成，這個「火」可以說是「一」；在萬物生成的過程中，都是經對立的原素相互作用，使對立的變成統一，終而生成的，而這相互對立的原素，可以說是「二」；所生成的萬物，就是「多」了。因此，由形而上的「羅哥士」（0）為動力，以「火」（一）為原質，在二元對立（二）的原素交互作用下，萬物生生不已地生成，形成了「（0）一、二、多」的順向結構。而在赫氏的觀點中，大地物質會向上變化而復為天火，甚至與形上的「羅哥士」結合，鄔昆如在《莊子與古希臘哲學中的道》中說：

> 在赫拉克利圖斯心目中，宇宙萬物都是由對立的原素所構成；可是，一總的對立都在傾向著和諧的統一。……「羅哥士」就是這個「統一」，它在萬物之中是共相的。這種共相的特性莫不都是「統一」性。因而，在赫拉克利圖斯哲學中，每一對對立的存在物，都以「羅哥士」的原始統一性為歸宿，都自「羅哥士」而動，在抵達了之後，還要與它結合。[121]

指出了這種逆向的「上昇之道」，萬物最終的歸宿是與形而上的共相合而為一。這種由宇宙萬物（多），經由對立和矛盾（二）的作用，變化而為天火（一），最終與「羅哥士」（0）結合，便形成了「多、二、一（0）」的逆向結構。如此由原始到萬殊的順向移位結構，再由萬殊到原始的逆向移位，形成了循環不已的「大轉位」歷程，也構成了雙向的「（0）一、二、多」（順向）與「多、二、一（0）」（逆向）的螺旋結

121 見鄔昆如：《莊子與古希臘哲學中的道》（臺北市：臺灣中華書局，1972年5月），頁217-218。

構[122]，這不僅是中國《周易》（含《易傳》）及《老子》所觀察出的生化的原理，也是所有人類共同體認的「動態」[123]的宇宙變化歷程。

這種「多、二、一（0）」的螺旋結構，反映了宇宙萬物生成、變化的順、逆向「移位」（合順、逆以成「轉位」）歷程，其實也可運用於事事物物之上，例如美學、文學等等範疇，不必僅局限在哲學的領域之內。

第二節　變化律形成的章法結構

所謂「章法」，是指篇章內容材料的邏輯關係。[124]由於它根本於人類的邏輯思維，因此，多訴諸客觀聯想；而人類的「思維形式，又是客觀事物本質關係的反映」[125]，所以，章法所呈現的規律，是對應於宇宙自然規律的。變化律，是宇宙自然的規律之一，宇宙間一切的事物莫不在變易之中；人類長期觀察自然界變動的現象後，抽繹出移位及轉位的「變化之理」，再透過人之「心」，將此「理」（規律）投射到哲學、藝術、文學等領域，而辭章章法的變化律，也就因此而產生了。

藉由「變化律」（「移位」與「轉位」）的運用，可以將辭章材料作秩序性及參差性等多樣的安排，使得近四十種章法能夠再加以變化，

---

122 牟宗三也將萬物的生成方式稱為「螺旋式的生成」。見《周易的自然哲學與道德函義》（臺北市：文津出版社，1998年8月，初版2刷），頁186。又孔繁詩說：「現代物理學證明，當質點被解放出來，其迅速之飛行，均成螺旋形前進。我們可以看一看天體的運行，地球自轉，即螺旋的前進。一切發展都是螺旋形的。」可知宇宙自然的變化發展，多呈現螺旋式的結構特色。見《象數易數易理應用研究》（臺北市：晴園印刷事業公司，1997年7月，再版），頁94。

123 見鄭金川：〈試論懷德海的創新與《易經》的生生之理〉，東海哲研所主編：《中國哲學與懷德海》，頁196。

124 參見陳師滿銘：《章法學綜論》（臺北市：萬卷樓圖書公司，2003年6月），頁17。

125 見吳應天：《文章結構學》（北京市：中國人民大學出版社，1989年8月，初版3刷），頁359。

而形成了各式各樣的章法結構類型（主要分為「移位結構類型」及「轉位結構類型」兩大類）。本節即就「變化律」所形成的章法結構類型說明其究竟，以見出「章法變化律」在章法結構的重要性。

一　變化律形成的「移位」結構

章法所探討的是辭章內容材料的邏輯結構，也就是聯句成節、聯節成段、聯段成篇的一種組織。[126]人們對章法的注意雖然極早，但集樹成林、形成體系而成一學門，則是晚近之事。目前可以掌握得極清楚的章法，約有近四十種，如今昔法、久暫法、遠近法、內外法、左右法、高低法、大小法、本末法、淺深法、因果法、眾寡法、情景法、論敘法、泛具法、空間的虛實法、時間的虛實法、假設與事實法、凡目法、詳略法、賓主法、正反法、立破法、抑揚法、問答法、平側法、縱收法、張弛法、插敘法、補敘法、偏全法、點染法、天人法、圖底法、敲擊法等。[127]這些章法，皆出於人類共通的邏輯思維，都是將辭章材料加以安排、佈置的思維運作。無論是那一種章法，如果經由「移位」（包含順向、逆向）將材料加以秩序性的安排的，便是運用了秩序性的「變化律」，會形成「移位」結構；如果經由「轉位」（順向、逆向交錯往復）將材料加以參差性的安排的，便是運用了往復性的「變化律」，會形成「轉位」結構。茲分別說明如下：

所謂「移位」，是指將辭章材料加以秩序性的整齊安排。任何章法依循此秩序性的「變化律」，經由「移位」的過程會形成其先後順序。由於章法是以中國哲學之「陰陽二元」的對待關係為基礎而建構起來的，因此章法所呈現的結構類型都是「陰陽二元對待」的形態，凡事物

126 參見陳師滿銘：〈章法的「移位」、「轉位」結構論〉，《師大學報：人文與社會類》第49卷第2期（2004年10月），頁8。

127 詳見陳師滿銘：《章法學綜論》（臺北市：萬卷樓圖書公司，2003年6月），頁17-57。

屬於本、先、靜、低、內、小、近等特質者，多可歸屬於「陰柔」的範疇；凡事物屬於末、後、動、高、外、大、遠等特質者，多可歸屬於「陽剛」的範疇[128]，因此，當情、景（物）、事、理等辭章材料經由「移位」而形成結構之時，會因「力」（勢）的移動方向的不同，而造成「順向移位」或「逆向移位」等差異。其中由「陰」向「陽」移動時，會形成「順向移位」；而由「陽」向「陰」移動時，會形成「逆向移位」，章法即依循這樣的秩序律來組織辭章材料的順序，經由順向移位而形成順向結構；經由逆向移位而形成逆向結構，例如：

（一）調和性章法

本末法：「先本後末」（順）、「先末後本」（逆）

淺深法：「先淺後深」（順）、「先深後淺」（逆）

因果法：「先因後果」（順）、「先果後因」（逆）

泛具法：「先泛後具」（順）、「先具後泛」（逆）

凡目法：「先凡後目」（順）、「先目後凡」（逆）

平側法：「先平後側」（順）、「先側後平」（逆）

點染法：「先點後染」（順）、「先染後點」（逆）

偏全法：「先偏後全」（順）、「先全後偏」（逆）

賓主法：「先主後賓」（順）、「先賓後主」（逆）

情景法：「先情後景」（順）、「先景後情」（逆）

論敘法：「先論後敘」（順）、「先敘後論」（逆）

敲擊法：「先擊後敲」（順）、「先敲後擊」（逆）

（二）對比性章法

立破法：「先立後破」（順）、「先破後立」（逆）

---

128 參考陳望衡：《中國古典美學史》（長沙市：湖南教育出版社，1998年8月），頁184。

抑揚法：「先抑後揚」（順）、「先揚後抑」（逆）
縱收法：「先收後縱」（順）、「先縱後收」（逆）
正反法：「先正後反」（順）、「先反後正」（逆）
張弛法：「先弛後張」（順）、「先張後弛」（逆）
（三）中性章法
今昔法：「先昔後今」（順）、「先今後昔」（逆）
久暫法：「先暫後久」（順）、「先久後暫」（逆）
遠近法：「先近後遠」（順）、「先遠後近」（逆）
內外法：「先內後外」（順）、「先外後內」（逆）
左右法：「先左後右」（順）、「先右後左」（逆）
高低法：「先低後高」（順）、「先高後低」（逆）
大小法：「先小後大」（順）、「先大後小」（逆）
虛實法：「先虛後實」（順）、「先實後虛」（逆）
詳略法：「先略後詳」（順）、「先詳後略」（逆）
天人法：「先天後人」（順）、「先人後天」（逆）
眾寡法：「先寡後眾」（順）、「先眾後寡」（逆）
圖底法：「先圖後底」（順）、「先底後圖」（逆）
問答法：「先問後答」（順）、「先答後問」（逆）[129]

這些經由「順向」或是「逆向」的「移位」所形成的結構，是隨處可見的章法結構，將在第四章舉古典詩詞為例，來詳加說明。

129 以上關於章法的分類，詳見陳師滿銘：〈章法結構及其哲學義涵〉，《中國學術年刊》第26期（2004年9月），頁72。

二　變化律形成的「轉位」結構

所謂「轉位」，是指將辭章材料加以往復變化的參差性安排。任何章法依循此往復性的「變化律」，經由「轉位」的過程會形成其順向、逆向交錯的往復效果。如前所述，由於章法是以中國哲學之「陰陽二元」的對待關係為基礎而建構起來的，因此章法所呈現的結構類型都是「陰陽二元對待」的形態。於是，當情、景（物）、事、理等辭章材料經由「轉位」而形成結構之時，會因「力」（勢）的移動方向的不同，而造成「拗向陰的轉位」或「拗向陽的轉位」等差異。其中由「陰」向「陽」移動再回到「陰」時，會形成「拗向陰的轉位」；而由「陽」向「陰」移動再回到「陽」時，會形成「拗向陽的轉位」，章法即依循這樣的變化律來組織辭章材料的順序，經由拗向陰的轉位或拗向陽的轉位而形成不同方向的轉位結構，例如：

（一）調和性章法

本末法：「本、末、本」（拗向陰）、「末、本、末」（拗向陽）
淺深法：「淺、深、淺」（拗向陰）、「深、淺、深」（拗向陽）
因果法：「因、果、因」（拗向陰）、「果、因、果」（拗向陽）
泛具法：「泛、具、泛」（拗向陰）、「具、泛、具」（拗向陽）
凡目法：「凡、目、凡」（拗向陰）、「目、凡、目」（拗向陽）
平側法：「平、側、平」（拗向陰）、「側、平、側」（拗向陽）
點染法：「點、染、點」（拗向陰）、「染、點、染」（拗向陽）
偏全法：「偏、全、偏」（拗向陰）、「全、偏、全」（拗向陽）
賓主法：「主、賓、主」（拗向陰）、「賓、主、賓」（拗向陽）
情景法：「情、景、情」（拗向陰）、「景、情、景」（拗向陽）
論敘法：「論、敘、論」（拗向陰）、「敘、論、敘」（拗向陽）

敲擊法：「擊、敲、擊」（拗向陰）、「敲、擊、敲」（拗向陽）

（二）對比性章法

立破法：「立、破、立」（拗向陰）、「破、立、破」（拗向陽）

抑揚法：「抑、揚、抑」（拗向陰）、「揚、抑、揚」（拗向陽）

縱收法：「收、縱、收」（拗向陰）、「縱、收、縱」（拗向陽）

正反法：「正、反、正」（拗向陰）、「反、正、反」（拗向陽）

張弛法：「弛、張、弛」（拗向陰）、「張、弛、張」（拗向陽）

（三）中性章法

今昔法：「昔、今、昔」（拗向陰）、「今、昔、今」（拗向陽）

久暫法：「暫、久、暫」（拗向陰）、「久、暫、久」（拗向陽）

遠近法：「近、遠、近」（拗向陰）、「遠、近、遠」（拗向陰）

內外法：「內、外、內」（拗向陰）、「外、內、外」（拗向陽）

左右法：「左、右、左」（拗向陰）、「右、左、右」（拗向陽）

高低法：「低、高、低」（拗向陰）、「高、低、高」（拗向陽）

大小法：「小、大、小」（拗向陰）、「大、小、大」（拗向陽）

虛實法：「虛、實、虛」（拗向陰）、「實、虛、實」（拗向陽）

詳略法：「略、詳、略」（拗向陰）、「詳、略、詳」（拗向陽）

天人法：「天、人、天」（拗向陰）、「人、天、人」（拗向陽）

眾寡法：「寡、眾、寡」（拗向陰）、「眾、寡、眾」（拗向陽）

圖底法：「圖、底、圖」（拗向陰）、「底、圖、底」（拗向陽）

問答法：「問、答、問」（拗向陰）、「答、問、答」（拗向陽）

這些經由「順向」與「逆向」交錯的「轉位」所形成的結構，和「移位」結構一樣，也是隨處可見的章法結構，將在第五章舉古典詩詞為例，來詳加說明。

第三節　變化律與章法「多、二、一（0）」結構

在本章第一節所提到的「多、二、一（0）」結構，如果落到章法結構來說，則核心結構以外的所有其他結構（即輔助結構），都屬於「多」；而核心結構所形成的「二元對待」關係，是自成陰陽且「相反相成」的，同時可以徹下徹上、形成結構的「調和」（陰）或「對比」（陽）的特性，是具有關鍵性的「二」；至於篇章的「主旨」或經由「統一律」所形成的風格、韻味、境界等，則是「一（0）」。其中的「（0）」特別指風格、韻味、境界等篇章的抽象力量，是蘊涵在「主旨」（「一」）之中的。

進一步地說，章法的四大規律，也可以用「多、二、一（0）」結構來解釋。其中「秩序律」與「變化律」（二者合而為廣義的「變化律」），是安排材料以形成章法結構的規律，相當於「多」（多樣），也就是指「多樣的二元對待」；「聯貫律」、「統一律」則是銜接、呼應局部的材料以達成整體聯貫效果的規律，由剛與柔形成「調和」（偏於陰柔）或「對比」（偏於陽剛）的關係，以徹下徹上為「二」，最後在「主旨」的綰合下達於「統一」，所呈現的是「二而一（0）」（剛柔的統一）的結構。[130]

如果專就「變化律」（含「秩序律」）在章法「多、二、一（0）」結構中的重要性而言，可以說「變化律」（含「秩序律」）是形成章法結構的基本規律，也是造成章法結構類型多樣變化的重要規律，更是章法結構呈現出各種美感效果的主要因素，因此屬於章法「多、二、一（0）」結構中的「多」。就「秩序」性的變化而言，篇章的材料會經由

130 以上關於章法四大律與章法「多、二、一（0）」結構關係的論述，主要參考陳師滿銘：《章法學綜論》（臺北市：萬卷樓圖書公司，2003年6月），頁248-249。

順向移位的變化，而造成「先正後反」、「先凡後目」、「先立後破」、「先點後染」……等約四十種「順向移位結構」；或是經由逆向移位的變化，而造成「先反後正」、「先目後凡」、「先破後立」、「先染後點」……等約四十種「逆向移位結構」。就「參差」（往復）性的變化而言，篇章的材料會經由轉位的變化，而造成「正、反、正」、「反、正、反」、「目、凡、目」、「凡、目、凡」、「立、破、立」、「破、立、破」、「點、染、點」、「染、點、染」……等約八十種「轉位結構」。合而言之，章法的變化律，可以形成「移位結構」（含順向與逆向）和「轉位結構」多達約一百六十種的結構類型，因此，是一種「多樣對待」的條理，是造成章法結構類型及其美感多樣變化的重要規律。茲舉古典詩詞為例，以見出「變化律」在章法「多、二、一（0）」結構中能造成「多」樣變化的重要地位。

詩如謝靈運的〈登池上樓〉：

> 潛虬媚幽姿，飛鴻響遠音。薄霄愧雲浮，棲川怍淵沈。進德智所拙，退耕力不任。徇祿反窮海，臥痾對空林。衾枕昧節候，褰開暫窺臨。傾耳聆波瀾，舉目眺嶇嶔。初景革緒風，新陽改故陰。池塘生春草，園柳變鳴禽。祁祁傷豳歌，萋萋感楚吟。索居易永久，離群難處心。持操豈獨古，無悶徵在今。[131]

---

131 見蕭統編，李善、呂延濟、劉良、張銑、李周翰、呂向註：《增補六臣註文選》（臺北市：華正書局，1981年5月），卷22，頁405-406。

其結構分析表為：

- 因（進退維谷）：「潛虬」六句
- 果（徇祿求生）
  - 先（秋冬臥病）：「徇祿」二句
  - 後（初春病癒）
    - 景（萬象更新）：「衾枕」八句
    - 情（傷春退隱）：「祁祁」六句

本詩作於南朝宋少帝景平元年（西元四二三年）的初春時節，當時謝靈運出為永嘉郡太守，主旨在抒發宦途失意的惆悵，在觸景傷情之餘，萌生了退隱的念頭。全篇以「先因後果」的結構寫成，開頭六句是「因」的部分，寫自己宦途中進退維谷的窘狀：一方面有感於自己的智拙，因此不能如「雲浮之飛鴻」般地進德、聲音響亮；另一方面又覺得自己力不足以退耕，而有愧於「淵沈之幽虬」。結「果」，只有徇祿以求生存了。第七句以下，都是「果」，又可以再分為「先」「後」兩部分：「先」是第七、八句，寫自己為了求取祿位，在秋冬時來到偏遠的海邊（永嘉）做官，卻一直臥病在牀；而「後」十四句，則是寫病癒初起的所見所感，此時已是初春，「衾枕」八句，就是謝靈運登樓眺望所見的滿園春色、萬象更新的欣欣向榮的盛景，但「池中」的春草繁生，卻觸發了作者的歸思，於是「祁祁」以下六句，就道出了內心的離群之感，從而發出了「遯世無悶」之語，表示了退隱的決心。

由此看來，此詩結構，除了用「先因後果」（篇）為核心結構外，也用「先昔後今」（即「先後」結構）、「先景後情」（章）等來組合篇章。如果對應於「多、二、一（0）」來看，其中「先因後果」的移位結構，居於第一層，為自成陰陽的核心結構，以徹下徹上，是屬於「二」，且「因」與「果」兩種材料間形成調和性的關係，具調和之美；「遯世（事材）無悶（情意）」則是結合形象思維與邏輯思維所凸顯出的全詩主旨，表現出陰柔調和的風格，是屬於「一（0）」；至於「先昔後今」、「先景後情」等第二層結構，分別形成了秩序美、具象與抽象並陳的流動美，從而生動地襯托出焦點的形象（作者困窘的惆悵及退隱的決心），是屬於「多」，全詩的情意，便在先病後癒、先傷春後思歸的材料組合之中，達到和諧，呈現出和諧美、流動美及空間的立體美等多樣美感。因此，符合「變化律」的「多」，在篇章「多、二、一（0）」中具有組織局部材料並產生多樣類型及美感的重要地位。

詞如李清照的〈浣溪沙〉（小院閑窗春色深），其原文為：

> 小院閑窗春色深，重簾未捲影沉沉，倚樓無語理瑤琴。　　遠岫出雲催薄暮，細風吹雨弄輕陰，梨花欲謝恐難禁。[132]

其結構分析表為：

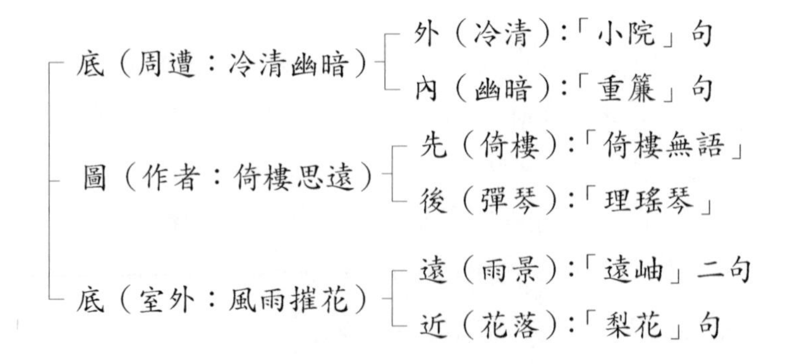

本篇旨在藉眼前的景物及人物的動作，寫暮春黃昏時的相思之情。黃師麗貞說：

132 見王學初：《李清照集校註》（臺北市：里仁書局，1982年5月），頁15。

> 這首詞，上闋懷人，下闋傷春，全詞透過具體事象的描寫，以表達出無限深摯的懷思之情。[133]

即點出「懷人」為全詞的主旨。由於本篇是採用不設置色彩詞的素描畫法，在空間架構上尤須費心安排。本篇句句寫景，章法布局十分嚴謹，由兩個畫面構成：先「由外而內」寫庭院及室內之景，有庭院清冷、重簾不捲的生活場景（「底」），更有閨人「無語理瑤琴」（「圖」）的景象，「是整幅畫面的點睛之筆」[134]；上片的畫面，就這樣在暮春深重陰暗的背景烘托下，勾勒出作者在室內形影相弔、煢煢獨立的身影，逐漸渲染出主人翁幽閉淒惶的心情。其次，再「由遠而近」寫室外之景，遠處是雲山霧靄的空濛雨景，淋漓盡致地表現了白描的繪畫技巧；近處則是「風戲雨雲圖」[135]，微風吹著細雨、戲弄著輕雲，其實也在寫她自己心緒的撩亂；最後，在一片迷濛之中，又有片片的梨花飄落，更呈現出一種淒清的動態之美；而梨花是在暮春開放，寫其凋謝，還寓有作者對年華逝去的淡淡哀傷，同時，也暗示了自己對情感的堅持，極具含蓄之美。

就色相的組合而言，上片先以具憂鬱感的深沉「黑色」[136]，配合暮春的深重陰暗，寫出主人翁幽閉淒惶的心情；下片則以與「黑色」形成強烈對比的「白色」，將空間推擴到室外的遠處，但作者的心情仍是陰霾不開的，因此，在遠山白雲間，塗抹上一層濃濃的「灰色」，使原本

---

133 見黃師麗貞：《詞壇偉傑李清照》（臺北市：國家出版社，1996年11月），頁70。

134 見劉光耀、孫麗萍：〈略論李清照詞的繪畫美〉，《中州學報》第4期（總第136期）（2003年7月），頁70。

135 見黃師麗貞：《詞壇偉傑李清照》（臺北市：國家出版社，1996年11月），頁70。

136 何耀宗：「黑具有憂鬱感。」見《色彩基礎》（臺北市：東大圖書公司，1984年8月，再版），頁67。

強烈的「黑白」對比顯得協調[137]，在由暗度（黑）、中明度（灰），而至明度（白）的漸層變化中[138]，上、下片的情調由濃濃的相思憂鬱，而轉變為淡淡的傷春之情，篇末更以象徵純潔、神聖的「白色」[139]梨花被風雨摧殘作結，全篇的情感，由懷人、而傷春、而自傷青春流逝，在明暗度漸層的變化中仍維持著一致的悲傷情調，同時也呈現了秩序美、和諧美及動態美。[140]值得注意的是，上述的色彩明暗度的變化情形，都是透過符合「變化律」的章法結構（如「先外後內」、「時間先後」、「先遠後近」等結構）而表現出來的，也因為有這些第二層的「多」，才能在核心結構（「底、圖、底」）的聯貫之下，由局部的組織材料而進一步地達成全篇材料的前後呼應，最後達成凸顯「相思」主旨（「一（0）」）的功能，以及表現出多樣中有統一和諧的美感效果。

經由上述，可以得知「多、二、一（0）」結構的普遍性，它不但可應用於哲學、美學，也可運用於文學的領域。運用在辭章的章法上，既可用於解釋章法四大律：秩序律（移位）與變化律（轉位）為「多」，

---

137 約翰內斯·伊頓（Johannes Itten）：「灰色屬於一種無生殖力的中性狀態，依賴於它的鄰近色彩取得生命與特點。它會減弱鄰近色彩的力量，並使它們變得柔和。灰色會使強烈對比顯得協調。」見〔瑞士〕約翰內斯·伊頓著，杜定宇翻譯：《色彩藝術》（上海市：上海人民美術出版社，1996年8月，初版5刷），頁40。

138 王秀蘭：「明度（Value）普通用V來代表，無彩色中，最淡、最亮的顏色是白，最暗最深的顏色是黑，而在黑與白之間有種種不同的灰色。以黑、白為兩端，其間以淺灰深灰排列成不同之等級，就成為無彩色明度表。」此明度表從0到10分成十一個等級：0（黑）到3（灰）級屬低明度，4（灰）到6（灰）級屬中明度，7（灰）到10（白）級屬高明度。見《色彩》（臺北市：臺灣省立師大教育學院家政系，1960年12月），頁4-5。

139 鄒悅富：「白色系象徵：光明、正直、真實、純潔、和平、博愛、高尚、榮耀。」見《色彩的研究》（臺北市：華聯出版社，1976年），頁39。又林書堯：「白色系的一般心理特性：……純潔、正直、……神聖、平等、……光明、恬淡、清淨、冰冷、淡泊、……。」見《色彩認識論》（臺北市：三民書局，1983年9月，四版），頁169。

140 以上關於本闋詞的分析說明文字，參見拙著：〈從章法結構看易安相思詞的設色藝術〉，收於《陳滿銘教授七秩榮退誌慶論文集》（臺北市：萬卷樓圖書公司，2005年7月），頁528-530。

聯貫律（由剛柔形成調和與對比，以徹上徹下）為「二」，統一律（主旨與風格、韻律、氣象、境界等）為「一（0）」；也可用於描述章法及其結構：核心結構以外的結構為「多」，核心結構為「二」，主旨及風格、韻律、氣象、境界等為「一（0）」。合起來說，運用秩序律（移位）與變化律（轉位）所造成的「多」樣章法結構，不僅形成了各式各樣的章法結構類型，以多變的姿態凸顯出主旨，且以多樣的美感效果呈顯篇章的風格、韻律及境界，在章法「多、二、一（0）」的結構中，實具有極重要的地位。

第四章
章法變化律形成的移位結構類型

章法所處理的是篇章中內容的邏輯關係，也就是結合句與句、節與節的內容材料結構，它是聯句成節、聯節成段、聯段成篇的一種組織。就章法所組織起來的內容而言，材料間如果呈現著調和的關係時，會產生調和的美感，如凡目法、本末法、淺深法、因果法、泛具法、平側法、點染法、偏全法、賓主法、情景法、論敘法、敲擊法等章法；當某些章法所組織起來的內容材料，如果彼此之間呈現著對比的關係時，會產生對比的美感，如立破法、抑揚法、縱收法、正反法、張弛法等章法。此外，還有一些章法所組織起來的內容材料，並非絕對會形成對比或調和的關係，而必須視個別篇章的情況來判定，是屬中性的章法，如圖底法、眾寡法、天人法、詳略法、今昔法、久暫法、遠近法、內外法、左右法、高低法、大小法、虛實法、問答法等。[1]

就章法結構的形式來看，材料間如果以秩序性的方式加以安排，會形成簡單而有序的「移位結構」，如「先凡後目」、「先目後凡」、「先情後景」、「先景後情」、「先泛後具」、「先具後泛」、「先因後果」、「先果後因」、「先點後染」、「先染後點」、「先正後反」、「先反後正」、「先今後昔」、「先昔後今」、「先張後弛」、「先弛後張」、「先詳後略」、「先略後詳」、「先縱後收」、「先收後縱」等結構類型。

因此，在下列的兩節中，就分別針對實際篇章中，其內容材料間所

1　以上關於章法材料間關係的分類說明，詳見陳師滿銘：〈章法結構及其哲學義涵〉，《中國學術年刊》第26期（2004年9月），頁72。

呈現的調和或對比的關係來加以分類（由於中性章法必須視個別篇章的情況來判定，因此在下列篇章中，沒有中性章法的項目，實已分派於對比或調和章法之中），並舉古典詩詞為例說明，以彰顯出「移位結構」在層次邏輯結構上，是以秩序性的材料安排來凸顯主旨的特點，及其可以涵蓋調和性與對比性材料關係的普遍性質；並作美學上的詮釋，以分別見出調和「移位結構」與對比「移位結構」所呈現的不同的美感效果。

第一節　調和性結構類型

一　凡目法

「凡」是指「總括」，「目」是指「條分」，在敘述同類事、景、情、理時，運用了「總括」與「條分」來組織篇章的章法，就稱為「凡目法」。[2]「凡」與「目」兩種調和性的材料被運用到篇章時，如果是以秩序性的方式呈現，那麼，所形成的結構便是「先凡後目」或「先目後凡」的移位結構。詩如漢樂府中的〈上邪〉，其原文為：

> 上邪，我欲與君相知，長命無絕衰。山無陵，江水為竭，冬雷震震夏雨雪，天地合，乃敢與君絕。[3]

其結構分析表為：

2　本章關於章法定義的敘述，主要參見陳師滿銘：《章法學綜論》（臺北市：萬卷樓圖書公司，2003年6月），頁17-32；以及仇小屏：《篇章結構類型論》（臺北市：萬卷樓圖書公司，2000年2月）上、下冊；同時，亦見於本論文第二章第一節。

3　見郭茂倩輯：《樂府詩集》（臺北市：里仁書局，1980年12月），上冊，頁231。

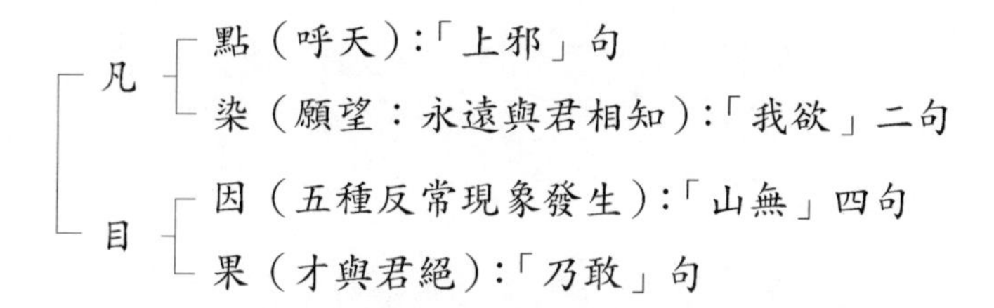

這首詩的主旨在表現作者對愛情的堅貞，全篇呈現出「先凡後目」的調和性移位結構。開頭三句是「凡」，是作者真正要表達的情意所在，在此又形成「先點後染」的結構：「上邪」是對上天呼喊、對天立誓，是時空的落足點（「點」的部分）；而「我欲」二句，則是立誓的內容（「染」的部分），表明作者欲永遠與愛人相知相守的願望。接下來的五句，則是「目」，是針對「凡」所作的具體條分，作者發揮其高度的想像力，運用了許多驚人的意象，列舉了五種大自然反常的現象，在「先因後果」的結構中，強烈地傳達出內心對愛人洶湧澎湃的情感。

這種「先凡後目」的調和性移位結構，運用了演繹式的邏輯思考，而演繹思維是一種受控制而有方向的神經活動，因此，這種演繹式的結構，會使人們的神經活動因省力而產生快感。[4]「凡」是總括，會因具有統括的力量，而有集中的美感；「目」是條分，在項目的並列中，產生一種整齊美。又「目」是「凡」的條分，二者都是在表達對愛情堅貞的主旨，因此，形成的是調和的材料關係，具調和之美；且其依先「凡」後「目」的秩序性的移位安排，在結構上造成了簡潔的、秩序的美感，簡省而有力地將主旨突顯出來。

詞如韋莊的〈菩薩蠻〉五首之五（洛陽城裏春光好），其原詞為：

4　見仇小屏：《篇章結構類型論》（臺北市：萬卷樓圖書公司，2000年2月），下冊，頁355。

洛陽城裏春光好，洛陽才子他鄉老。柳暗魏王堤，此時心轉迷。
桃花春水綠，水上鴛鴦浴。凝恨對殘暉，憶君君不知。[5]

其結構分析表為：

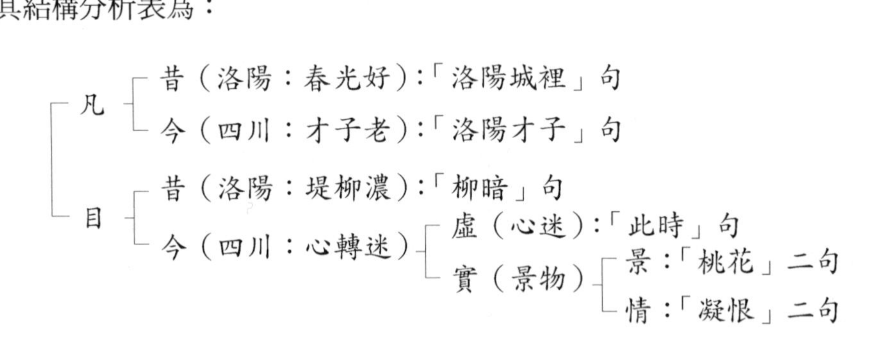

韋莊〈菩薩蠻〉五首之間，題旨連貫，皆以「思歸」為主旨；且詞意發展層次井然，是一個完整有機的聯章詞。[6]這首詞是聯章五首中的第五首，為作者整個思鄉憶舊的心情作一總結，主旨在篇末「凝恨對殘暉，憶君君不知」二句，亦即表達其「歸唐無望之恨」。全篇呈現出「先凡後目」的調和性移位結構，且以雙軌式結構寫成，具演繹的章法特色；但是它另有一特點，是必須先指出的，即是以「時空交錯」的方式呈現——表面上是寫空間，其實時間含藏其中：寫「洛陽城裡春光好」、「柳暗魏王堤」，即暗寫昔日時光；表面上是寫時間（事件），其實空間含藏其中：寫「洛陽才子他鄉老」、「此時心轉迷」，即是暗寫作者此時身處四川。在時空的交錯、融合中，作者身處異鄉的無奈及對故國思念

---

5 見趙崇祚輯，李一氓校：《花間集》（臺北市：源流出版社，1982年8月），頁33。

6 張以仁認為「聯章」詞必須是「在同一詞調之下，它們之間有其整體性」，題意要連貫，結構要緊密，章與章間有嚴密的組織；從作品外在看，其創作的歷史背景須一致；從作品內在條件看，須有相關詞彙時相映照、詞彙之間有發展層次、各詞題旨可依序串連其意，且各自突顯其角色性格。詳見〈溫庭筠菩薩蠻詞的聯章性〉，收於《花間詞論集》（臺北市：中央研究院文哲所籌備處，1996年12月），頁122-135。

的迷亂之情就生動地展現出來了。葉嘉瑩對這樣的結構有類似的看法：

> 韋莊這首詞開端四句，一方面是寫洛陽，一方面是寫他鄉，「洛陽城裏春光好」，「柳暗魏王堤」是洛陽；「洛陽才子他鄉老」，「此時心轉迷」是他鄉，「洛陽城裏春光好」是昔日，「此時心轉迷」是今日，四句是兩兩對比的呼應，都是今日此時對洛陽的回憶。[7]

這段話即點出這四句之間形成了兩兩對比呼應的雙軌結構。

再就「先凡後目」的核心結構來說，起首二句是「凡」的部分，且又形成「先昔後今」的雙軌結構，第一軌是「昔」的部分，即「洛陽城裏春光好」句，作者以回憶起筆，思念的地點是洛陽，泛寫洛陽的春光是最美的；第二軌是「今」的部分，即第二句「洛陽才子他鄉老」，時間拉回到現在，空間也移轉到四川，總寫作者必須終老他鄉的悲哀。第三句到末句都是「目」的部分，也以雙軌進行：第一軌是第三句「柳暗魏王堤」，承「凡」的第一軌而來，具體寫出洛陽最美的魏王堤，堤上濃密的柳樹更勾起作者當年離別的傷感回憶；第二軌是第四句至第八句，承「凡」的第二軌而來，具寫今日必須「他鄉老」（終老四川）的迷亂心情，陳師弘治在《唐宋詞名作析評》中，也分析這樣的結構說：

> 「柳暗魏王堤」直承首句「春光好」作具體的描寫，「暗」字正寫柳之濃密。「此時心轉迷」則承接第二句而來，蓋當年的洛陽才子，此時在「他鄉老」，回憶昔日洛陽的美好時光，豈有不滿

7　見葉嘉瑩：《唐宋名家詞賞析》（臺北市：大安出版社，1988年12月），頁81-82。

心迷惘者乎？[8]

可知這雙軌式的結構，頗能由時空交錯的敘述之中，帶出作者的「滿心迷惘」之情！

而第二軌之中，又形成「先虛後實」的結構：「此時心轉迷」是「虛」筆，寫作者因思念家鄉而「心迷」；緊接著的四句是「實」筆，具寫作者「心迷」的情緒是「恨」、「憶」交織的，而此情緒又是由眼前的景物引發的。「實」部分的四句，又以「先景後情」的結構展現，寫「景」，其實也是在寫「情」：「桃花春水綠」是作者眼前的四川美景，由於極似故鄉春日的美景，更加深作者對故鄉的深切懷念；「水上鴛鴦浴」則以「鴛鴦」的意象寫他的相思之情。末二句「凝恨對殘暉，憶君君不知」，是直接吶喊出心中的悲苦，「殘暉」的意象可以指相思，也可象徵王朝的滅亡消逝，而主旨「歸唐無望之恨」，就在作者眼前「景物」的烘托之下，呼之而出了。

就美感特徵言，這種「先凡後目」的調和性移位結構，分別形成集中的與並列、整齊的美感；又由於其為雙軌式的結構，其調和性的材料在依先「凡」後「目」的秩序性移位時，造成了較複雜的變化之感，與單軌的移位結構相較起來，能較曲折地將主旨烘托而出。值得一提的是，本詞以具體的景物及事件寫抽象的故鄉的「好」及對故鄉的「迷」，分別形成具象美及抽象美；而且，詞中「今昔迭用」的結構，不僅帶出空間變化往還的美感，今與昔之間會形成反覆而強烈的呼應，因而產生震撼人心的感動，這種在時間與空間的安排上，以時空交錯的方式呈現，其美感一如陳佳君在《虛實章法析論》中所說的：

8　見陳師弘治：《唐宋詞名作析評》（臺北市：文津出版社，1981年4月，三版），頁42。

> 在時空的虛實變化與轉移之中，更會擦出難以言喻的火花，從而形成特殊的時空美。將長遠的時間之流，和寬闊的空間之域，同時壓縮於一篇文學作品當中時，必然會增加辭章的強度與張力。[9]

本詞以時、空交錯方式呈現（「昔」在洛陽，「今」在四川），時空在密集地壓縮之下，作者思鄉的情緒的確被強烈地擠壓爆發出來，作品的張力便隨之增加，因此，雖然主結構為秩序性的移位結構，卻在時空交錯的安排下，有著往復變化的美感。[10]

二　情景法

「情景法」是一種借重具體的景物，來襯托抽象的情意，以增加詩文情味力量的章法。「情」與「景」兩種調和性的材料被運用到篇章時，如果是以秩序性的方式呈現，那麼，所形成的結構便是「先情後景」或「先景後情」的移位結構。詩如《詩經》〈召南〉的〈摽有梅〉，其原文為：

> 摽有梅，其實七兮；求我庶士，迨其吉兮！
> 摽有梅，其實三兮；求我庶士，迨其今兮！
> 摽有梅，頃筐塈之；求我庶士，迨其謂之。[11]

其結構分析表為：

---

9 見陳佳君：《虛實章法析論》（臺北市：臺灣師範大學國文研究所碩士論文，2001年6月），頁147。

10 關於本詞的結構分析表及說明文字，詳參拙著：〈韋莊《菩薩蠻》聯章五首篇章結構探析〉，《中國學術年刊》第26期（2004年9月），頁143-172。

11 見毛亨傳，鄭玄箋，孔穎達疏：《毛詩正義》（臺北市：藝文印書館，1989年1月，十一版），頁62-63。

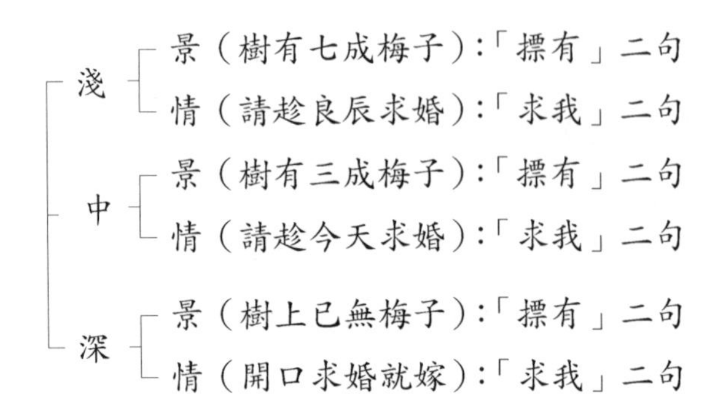

本詩旨在寫女子感於青春易逝而急於求士的心理，全篇以三組層遞式的「先景後情」的調和性移位結構寫成，形成了極為特殊的篇章結構。開頭四句是第一組「先景後情」的結構，以梅樹上結了豐盈、成熟的果實（景物），象徵著女子正處於已成年的青春時期，可論嫁娶，但因追求者眾，所以內心仍不急於出嫁（情）；接著第五句到第八句，則是第二組「先景後情」的結構，以樹上日漸稀疏的梅子，代表著女子的年華隨著時光消逝而逐漸凋零，求之者已不如從前，因此，內心開始著急，希望追求者能於今日求婚；末四句是第三組「先景後情」的結構，以梅子終究全數落盡，為女子年華老去、青春不再，而至乏人問津的窘態作了生動的描寫！由此可知，全篇以梅子類比女子，在時間的推移中，藉著景物的改變，由淺而深（由緩而急）地表現出女子待嫁的心情轉變。

這種「先景後情」的移位結構中，「景」屬於客觀的材料，「情」則是主觀的材料，主、客兩種材料之間必須是相適應、相調和的關係，正如劉雨所說：「由於情感的作用，觀察者必然要在視覺空間中尋找與自己情感相接近的觀察對象，而對那些與情感不相接近的事物，雖然可能近在咫尺，但在觀察者的心理上卻可能如隔天涯」。[12]本篇作者，選

12　見劉雨：《寫作心理學》（高雄市：麗文文化事業公司，1995年3月），頁146。

擇了與主體情感（女子待嫁之心）相接近的客體（即梅子），並對客體景物賦予意義，因此，「景」與「情」之間不僅形成了調和之美，也呈現了具象美及抽象美。而層層遞進的結構安排，又使得原本簡單的秩序性移位結構，多了一份流暢之美，將一個待嫁女兒的焦慮心情展現得更為淋漓盡致。

詞如李清照〈鳳凰臺上憶吹簫〉（香冷金猊），其原文為：

> 香冷金猊，被翻紅浪。起來慵自梳頭，任寶匳塵滿，日上簾鈎。生怕離懷別苦，多少事、欲說還休。今年瘦，非干病酒，不是悲秋。　　休休！這回去也，千萬遍陽關，也即難留。念武陵人遠，煙鎖秦樓。惟有樓前流水，應念我、終日凝眸。凝眸處，從今又添，一段新愁。[13]

其結構分析表為：

- 景（被亂人懶）
  - 物（香冷被亂）：「香冷」二句
  - 人（慵懶）：「起來」三句
- 情（相思哀愁）
  - 因（別苦）：「生怕」句
  - 果（瘦、愁）：「多少事」十五句[14]

本篇主旨在寫臨別的心神，而這種心神，又包括了別前的不捨心情及對別後相思的擬想，即陳祖美在《李清照詞新釋輯評》所說的：

13　見王學初：《李清照集校註》（臺北市：里仁書局，1982年5月），頁20。

14　此結構分析表，參考陳師滿銘：《詞林散步——唐宋詞結構分析》（臺北市：萬卷樓圖書公司，2000年1月），頁250。

> 這首詞是寫於李清照偕丈夫「屏居鄉里十年」結束，趙明誠重返仕途之際。其旨是寫臨別心神，也就是寫作者在丈夫遠行前夕難以為別的心情，以及對別後孤寂情狀的擬想。[15]

從章法結構來看，全篇是「先景後情」的調和性移位結構。上片是實寫別前之「景」，以作者在現實空間的慵懶態度及周遭香冷被亂的環境來暗示傷別的心情。因為丈夫即將遠行萊州赴太守之任[16]，而清照又無法隨行，所以這一天的開始，她所有的動作都極「慵懶」，本詞開頭前五句就是「實」寫她這些「慵」態，徐培均說：

> 此一慵字乃是「詞眼」。爐中香消烟冷，無心再焚，一慵也；床上錦被亂陳，無心折疊，二慵也；髻鬟蓬鬆，無心梳理，三慵也；寶鏡塵滿，無心拂拭，四慵也；而日上三竿，猶然未覺光陰催人，五慵也。[17]

可見她在丈夫臨別前，慵態已達極點，而其目的實在寫「愁」、「別苦」。因此接著「生怕」句就進一步交待「慵」的原因，是即將來臨的分離，這番哀怨憂愁，本欲在丈夫面前傾吐，可是話到口邊，又吞咽下去，主人翁坐困愁城、為情消瘦的形象就益發鮮明了。

「多少事」以下則著重在「情」的虛寫，作者發揮其「想像力」，

---

15 見陳祖美：《李清照詞新釋輯評》（北京市：中國書店，2003年1月），頁91。

16 黃師麗貞說：「李清照在二十五到三十五歲間，和夫婿趙明誠曾退隱在青州鄉間十年左右，在宋徽宗宣和三年（西元1121年），趙明誠出任萊州太守，李清照未同行。這首詞應是這次臨別之作。」見《詞壇偉傑李清照》（臺北市：國家出版社，1996年11月），頁73。

17 見唐圭璋主編：《唐宋詞鑑賞集成》（中）（臺北市：五南圖書出版公司，1991年6月），頁1386。

將她今後的孤寂情狀作了生動的描繪，讓人深刻感受到她對丈夫的一往情深。前四句先是點出自己的無言、憔悴，而後「休休」四句寫丈夫的難留，「念武陵人遠」七句則馳騁其想像，傾全力寫丈夫別後、自己「凝眸」盼歸的痴情神態：「武陵人」指丈夫明誠，「秦樓」則指自己的居所，她無言、憔悴地在樓前佇立「凝眸」，盼歸的人仍不見踪影，只有無情的流水見證了自己的一片痴心……最後，畫面停格在一片白茫茫的煙霧之中，不僅鎖住了作者的居所，也鎖住了她的哀愁。透過這番凝眸盼歸的「設想」，我們看到清照對丈夫的用情至深；尤其在她化用的兩個「仙凡相愛」[18]的典故之中，更能看到清照內在的盼望及心願。在這一片「虛設」的天地之中，縈繞的流水、迷濛的煙霧、倚樓的佳人，使得作者靈魂深處的無奈及愁苦之感，起了加深、加廣的效果，而清照也在末句清楚地點明她的情意：別後將添新的相思之愁。[19]

在這篇「先景後情」的移位結構中，「景」屬於現實的、具體的材料，「情」則是設想的、抽象的材料，在清照「相思」情意的綰合下，「景」與「情」之間不僅形成了調和之美，也呈現了具象美及抽象美。而其次層的因果結構的安排，又使得原本簡單的秩序性移位結構，多了一些規律美，將一個期盼丈夫早歸的思婦心情表現得更為流暢明白。

---

18 徐培均說：「武陵人，用劉晨、阮肇典故，借指心愛之人，如唐人王之渙〈惆悵詩〉云：『晨肇重來事已迷，碧桃花謝武陵溪。』《北詞廣正譜》卷三云：『有緣千里能相會，劉晨曾入武陵溪。』而北宋韓琦在〈點絳唇〉中所寫的：『武陵回睇，人遠波空翠』，意境更與清照此詞相彷彿。秦樓，一稱鳳樓、鳳臺。相傳春秋時有個蕭史，善吹簫，作鳳鳴，秦穆公以女弄玉妻之，築鳳臺以居，一夕吹簫引鳳，夫婦乘之而去。李清照化用這兩個仙凡相愛的典故，既寫她對丈夫趙明誠的思念，也寫趙明誠對其妝樓的凝望，意思比一般的辭彙更為豐富和深刻。」見唐圭璋主編：《唐宋詞鑑賞集成》（中）（臺北市：五南圖書出版公司，1991年6月），頁1387。

19 關於本首詞的說明文字，詳參拙著：〈從章法結構看易安相思詞的設色藝術〉，《陳滿銘教授七秩榮退誌慶論文集》（臺北市：萬卷樓圖書公司，2005年7月），頁511-514。

三　泛具法

泛具法是指將泛泛的敘寫和具體的敘寫結合在同一篇章中的一種章法。包括「事」與「情」、「景」與「理」兩種類型。[20]「泛」與「具」兩種調和性的材料被運用到篇章時，如果是以秩序性的方式呈現，那麼，所形成的結構便是「先泛後具」或「先具後泛」的移位結構。詩如《詩經》〈邶〉的〈雄雉〉，其原文為：

> 雄雉于飛，泄泄其羽。我之懷矣，自貽伊阻！雄雉于飛，下上其音。展矣君子，實勞我心！瞻彼日月，悠悠我思。道之云遠，曷云能來！百爾君子，不知德行；不忮不求，何用不臧？[21]

其結構分析表為：

- 具（雄雉飛）
  - 先（緩舒地飛）
    - 正（雉自在飛）:「雄雉」二句
    - 反（夫自尋苦）:「我之」二句
  - 後（上下地飛）
    - 正（雉自得鳴）:「雄雉」二句
    - 反（夫令我憂）:「展矣」二句
- 泛（知足常樂）
  - 因（道遠難歸）:「瞻彼」四句
  - 果（盼夫知足）:「百爾」四句

---

20 本來「泛具法」的涵蓋面極廣，可涵蓋「情景」、「敘論」、「凡目」、「虛實」等章法，卻由於「情景」、「敘論」、「凡目」、「虛實」等章法十分常見，必須抽離出去，各自獨立，以顯現其特色，因此在此僅存「事」與「情」、「景」與「理」兩種類型。詳見仇小屏：《篇章結構類型論》（臺北市：萬卷樓圖書公司，2000年2月），上冊，頁295。

21 見毛亨傳，鄭玄箋，孔穎達疏：《毛詩正義》（臺北市：藝文印書館，1989年1月，十一版），頁86-87。

本篇主旨在寫婦人勸其在外從仕的丈夫要知足常樂、儘早返家[22]，全詩以「先具（景）後泛（理）」的調和性移位結構寫成。開頭八句是「具」（景）的部分，前四句「先」以雄雉自在地飛翔起興，反襯其夫從仕的自尋苦惱；第五句到第八句則以雄雉自得地飛鳴，來反襯其夫從仕在外、不得自由的令人憂愁。後半段八句是「泛」（理）的部分，因為丈夫在外做官、道遠難歸，因此，妻子勸其夫應「不忮不求」、儘早回家，方能平平安安、無往不樂。

在這個「先具（景）後泛（理）」的移位結構中，雄雉飛翔之「景」屬於眼前的、具體的材料，「理」則是設想的、泛說的、抽象的材料，在作者「知足常樂」觀念的綰合下，「景」與「理」之間不僅形成了調和之美，也呈現了具象美及抽象美。而其次層的先後及因果結構的安排，又使得原本簡單的秩序性移位結構，多了一些規律美，將一個期盼丈夫早日明白「知足常樂」之理而早作歸計的妻子心情表現得更為流暢自然。

詞如辛棄疾的〈江神子〉（一川松竹任橫斜）：

> 一川松竹任橫斜，有人家，被雲遮。雪後疎梅，時見兩三花。比著桃源溪上路，風景好，不爭多。　旗亭有酒徑須賒，晚寒些，怎禁他。醉裏匆匆，歸騎自隨車。白髮蒼顏吾老矣，只此地，是生涯。[23]

其結構分析表為：

---

22 屈萬里：「此疑官吏被放逐，其妻念之，而作是詩」，可以參考。見《詩經釋義》（臺北市：中國文化大學出版部，1983年11月，新二版），頁59。

23 見鄧廣銘：《稼軒詞編年箋注》（上海市：上海古籍出版社，1995年5月，初版2刷），頁168。

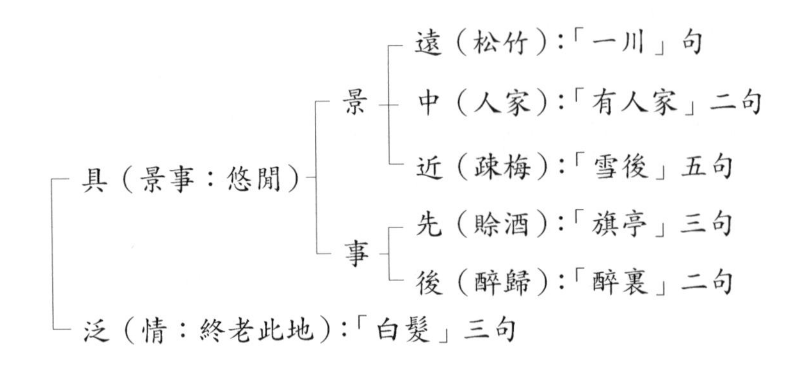

這首詞旨在寫閒適之情，其中又寓有身世之慼，採取「先具（景、事）後泛（情）」的調和性移位結構寫成。其中「白髮蒼顏吾老矣，只此地，是生涯」是「泛」（情），稼軒表達希望在此終老的願望；其原因具體表現在前面的「具」的部分：先是寫「景」，「一川松竹任橫斜」等八句，寫出眼前的博山道美景，他先從空間的角度，以「遠近式」的層遞組合描寫博山道中的冬日美景，表現出一種層次的遞嬗之美：稼軒的視點先置於遠處的「一川松竹」，是一片任意伸展的松林竹林；接著，由面及線，將視點移到「人家」之中；最後，焦點凝聚在寒冬中仍怒放的幾株梅花上，進行特寫，石克鴻說：

> 在時空領域逐次作由面及點的凝聚，這有似於現代影視藝術中的「推鏡頭」。這種由面及點的層遞式，往往是先展開悠遠廣闊的時空大背景，然後進行特寫，取深有寓意、最能表意之象，置於畫面中心。縱觀組合意象的全過程，可或隱或顯地見到視點由遠及近之進行軌迹。[24]

24 見石克鴻：〈李益邊塞絕句的意象組合〉，《甘肅教育學院學報（社科版）》1997年第1期，頁31。

由此可知，稼軒最後對梅進行特寫，有其特殊的用意：一方面藉梅花開放的美好姿態展現出博山道中在冬日仍有引人的景致及活力，另一方面則藉由梅花耐寒的特質，隱喻自己堅強不屈的意志。而後是敘「事」，「旗亭有酒徑須賒」等五句，寫他自己賒酒買醉、悠閒而歸的生活，他從時間的角度，以「先後式」的組合寫身在此地的悠閒生活。「旗亭有酒徑須賒，晚寒些，怎禁他」，「先」是點出作者在此地酒樓賒賬買酒，否則，在這寒冷的冬日，無錢無酒，該如何渡過？而「後」是醉酒了，也無須擔心，馬兒自會尋路載他回家，多麼怡然自得！整個過程脈絡清楚，有如小說中的一個情節和戲劇中的小場景，這樣呈線型發展的結構組合，鮮明地刻畫出稼軒此時開懷暢飲的心情。如此以景與事並列，具體地展現了此地的美好，更深化了作者意欲終老於此的情感。但值得注意的是，表面上看來稼軒的確是喜愛此處，然而由其買醉的舉動配合「白髮蒼顏」的自繪形象，可以探知其內心仍有著懷才不遇的感觸。[25]

全篇有「情」有「景」（含「事」），屬寫景狀物、敘事與抒情相結合的形式；又其「先具（景、事）後泛（情）」的移位結構，是先透過時空關係的處理，再結合情語的點明，可以兼具實的「象」（景、事）與虛的「意」，完整而秩序地表達作者的情思。這種結構的特色，是能夠兼具空間的廣延性及時間的持續性和順序性[26]，以靈活而富變化的時空處理模式，將各種「象」適切組合成一個和諧統一的整體，在生動的刻畫中，發掘出作品深層而抽象的「意」來。毛驎說：

---

25 本首詞的結構分析表及說明文字，詳參拙著：〈論稼軒「博山道中詞」篇章意象之形成及組合〉，《師大學報》第50卷第1期（2005年4月），頁58-59。

26 夏之放：「時間和空間是運動著的物質的存在形式。時間是物質運動過程的持續性和順序性；空間是物質存在的廣延性。」見《文學意象論》（汕頭市：汕頭大學出版社，1993年12月），頁233。

> 詞家意欲層深，語欲渾成。大抵意層深者，語便刻畫，語渾成者，意便膚淺，兩難兼也。永叔詞云：「淚眼問花花不語，亂紅飛過秋千去。」此可謂層深而渾成者，又絕無費力之跡。[27]

認為具體渾成的刻畫，加上深層意蘊的表達，方能成為完美的詞作。而情、景、事兼具的結構，是最易於達成此種境界的結構，同時可以呈現出具體的「象」與抽象的「意」調和一致的調和之美。

四　因果法

「因」是原因，「果」是結果，所謂「因果法」是由「因」與「果」所組合而成的一種章法。換言之，將「因為……所以……」這種順推的邏輯思維方式，其應用範圍擴大至篇章時，就形成所謂的「因果法」。此外，由「所以」至「原因」的情形也有，是屬於「逆推」的邏輯思維方式；甚至，「因為」與「所以」多次交互出現的情況也屢見不鮮。「因」與「果」兩種調和性的材料被運用到篇章時，如果是以秩序性的方式呈現，那麼，所形成的結構便是「先因後果」或「先果後因」的移位結構。詩如《詩經》〈周南〉的〈卷耳〉，其原文為：

> 采采卷耳，不盈頃筐；嗟我懷人，寘彼周行。
> 陟彼崔嵬，我馬虺隤；我姑酌彼金罍，維以不永懷。
> 陟彼高岡，我馬玄黃；我姑酌彼兕觥，維以不永傷。
> 陟彼砠矣，我馬瘏矣，我僕痡矣，云何吁矣！[28]

---

27 見沈雄：《古今詞話》〈詞品〉下卷引毛駿語，收於唐圭璋編：《詞話叢編》（臺北市：新文豐出版公司，1988年2月，臺一版），頁851。

28 見毛亨傳，鄭玄箋，孔穎達疏：《毛詩正義》（臺北市：藝文印書館，1989年1月，十一版），頁33-34。

其結構分析表為：

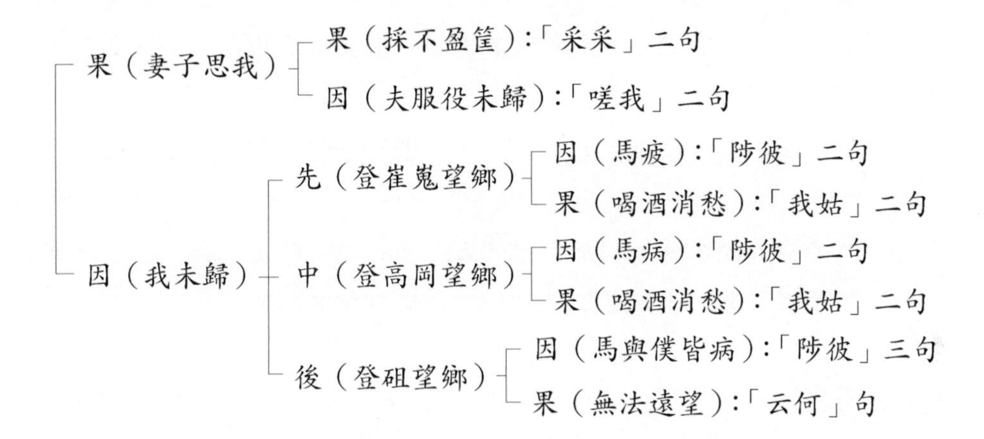

本詩旨在寫在外服役者思家的心情，全篇以「先果後因」的調和性移位結構寫成。開頭四句先點明結「果」，從對面著筆，寫妻子思念丈夫的急切心情；此處又形成「先果後因」的結構，妻出門採卷耳，採了半天，卻未採滿一個淺淺的竹筐，原因就在於思念的人服役在外、無法回家。從第五句到最末句，都是「因」的部分，以丈夫的口吻道出其在外服役、思念家鄉的強烈惆悵；此處又依時間分成「先、中、後」三部分結構：「先」是因馬兒疲累，無法登上土山望鄉，所以只好借酒消愁、以忘懷思鄉之苦；接著，又因馬兒生病，無法載我登上高崗，所以只好再次借酒消愁、以忘記憂傷；最「後」，則因馬兒與僕人皆病，所以更無法登高望鄉，此時的他，愁腸百結，不知該如何是好？

這種「先果後因」的移位結構安排，「果」與「因」之間形成了調和性的關係，都在表現「思念」的心情，呈現出調和的美感。同時，由「果」溯「因」的逆向移位的章法安排，因為違反了正常的推展規律，所以別有變化的新奇之感；而且先出現「果」，最後才交待「因」，如謎底揭曉般，能挑起讀者的「期待慾」[29]，極具含蓄之美。值得注意的是，本篇的主結構雖然是簡單的移位結構，但第二、三層的多疊「因果」結構，卻為全詩增添迂迴動人的力量，曲折地表現出一對夫妻相隔兩地的無奈之情。

詞如蘇軾的〈浣溪沙〉五首之二（醉夢昏昏曉未蘇），其原詞為：

> 醉夢昏昏曉未蘇。門前轣轆使君車。扶頭一琖怎生無。　　廢圃寒蔬挑翠羽。小槽春酒滴真珠。清香細細嚼梅鬚。[30]

其結構分析表為：

```
┌ 因（客至）┬ 點（清晨）：「醉夢」句
│          └ 染（君猷攜酒見過）：「門前」二句
│                ┌ 一（菜）：「廢圃」句
│          ┌ 目 ┤
└ 果（款客）┤    └ 二（酒）：「小槽」句
           └ 凡（清香）：「清香」句
```

〈浣溪沙〉五首詞是蘇軾到黃州快滿二年時的創作，在這五首作品中，東坡由現實生活去欣賞臨皋的景、事、人，以佛老喜樂、達觀之心超脫貶謫之苦。本首為五首中的第二首，主旨在寫黃州太守徐君猷攜酒來訪的宴飲之樂。就章法結構而言，這首詞屬「先因後果」的調和性移位結構，因為君猷攜酒至，於是有東坡熱情款客的動作，在清香美味的酒宴描寫中，烘托出酒宴之樂的主旨。上片三句是「因」的部分，綱領在第

29 錢谷融、魯樞元：「期待慾則僅指欣賞者進入和繼續欣賞活動的一種能動慾望。」見《文學心理學》（臺北市：新學識文教出版中心，1990年9月），頁345。

30 見龍榆生（龍沐勛）：《東坡樂府箋》（臺北市：華正書局，1978年9月），頁127。

二句「門前轣轆使君車」，由於使君造訪，才有今日對酌的喜悅。而此三句又形成「點染」結構[31]，第一句「醉夢昏昏曉未蘇」是「點」的部分，點出君猷來訪的時間是東坡仍在醉夢未醒的清晨，第二、三句是「染」的部分，寫事件：「蘇軾門前已響起使君徐君猷的轣轆車聲，徐君猷帶著美酒來作客」[32]，也呼應了題目「太守徐君猷，携酒見過」，而君猷所帶的「扶頭」美酒，是連白居易都曾作詩歌詠的易醉之酒。[33]美酒引發了東坡與君猷飲酒的興致，也提高了宴席間的情趣。[34]

下片三句是「果」的部分，此三句又形成「先目後凡」的結構，末句「清香細細嚼梅鬚」是「凡」，即綱領所在，以「梅鬚」喻「口中寒蔬春酒的甘芳」。[35]「廢圃」二句是「目」，具寫酒菜的「清香」，其中「廢圃寒蔬挑翠羽」是「目一」，寫菜的清香，這些菜蔬是東坡親自在荒地上栽植、經過仔細挑選的最新鮮嫩綠的好菜；而「小槽春酒滴真珠」則是「目二」，寫酒的清香，巧妙化用了李賀〈將進酒〉詩句：「琉璃鍾，琥珀濃，小槽酒滴真珠紅」[36]，將春酒的色澤以具體的「真珠」形象來描繪，更引發人對酒味甘香的想像。

這種「先因後果」的移位結構，「因」（客至）與「果」（款客）兩

31「點」指時、空的一個落足點，僅僅用作敘事、抒情或說理的引子、橋樑或收尾；而「染」則指真正用來敘事、寫景或說理的主體。見陳師滿銘：〈論幾種特殊的章法〉，《章法學論粹》（臺北市：萬卷樓圖書公司，2002年7月），頁76。

32 唐玲玲：《東坡樂府研究》（成都市：巴蜀書社，1993年2月），頁108。

33 白居易〈早飲湖州酒寄崔使君〉詩：「一榼扶頭酒，泓澄瀉玉壺，十分蘸甲酌，潋灩滿銀盂。」見《白居易集》（臺北市：漢京文化事業公司，1984年3月），卷23，頁509。

34 陳邇冬：「上闋寫飲酒的興致，下闋寫飲酒的情趣。」見《蘇軾詞選》（香港：三聯書店，2000年7月），頁81。

35 見鄒同慶、王宗堂：《蘇軾詞編年校註》（北京市：中華書局，2002年9月），上冊，頁342。

36 見李賀撰，曾益等注：《李賀詩注》（臺北市：世界書局，1996年7月，初版6刷），頁154。

種材料間形成了調和性的關係，在表現主客宴飲之樂的主旨上，產生一種調和的美感。同時，在由「因」及「果」的順推邏輯中，「可以引起閱讀興趣，全面了解事件的原委」[37]，而呈現一種規律美。本篇的材料，無論是「因」或「果」，都是具體的景、事、人，在移位結構的秩序性中，還顯現出具象之美。

五　點染法

所謂「點」，是指時間或空間的落足點，僅用做敘事、寫景、抒情或說理的一個引子、橋樑或收尾；而「染」則是根據此時間或空間的落足點所作的鋪敘或渲染，為文章之主體所在。[38]因此，「點染法」是針對同一事物，點明其時空落足點，並加以鋪敘的一種章法。「點」與「染」兩種調和性的材料被運用到篇章時，如果是以秩序性的方式呈現，那麼，所形成的結構便是「先點後染」或「先染後點」的移位結構。詩如漢樂府〈孔雀東南飛〉，其原詩為：

> 孔雀東南飛，五里一徘徊。十三能織素，十四學裁衣。十五彈箜篌，十六誦詩書。十七為君婦，心中常苦悲。君既為府吏，守節情不移。賤妾留空房，相見常日稀。雞鳴入機織，夜夜不得息。三日斷五疋，大人故嫌遲。非為織作遲，君家婦難為。妾不堪驅使，徒留無所施。便可白公姥，及時相遣歸。
>
> 府吏得聞之，堂上啟阿母：「兒已薄祿相，幸復得此婦。結髮同枕席，黃泉共為友。共事二三年，始爾未為久。女行無偏斜，何

37　見向宏業、成偉鈞、唐仲揚主編：《修辭通鑑》（北京市：中國青年出版社，1991年6月），頁698。

38　參考陳師滿銘：〈論幾種特殊的章法〉，《章法學論粹》（臺北市：萬卷樓圖書公司，2002年7月），頁76。

意致不厚？」阿母謂府吏：「何乃太區區！此婦無禮節，舉動自專由。吾意久懷忿，汝豈得自由！東家有賢女，自名秦羅敷。可憐體無比，阿母為汝求。便可速遣之，遣之慎莫留！」府吏長跪答，伏惟啟阿母：「今若遣此婦，終老不復取！」阿母得聞之，搥牀便大怒：「小子無所畏，何敢助婦語！吾已失恩義，會不相從許！」府吏默無聲，再拜還入戶。舉言謂新婦，哽咽不能語：「我自不驅卿，逼迫有阿母。卿但暫還家，吾今且報府。不久當歸還，還必相迎取。以此下心意，慎勿違吾語。」新婦謂府吏：「勿復重紛紜！往昔初陽歲，謝家來貴門。奉事循公姥，進止敢自專？晝夜勤作息，伶俜縈苦辛。謂言無罪過，供養卒大恩。仍更被驅遣，何言復來還？妾有繡腰襦，葳蕤自生光。紅羅覆斗帳，四角垂香囊。箱簾六七十，綠碧青絲繩。物物各自異，種種在其中。人賤物亦鄙，不足迎後人。留待作遣施，於今無會因。時時為安慰，久久莫相忘。」雞鳴外欲曙，新婦起嚴妝。著我繡裌裙，事事四五通。足下躡絲履，頭上玳瑁光。腰若流紈素，耳著明月璫。指如削蔥根，口如含朱丹。纖纖作細步，精妙世無雙。上堂拜阿母，母聽怒不止。「昔作女兒時，生小出野里，本自無教訓，兼媿貴家子。受母錢帛多，不堪母驅使。今日還家去，念母勞家裏。」卻與小姑別，淚落連珠子。「新婦初來時，小姑始扶牀。今日被驅遣，小姑如我長。勤心養公姥，好自相扶將。初七及下九，嬉戲莫相忘。」出門登車去，涕落百餘行。府吏馬在前，新婦車在後，隱隱何甸甸，俱會大道口。下馬入車中，低頭共耳語：「誓不相隔卿，且暫還家去，吾今且赴府。不久當還歸，誓天不相負。」新婦謂府吏：「感君區區懷。君既若見錄，不久望君來。君當作盤石，妾當作蒲葦。蒲葦紉如絲，盤石無轉移。我有親父兄，性行暴如雷。恐不任我意，逆以煎我懷。」舉手長勞勞，二情同依依。

入門上家堂，進退無顏儀。阿母大拊掌：「不圖子自歸！十三教汝織，十四能裁衣，十五彈箜篌，十六知禮儀，十七遣汝嫁，謂言無誓違。汝今無罪過，不迎而自歸？」「蘭芝慚阿母，兒實無罪過。」阿母大悲摧。還家十餘日，縣令遣媒來。云有第三郎，窈窕世無雙。年始十八九，便言多令才。阿母謂阿女：「汝可去應之。」阿女含淚答：「蘭芝初還時，府吏見丁寧，結誓不別離。今日違情義，恐此事非奇。自可斷來信，徐徐更謂之。」阿母白媒人：「貧賤有此女，始適還家門，不堪吏人婦，豈合令郎君？幸可廣問訊，不得便相許。」媒人去數日，尋遣丞請還。說「有蘭家女，承籍有宦官。」云「有第五郎，嬌逸未有婚，遣丞為媒人，主簿通語言。」直說「太守家，有此令郎君，既欲結大義，故遣來貴門。」阿母謝媒人：「女子先有誓，老姥豈敢言？」阿兄得聞之，悵然心中煩，舉言謂阿妹：「作計何不量！先嫁得府吏，後嫁得郎君，否泰如天地，足以榮汝身。不嫁義郎體，其往欲何云？」蘭芝仰頭答：「理實如兄言，謝家事夫壻，中道還兄門，處分適兄意，那得自任專？雖與府吏要，渠會永無緣。登即相許和，便可作婚姻。」媒人下牀去，諾諾復爾爾。還部白府君：「下官奉使命，言談大有緣。」府君得聞之，心中大歡喜。視曆復開書，便利此月內，六合正相應。「良吉三十日，今已二十七，卿可去成婚。」交語速裝束，駱驛如浮雲。青雀白鵠舫，四角龍子幡。婀娜隨風轉，金車玉作輪。躑躅青驄馬，流蘇金鏤鞍。齎錢三百萬，皆用青絲穿，雜綵三百疋，交廣市鮭珍。從人四五百，鬱鬱登郡門。

阿母謂阿女：「適得府君書，明日來迎汝。何不作衣裳？莫令事不舉！」阿女默無聲，手巾掩口啼，淚落便如瀉。移我琉璃榻，出置前窗下。左手持刀尺，右手執綾羅。朝成繡裌裙，晚成單羅衫。晻晻日欲暝，愁思出門啼。府吏聞此變，因求假暫歸。未至二三里，摧藏馬悲哀。新婦識馬聲，躡履相逢迎，悵然遙相望，知是故人來。舉手拍馬鞍，嗟歎使心傷。「自君別我後，人事不可量。果不如先願，又非君所詳。我有親父母，逼迫兼弟兄，以我應他人，君還何所望！」府吏謂新婦：「賀卿得高遷！盤石方可厚，可以卒千年。蒲葦一時紉，便作旦夕間。卿當日勝貴，吾獨向黃泉。」新婦謂府吏：「何意出此言！同是被逼迫，君爾妾亦然。黃泉下相見，勿違今日言！」執手分道去，各各還家門。生人作死別，恨恨那可論！念與世間辭，千萬不復全。

府吏還家去，上堂拜阿母：「今日大風寒，寒風摧樹木，嚴霜結庭蘭。兒今日冥冥，令母在後單。故作不良計，勿復怨鬼神！命如南山石，四體康且直。」阿母得聞之，零淚應聲落：「汝是大家子，仕宦於臺閣。慎勿為婦死，貴賤情何薄？東家有賢女，窈窕豔城郭。阿母為汝求，便復在旦夕。」府吏再拜還，長歎空房中，作計乃爾立，轉頭向戶裏，漸見愁煎迫。其日馬牛嘶，新婦入青廬。菴菴黃昏後，寂寂人定初。「我命絕今日，魂去尸長留。」攬裙脫絲履，舉身赴清池。府吏聞此事，心知長別離。徘徊庭樹下，自掛東南枝。

兩家求合葬，合葬華山傍。東西植松柏，左右種梧桐。枝枝相覆蓋，葉葉相交通。中有雙飛鳥，自名為鴛鴦，仰頭相向鳴，夜夜達五更。行人駐足聽，寡婦起彷徨。多謝後世人，戒之慎勿忘。[39]

---

39 見徐陵編，吳兆宜注，程琰刪補，穆克宏點校：《玉臺新詠箋注》（臺北市：明文書局，1988年7月），頁42-54。

本首詩從整體（篇）來看，其主要的章法結構可用下表來呈現：

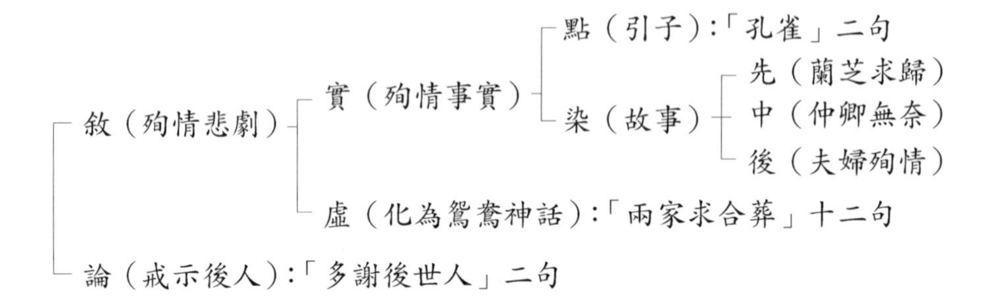

由上表可知，全詩的結構，主要由四層結構組成：第一層是「先敘後論」的結構，第二層是「先實後虛」的結構，第三層為「先點後染」的結構；第四層，也是最龐大而複雜的部分，即「先－中－後」的順敘結構，是故事的主體所在，具寫蘭芝與仲卿由無奈到不得不殉情的經過。

而全篇的主旨，則是「顯中有隱」。「顯」的部分，在第一層結構的「論」即已明白揭示，亦即末尾「多謝後世人，戒之慎勿忘」二句，是歌者之語，在戒示後人要以此事（即「敘」的部分所陳述的：蘭芝夫婦被逼殉情的不幸）為鑑，勿再用封建禮教害人，使得類似的悲劇一再發生。俞平伯說：

> 它（此詩）之所以成為中國最偉大的敘事詩，在於能當反抗禮教的旗手，對著傳統倫理的最中心點「孝道」給了一個沉重的打擊，當頭一棒。[40]

就指出了此詩的中心思想及時代意義。東漢末年，不合情理的社會情

40 見俞平伯：〈漫談「孔雀東南飛」古詩的技巧〉，收於《俞平伯詩詞曲論著》（臺北市：長安出版社，1986年4月，校訂新版），頁323。

況，還不僅止於吃人的禮教，其他如：「家庭的勢利，經濟上的壓迫，官面的強暴」[41]等等面貌，也都在此詩中有所反映。至於「隱」的詩旨，則蘊藏在第二層結構中「虛」的部分，詩人以二人合葬華山、死後化為雙飛鴛鴦的浪漫神話，來歌頌他們因執著於愛情而能超越死亡的精神。王文顏就指出這種結局的安排是：

> 暗示著聖潔的愛情，其精神永垂不朽的長存人間，足以戰勝一切不合情理的社會制度，形體雖死，而其楷模卻足式千古。[42]

可見在「反抗封建禮教」（顯）的主旨之中，也含藏了「歌頌偉大愛情」（隱）的深層義涵。其主旨是「顯中有隱」的。

此處所要探討的，主要是全詩的第三層結構：「先點後染」的調和性移位結構，由此結構，可以綜觀故事的全豹。所謂「點」，是指時間或空間的落足點，僅用做敘事、寫景、抒情或說理的一個引子、橋樑或收尾；而「染」則是根據此時間或空間的落足點所作的鋪敘或渲染，為文章之主體所在，本詩的開頭兩句「孔雀東南飛，五里一徘徊」，即是「點」的部份，是全詩的引子，寫蘭芝出嫁後織布時看到的「布匹上的花飾」[43]，再由此引發出故事的情節進展。這個引子，也就是古人所謂的「興」[44]，柯慶明闡釋這二句說：

---

41 見俞平伯：〈漫談「孔雀東南飛」古詩的技巧〉，收於《俞平伯詩詞曲論著》（臺北市：長安出版社，1986年4月，校訂新版），頁324。

42 見王文顏：〈孔雀東南飛試析〉，收於《漢代文學與思想學術研討會論文集》（臺北市：文史哲出版社，1991年10月），頁148。

43 見邱師燮友：《中國歷代故事詩》（臺北市：三民書局，1969年4月，初版2刷），頁94。

44 歷來學者對於開頭兩句是「起興」的看法大體一致，但由何事起興，則無定論。聞一多《樂府詩箋》、余冠英《樂府詩選》、胡適《白話文學史》等皆認是借〈豔歌何嘗行〉以起興（將雙白鵠易之以孔雀），來烘托悲傷感人的氣氛，預示悲劇故事的發在強調著一種雄對於雌的無力銜負，空有反顧的徘徊徬徨之情。……象徵仲卿對於蘭芝的雖不能護，又終不能捨之矛盾感情的意義。[45]

此外，楊國娟在〈孔雀東南飛的創作意識與技巧〉中更具體說道：

「孔雀東南飛」用以表示勞燕分飛，指蘭芝的被迫休歸。「五里一徘徊」用以顯示夫妻的情深，依依戀戀，為愛而死。[46]

可知，本詩一開頭，就從布匹上孔雀徊徘反顧的花飾，製造出一股無可奈何的惆悵氣氛，為以下的悲劇故事作了最佳的預示、鋪墊。至於「染」的部分，則從「十三能織素」到「自掛東南枝」為止，是整個故事詳情的鋪敘，也是本詩的故事主體所在，其內容是依照時間的次序來敘述的。

「點染法」，源自於繪畫理論，本指繪畫的基本技巧[47]，清劉熙載《藝概》始用之於稱辭章作法。[48]作者在時空中選取最能抒發旨趣的「景」或「事」作為切入之「點」，再加以渲染、擴大，「在事件的敘述過程

生；而邱師燮友則以為是由布匹上之花飾起興，由孔雀說到織布，是較合理的推論，詳見《中國歷代故事詩》（臺北市：三民書局，1969年4月，初版2刷），頁93-95。

45 見柯慶明：《文學美綜論》（臺北市：長安出版社，1983年5月），頁127。

46 見楊國娟：〈孔雀東南飛的創作意識與技巧〉，《書和人》第443期（1982年6月），頁3541。

47 周振甫：「點染是畫家手法，有些處加點，有些處渲染。」可知點是以筆點觸來形構物體，而染是以水墨或色彩烘染物象，以增添質感和立體感。見《詩詞例話》（臺北市：五南圖書出版公司，1994年5月），頁284-285。

48 劉熙載：「詞有點、有染。柳耆卿〈雨霖鈴〉云：『多情自古傷離別，更那堪冷落清秋節。今宵酒醒何處？楊柳岸，曉風殘月。』上二句點出離別冷落，『今宵』二句乃就上二句意染之。點染之間，不得有他語相隔，隔則警句亦成死灰矣。」見《藝概》（臺北市：金楓出版社，1988年），頁161。

中，時間、空間隨之作輻射式的擴大，而造成擴大、奔放的美感效果」[49]，因此，「點染法」的運用，可以使篇章具有飛躍的靈動美；而由「點」開展而運動成塊或面的過程中，因為「染」在濃淡方面的漸移[50]，產生了由細而粗、由淺而深等的「漸層」效果；此外，「點」與「染」之間，還具有「相依為用」的關係，積「點」可以成塊，可以構成「沒骨畫」般的隱現內在骨力的美感，在作者情意的綰合下，各種時空中的材料間得以有機結合，就形成了一種調和性的統一美感。[51]

〈孔雀東南飛〉在「先點後染」的移位結構中，就呈現了由引子為始點，而後大肆「鋪敘」的奔放靈動之美，朱振琪、許學東在〈〈孔雀東南飛〉的結構特色〉一文中說：

> 〈孔雀東南飛〉具體而形象地鋪敘了新婦蘭芝被遣、被逼再嫁以及她同丈夫仲卿殉情化鳥的全過程，並在這一過程中塑造了蘭芝、仲卿、焦母、劉兄等幾個活靈活現的形象。雖說已是一千七百多字的長詩，但完成如此複雜的使命也並非輕而易舉之事。什麼地方該長，什麼地方應短；哪個形象刻劃必詳，哪個形象勾勒從略，作者都經過了仔細推敲，作了別具一格的結構安排。[52]

---

49 見拙著：〈東坡詞篇章結構探析——以黃州作《浣溪沙》五首為考察對象〉，《師大學報》第49卷第2期（2004年10月），頁35。

50 漸移是一連串的類似，在調和的階段中具有一定秩序的自然性順序之序列。可分兩種系列：一是直線性系列，一是以一點為中心向圓形發展的，即所謂放射性系列。參考大智浩著，王秀雄譯：《美術設計的基礎》（臺北市：臺隆書店，1975年8月），頁181。

51 這種和諧美，是多樣的統一之美。「統一」包括兩種類型：一種是調和式統一，一種是對立式統一。就「點染法」言，「點」與「染」是同性質的，因此二者屬調和式的統一。全篇詩作的情意，在「先點後染」的設計之下，能使運用的材料達到整體性的擴大效果，便具多樣的和諧統一之美。參見夏放：《美學：苦惱的追求》（福州市：海峽文藝出版社，1988年5月），頁108。

52 見朱振琪、許學東：〈〈孔雀東南飛〉的結構特色〉，《語文學刊》1984年第1期，頁34。

也認為全詩運用了多處「鋪敘」的手法，使得人物形象鮮活，而展現靈動的美感。詩中有四段極為精彩的鋪敘文字，分別是：「十三能織素，十四學裁衣，十五彈箜篌，十六誦詩書，十七為君婦，心中常苦悲」，鋪敘蘭芝自幼受到良好的家庭教育，多才多藝、知書達禮，這樣完美的女子，卻在出嫁後得不到應有的幸福美滿，心中經常感到悲苦；這是一段蘭芝的控訴，十三、十四、十五、十六、十七，並非確切的年齡，卻在連續的數字陳列中，造成了順暢的節奏律動之美。「妾有繡腰襦，葳蕤自生光，紅羅複斗帳，四角垂香囊，箱簾六七十，綠碧青絲繩，物物各自異，種種在其中」，鋪敘了蘭芝嫁妝的豐富、娘家的富貴，反觀她嫁入婆家後卻要「雞鳴入機織，夜夜不得息」、「晝夜勤作息，伶俜縈苦辛」，最後還免不了被驅遣的噩運，這一段鋪敘，生動而深刻地反襯出蘭芝的委屈與無奈；而華美的描繪則給人目不暇給的奔放美感，但描寫愈華麗，則情感愈悲哀。[53]「雞鳴外欲曙，新婦起嚴妝，著我繡裌裙，事事四五通，足下躡絲履，頭上玳瑁光，腰若流紈素，耳著明月璫，指如削葱根，口如含朱丹，纖纖作細步，精妙世無雙」，鋪敘蘭芝被休遣之前仍堅守「婦容」的美德及臨別時的留戀、痛苦的心情[54]，在刻意盛妝的鋪敘文字中，我們可以看到蘭芝知書達禮的修養；在由足而腰、而頭、而耳、而指、而口的細膩描述中，更彷彿看到女主角楚楚動人、端莊大方的形象，從而感受到一種流暢敘述的靈動美感。「交語速裝束，駱驛如浮雲。青雀白鵠舫，四角龍子幡。婀娜隨風轉，金車玉作輪。躑躅青驄馬，流蘇金鏤鞍。齎錢三百萬，皆用青絲穿，雜綵三百

53〔清〕王夫之：《薑齋詩話》：「以樂景寫哀，以哀景寫樂，一倍增其哀樂。」見《清詩話》（臺北市：西南書局，1979年11月），頁2。

54 徐應佩、周溶泉：「『新婦起嚴妝』一節文字，實際上是『外弛內張』，看上去好像是閒筆，可是外弛內緊，愈寫蘭芝精妙無雙，愈顯得人物內心痛苦。」見〈婀娜多姿哀婉動人——談樂府長詩〈孔雀東南飛〉〉，《昆明師院學報》第1期（1981年），頁84。

疋，交廣市鮭珍。從人四五百，鬱鬱登郡門」，鋪敘聘禮的豐富珍貴、迎娶排場的炫目浩大，其實是以太守的富貴驕人來對比蘭芝終究不為所動，最後還是走上了殉情之路；由舟船寫到車馬、由錢帛之盛寫到鮭珍之豐及從人之眾，一連串炫人耳目的迎親描寫，展現了時空方面生動奔放的美感。[55]以上四段，在開頭「孔雀東南飛，五里一徘徊」的悲傷氣氛導引下，展開了極為誇張的渲染描寫，不僅使蘭芝的性格、形象更加生動，而且使讀者獲致奔放靈動的審美感受。

其次，在「先點後染」的移位結構中，以「點」為起始，開展了一個層次清楚、有序推進的敘事歷程，而呈現了悲劇性逐漸加深的「漸層美」。「點」的部分，即已揭示悲劇的氣氛；而「染」的部分，則依次寫蘭芝內心的矛盾、痛苦，而且，這種矛盾、痛苦，隨著情節的進展及時間的推衍而加深、加劇：首先是勤勞能幹的蘭芝得不到婆婆的歡心、備受焦母壓迫的痛苦，終而不得不作出「請歸」的痛苦決定，樂承忠分析焦母嫌惡蘭芝的原因有三：

> 一是嫌她「無禮節，舉動自專由」。這屬於鷄蛋裏挑骨頭，無中生有。二是嫌劉家門戶不相當。焦母焦仲卿說：「汝是大家子，仕宦於台閣。慎勿為婦死，貴賤情何薄？」在焦母眼裏，兒是「大家子」，媳婦是「野里」女，是花不少「錢帛」娶來的。此外，焦仲卿、劉蘭芝結婚「二三年」，從長詩看，他們還沒有孩子。這也會成為焦母不喜歡她的又一原因。焦母想再花些「錢帛」，

---

55 劉淑娟：「誇張的迎婚準備，鋪排描寫，是長篇敘事詩中閒中生色的文字，其目的在懸置緊張的戲劇性情節，作為再次提高讀者情緒之前必要的鬆馳手段，而且也給人物、事件以『舞臺』背景，增加了作品的時空感覺。」見〈長篇敘事詩〈孔雀東南飛〉解析〉，《吳鳳學報》第9期（2001年5月），頁434。

> 換個媳婦使喚，在她來說這是理所當然。[56]

在焦母眼裏，蘭芝是無禮節的、出身低賤的，也可能是無子嗣的，於是蘭芝「不堪驅使」，在愛情與自由不可得兼的情況下，作出痛苦的抉擇。與婆婆的衝突，是本詩悲劇的起始。接下來，與小姑話別、與仲卿盟誓，則是悲劇的擴大與發展。直到蘭芝回到娘家，本以為矛盾與悲傷可以趨緩，卻不料縣令、太守的為子求婚以及兄長的逼嫁允親，「促使矛盾迅速尖銳化，到仲卿聞變趕來，二人重申前誓，經過足夠的蘊釀，逐漸達到了悲劇的高潮，終以蘭芝『舉身赴清池』、仲卿『自掛東南枝』結局」。[57]由此可知，從「點」到「染」的結構，開展了一幅幅以悲情為基調的家庭矛盾衝突畫面，而且，一層悲過一層，給讀者「漸層」的審美感受。

此外，本詩第三層「先點後染」的移位結構，更在「點」的悲劇氣氛的穿針引線下，使得「染」的敘述與對話「有機」銜接，推進了情節的進展，各材料之間呈現了和諧的統一之美。本詩大多數的段落是以對話為主，生動地表現了人物的性格及心理，陳源遠等人曾分析本詩的對話，說：

> 〈孔〉詩對話達三十次之多，焦母的對話：「吾意久懷忿，汝豈得自由」和「小子無所畏，何敢助婦語，吾已失恩義，會不相從許」，刻劃出她專橫的醜態。而焦仲卿「今若遣此婦，終老不復娶」的對話，則表現了他對愛情的忠貞，同時也流露出對其母的不滿和反抗。劉蘭芝「勿復重紛紜」的對話，則表現了她頭腦清

56　見樂承忠：〈談〈孔雀東南飛〉〉，《東海》第6期（1984年6月），頁71。

57　見聞震：〈敘事詩的藝術典範——談〈孔雀東南飛〉〉，《晉陽文藝》第52期（1982年6月），頁52。

> 醒，「感君區區懷」，則又表現了她的多情。[58]

但在對話之後，會以一、二句的敘述文字作聯綴轉折，例如蘭芝離開夫家時，夫婦互誓之後，便插入「舉手長勞勞，二情同依依」的敘述文字，對話與敘述，銜接得巧妙無縫又剪裁適當；即使是誇張性的鋪寫敘述，如蘭芝離開夫家時「嚴妝」一段及太守迎親一段，也都具有表現人物心理的重要作用，能與其前後的對話作「有機」銜接，完全沒有在日常瑣事浪費的筆墨，敘述與對話之間也互不重覆。於是，在作者繁簡得宜的匠心獨運之下，一千七百多字的巨構，多樣的人物、事件、場景，都和諧地組織在一起，共同推動了悲劇情節的發展，最後達成了統一的悲傷情調，使人感受到和諧的統一美感。[59]

詞如李清照的〈一翦梅〉（紅藕香殘玉簟秋），其原詞為：

> 紅藕香殘玉簟秋，輕解羅裳，獨上蘭舟。雲中誰寄錦書來？雁字回時，月滿西樓。　　花自飄零水自流，一種相思，兩處閒愁。此情無計可消除，纔下眉頭，却上心頭。[60]

其結構分析表為：

```
┌點（時：淒涼的初秋）：「紅藕」句
│                    ┌先（日：泛舟遣愁）：「輕解」三句
└染（別後相思）──┤                    ┌景（遠→近）：「雁字」三句
                    └後（夜：樓中盼書）┤
                                        └情（相思苦）：「一種」五句
```

58 見陳源遠、尉履泰、高戈鋒：〈忠貞的愛情　不朽的詩篇——略談〈孔雀東南飛〉的藝術特色〉，《山西師院學報》1981年第3期，頁91。

59 關於本首詩的結構分析表及說明文字，詳參拙著：〈論《孔雀東南飛》的章法結構及其美感〉，《中國學術年刊》第27期（2005年9月），頁143-170。

60 見王學初：《李清照集校註》（臺北市：里仁書局，1982年5月），頁23-24。

本篇的主旨在寫與丈夫的別後思念。雖然元伊世珍作的《瑯嬛記》引《外傳》說：「易安結褵未久，明誠即負笈遠游。易安殊不忍別，覓錦帕書〈一剪梅〉詞以送之」[61]，認為是清照與丈夫分別時所寫之詞，但王學初指出：

> 清照適趙明誠時，兩家俱在東京，明誠正為太學生，無負笈遠游事。此則所云，顯非事實……《瑯嬛記》乃偽書，不足據。[62]

認為《瑯嬛記》的記述不可靠。陳邦炎更就詞句本身來推斷本篇的寫作背景，他說：

> 從上闋開頭三句看，決不像柳永〈雨霖鈴〉詞所寫的「方留戀處，蘭舟催發。執手相看淚眼，竟無語凝咽」那樣一個分別時的場面，而是寫詞人已與趙明誠分離，在孤獨中感物傷秋、泛舟遣懷的情狀。次句中的「羅裳」，即明指婦女服裝；第三句中的「獨上」，也只能是詞人自述。至於以下各句，更非「設想別後的思念心情」，而是實寫別後眼前景、心中事。[63]

認為全篇的內容皆在寫別後的思念，是很有道理的。

從章法結構來看，全篇是「先點後染」的調和性移位結構：第一句是「點」，即時空的落足點，點出寫作的時間是在「紅藕香殘」（室外）

---

61 見張夢機、張子良：《唐宋詞選注》（臺北市：華正書局，1983年9月，修訂六版），頁216。

62 見王學初：《李清照集校註》（臺北市：里仁書局，1982年5月），頁25。

63 見陳邦炎：〈一種相思兩處愁——說《一剪梅》〉，收於聞昭典、劉海軍編：《李清照詞鑒賞》，頁37-38。

及「玉簟」生涼（室內）的初秋時節，藉由視覺、嗅覺及觸覺道出了全詞的環境及淒涼氣氛，也暗示了作者獨處的內心感受；第二句以後全部是「染」的部分，是全篇的主體所在，寫作者從白天到黑夜所作之事、所觸之景及所生之情：「輕解」二句，寫她在白晝的獨自泛舟，以排遣心中的離愁；「雲中」句則寫她在蘭舟中遙望天際，在仰視無邊無際的天空時，作者盼望書信的情意也隨之推拓而出；「雁字」二句，巧妙地將白晝過渡到黑夜，寫作者望斷天涯的相思，是從白日延續到黑夜的，也是不分舟上或樓中的；「花自」二句，則將空間由遠處拉回近處，寫「樓」前的落花及流水，給人「無可奈何花落去」（晏殊〈浣溪沙〉）的無奈感，最後，鏡頭集中對準小樓內的作者，以另一空間中作者的獨白收束，而焦點則鎖定在作者的「眉頭」、「心頭」，更深化了她的黯然銷魂、相思濃愁。

這種「先點後染」的移位結構，「點」與「染」所指涉的均為同一事物，因此，彼此間形成了調和的關係，具調和之美。且此篇作者在時空中選取最能抒發旨趣的「景」或「事」（「紅藕香殘」（室外）及「玉簟」生涼（室內）的初秋時節）作為切入之「點」，再加以渲染、擴大（白天到黑夜所作之事、所觸之景及所生之情），「在事件的敘述過程中，時間、空間隨之作輻射式的擴大，可造成擴大、奔放的美感效果」。[64]又在作者相思情意的綰合下，除了移位結構所造成的秩序美之外，還在收納了室外及室內的多樣景物的同時，呈顯出律動變化中的和諧統一之美；甚至，隨著時間的推移，空間的變化也顯得多彩多姿，兼有擴大及縮小的空間變化，饒具流動美及變化美。

64 見拙著：〈東坡詞篇章結構探析——以黃州作「浣溪沙」五首為考察對象〉，《師大學報：人文與社會類》第49卷2期（2004年10月），頁35。

第二節　對比性結構類型

一　正反法

將極度不同的兩種材料並列起來，作成強烈的對比，藉反面的材料襯托出正面的意思，以增強主旨的說服力與感染力，便是「正反法」。其中，「正」是指合於主旨的材料，而「反」是指從對面托出主旨的材料。「正」與「反」兩種對比性的材料被運用到篇章時，如果是以秩序性的方式呈現，那麼，所形成的結構便是「先正後反」或「先反後正」的移位結構。詩如《詩經》〈周南〉的〈汝墳〉，其原詩為：

> 遵彼汝墳，伐其條枚，未見君子，惄如調飢。
> 遵彼汝墳，伐其條肄，既見君子，不我遐棄。
> 魴魚赬尾，王室如燬；雖則如燬，父母孔邇。[65]

其結構分析表為：

- 反（未見夫）
  - 事（伐條枚）：「遵彼」二句
  - 情（心急迫）：「未見」二句
- 正（既見夫）
  - 賓（妻）
    - 事（伐條肄）：「遵彼」二句
    - 情（怕被棄）：「既見」二句
  - 主（夫）
    - 因（時局亂）：「魴魚」二句
    - 果（勸夫為父母留下）：「雖則」二句

---

65 見毛亨傳，鄭玄箋，孔穎達疏：《毛詩正義》（臺北市：藝文印書館，1989年1月，十一版），頁43-44。

本詩旨在寫妻子見丈夫歸來之喜悅及急欲長留丈夫之心情，全篇呈現出「先反後正」的對比性移位結構。開頭四句先從「反」面、未見丈夫著筆，寫出妻子急迫的心情：「伐其條枚」（事）是為了剷除視線上的障礙，以便於遠望丈夫歸來的身影；「惄如調飢」則是以早晨飢餓的情形譬喻妻子等待丈夫的焦急心情（情），形成了「先事後情」的結構。第五句以後則是「正」的部分，寫丈夫歸來、妻子在歡喜之餘又害怕失去他的恐懼心理，此部份又可分為「賓」與「主」兩個層面來看：第五句到第八句是「賓」的部分，從妻子的角度道出「丈夫不要再度遠離她」的希冀，也是本詩的主旨所在；「主」是末四句，妻子從丈夫的角度，勸他不要像魴魚一樣忙碌，而忘了奉養父母、善盡孝道。其實妻子真正的用意，是在以親情牽絆丈夫，期望丈夫永遠留在自己的身邊，其用心之良苦，令人動容。

這種「先反後正」的對比性移位結構，「反」與「正」兩種材料間形成了對比的關係，具對比之美，對比因為具有極大的差異性，因而給人鮮明、醒目、活躍、振奮的強烈感受；而且有「相對立的形態」出現在篇章中，反而能使主體（正）的特點更突出、姿態更優美，也因此使得妻子企盼丈夫歸來的熱切心情，以及希望丈夫永留身邊的款款深情更具感染力。同時，「反」與「正」兩種材料呈現了秩序性的移位安排，在主結構形成了「先反後正」的移位結構，呈現出秩序、簡單的美感；而次層及第三層的「先事後情」結構，又為全篇增添了具象美及抽象美；此外，次層的「先賓後主」結構，呈顯了映襯之美，第三層的「先因後果」結構，呈顯了規律之美，都為原本簡單的主結構增加不少的美感效果，也使得作者情意的表達更顯曲折含蓄。

詞如辛棄疾的〈破陣子〉（醉裏挑燈看劍），其原詞為：

醉裏挑燈看劍，夢回吹角連營。八百里分麾下炙，五十絃翻塞外聲。沙場秋點兵。　　馬作的盧飛快，弓如霹靂弦驚。了卻君王天下事，贏得生前身後名。可憐白髮生。[66]

其結構分析表為：

```
            ┌因（軍盛）┬戰前（集合點兵）：「醉裏」五句
┌反（想像抗金勝利）┤          └戰時（馬快弓疾）：「馬作」二句
│           └果（勝利）：「了卻」二句
└正（志未酬）：「可憐」句[67]
```

此詞疑作於南宋孝宗淳熙末年，題作「為陳同甫賦壯詞以寄之」，可知本詞所寫的壯語，是用以期許陳亮；同時，從字裏行間也可看出隱於篇外的「自道畢生壯志」的旨意。全篇以「先反後正」的對比性移位結構寫成，從開頭到「贏得生前身後名」句為止，是「反」的部分，作者極寫抗金軍隊的壯盛軍容、馬快弓疾的戰鬥生活，以及收復中原的最終勝利，但這一切豪邁動人的場面，都是作者的想像，是為了凸出末句「可憐白髮生」的。「正」的部分在末句，是真實的淒涼情景，與前面「反」的材料形成了強烈的對比，將作者忠君愛國的堅貞及壯志不能酬的悲憤心情，全部襯托而出。

這種「先反後正」的對比性移位結構，「反」與「正」兩種材料間形成了對比的關係，具對比之美。同時，「反」與「正」兩種材料呈現了秩序性的移位安排，在主結構形成了「先反後正」的移位結構，不僅凸顯出作者對家國的忠貞與壯志難酬的遺憾，也呈現出秩序、簡單的美

66 見鄧廣銘：《稼軒詞編年箋注》（上海市：上海古籍出版社，1995年5月，初版2刷），頁242。

67 此結構分析表及以下說明文字，主要參考陳師滿銘：《詞林散步——唐宋詞結構分析》（臺北市：萬卷樓圖書公司，2000年1月），頁320。

感；而次層的「先因後果」結構，又為全篇增添了規律之美；此外，第三層的「先後」結構，呈顯了順序之美，都為原本簡單的主結構增加一些演繹邏輯思維的順推之美，也使得作者情意的表達更顯得流暢有力。

二　今昔法

這是將時間中的「今」（現在）與「昔」（過去），依篇章需求作適當安排的一種章法。「今」與「昔」兩種材料被運用到篇章時，如果是以秩序性的方式呈現，那麼，所形成的結構便是「先今後昔」或「先昔後今」的移位結構。詩如蘇軾的〈和子由澠池懷舊〉，其原詩為：

> 人生到處知何似？應似飛鴻踏雪泥。泥上偶然留指爪，鴻飛那復計東西！老僧已死成新塔，壞壁無由見舊題。往日崎嶇還記否？路長人困蹇驢嘶。[68]

其結構分析表：

```
      ┌ 今（無苦）┬ 論（人生短暫不定）：「人生」四句
      │          └ 敘（僧死壁壞）：「老僧」二句
      └ 昔（困蹇）┬ 問（可記崎嶇）：「往日」句
                 └ 答（路長人困）：「路長」句
```

本詩的主旨在抒發對人生短暫及無常的感慨，但在感慨之中又能表現達觀的人生態度，主要以「先今後昔」的對比性移位結構寫成。開頭六句是「今」，此處又形成「先論後敘」的結構：「人生」以下四句是「論」，

68 見蘇軾：《東坡全集》（臺北市：世界書局，1996年2月，初版7刷），卷1，頁2。

以「飛鴻踏雪泥」之喻來形象地表達人生過往的痕跡容易泯滅，以「泥上偶然留指爪」喻人生的飄泊不定，以「鴻飛那復計東西」喻人生應展翅高翔、不必眷顧往昔舊跡；「老僧」二句是「敘」，言今日所見澠池舊遊已與昔日不同，昔日的奉閒和尚剛死不久，而昔日所題之詩也已不復存在。尾聯二句是「昔」，作者由對人生的感嘆轉入懷舊憶往，除了對人、對詩的懷念之外，也對當時路途的艱辛困蹇感懷不已；然而，在艱困之中，東坡卻以昔比今，勉其弟亦以之自勉：崎嶇困苦畢竟已成過去，當珍惜現在，為將來而努力。全篇在「先今後昔」的結構中，以昔日的顛沛苦難來對比今日的都成過往，展現出達觀進取的人生態度！

這種「先今後昔」的移位結構，「今」（苦難過去）與「昔」（艱難困蹇）兩種材料間形成了對比的關係，具對比之美。同時，「今」與「昔」兩種材料呈現了秩序性的逆向移位安排，在主結構形成了「先今後昔」的移位結構，不僅凸顯出作者對人生的感慨及達觀的態度，也呈現出秩序、簡單的美感；尤其這種「由今而昔」的逆敘方式，可以給讀者倒置懸念之感，而產生一種期待的想像之美，而次層的「先論後敘」結構，增加了抽象及具象並置之美，以及「先問後答」結構增添了先懸疑後釋疑的起伏變化之美，二者都為原本簡單的主結構增加一些美感的變化，也使得作者情意的表達更顯得流暢有力。

詞如辛棄疾的〈醜奴兒〉（少年不識愁滋味），其原詞為：

> 少年不識愁滋味，愛上層樓。愛上層樓，為賦新詞強說愁。
> 而今識盡愁滋味，欲說還休。欲說還休，却道「天涼好箇秋」！[69]

69 見鄧廣銘：《稼軒詞編年箋注》（上海市：上海古籍出版社，1995年5月，初版2刷），頁170。

其結構分析表為：

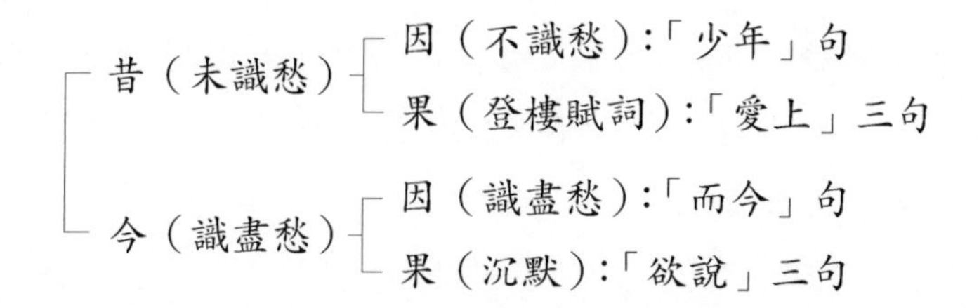

這首詞旨在寫身世之感和家國之恨的哀愁，採取「先昔後今」的移位結構寫成。上片是「昔」，寫少年時的不識愁，與下片的「今」形成強烈的對比，是為了反襯和加強稼軒今日內心的哀愁，使他的家國之恨更為鮮明，更具感染力量，正如陳師滿銘所說：

> 上片寫「少年」，下片寫「而今」。一是由於「不識愁滋味」，所以愛「強說愁」；一是由於「識盡愁滋味」，所以「欲說還休」；在兩相對照之下，稼軒那難以言說的苦悶便恰到好處的表達出來了。[70]

點出了這首詞在對比組合上的特點。同時，全篇在「昔」與「今」兩種材料之中，又分別形成「因果式」的結構組合，如此以「因果式」的型態重覆呈現，在由昔到今的時間串連下[71]，稼軒的情感節奏[72]及強度在

---

70 見陳師滿銘：《詞林散步──唐宋詞結構分析》（臺北市：萬卷樓圖書公司，2000年1月），頁299-300。

71 王長俊等：「重覆也是一種時間延長的方式。它是讓某一瞬間的強烈印象或某一事物反覆出現，從而產生不斷延長的效果，用以表現創作主體的內心感受和意象的豐富內涵。」見《詩歌意象學》（合肥市：安徽文藝出版社，2000年8月），頁98。

72 王長俊等：「詩歌意象時間構成中的內在節奏，便是生命的形式的一種體現。內在節奏作為一種具有生命力的形式，是蘊涵著觀念和情感的形式，是傳達觀念和情感的

今昔不同的空間中呈現了明顯的差異，顏崑陽說：

> 人生的經驗，凡是心靈上的各種情意，都不是語言所能充分傳達。因此，能說者淺，不能說者深。淺者喜歡於言語間喋喋不休，深者反而寡言、淡言。[73]

少年時的愁緒較淡，在「更上層樓，更上層樓」的空間賦詩說愁，情感的節奏較輕快；今日的愁緒濃重，在「欲說還休，欲說還休」的緘默空氣中，情感的節奏變得緩慢凝重。在昔日輕而稍快的情感節奏的襯托之下，稼軒今日心中的鬱結沉悶，就強烈地映顯而出了。

這種「先昔後今」的移位結構，「今」（識盡愁）與「昔」（不識愁）兩種材料間形成了對比的關係，具對比之美。同時，「今」與「昔」兩種材料呈現了秩序性的移位安排，在主結構形成了「先昔後今」的移位結構，不僅凸顯出作者的身世之感和家國之恨，也呈現出秩序、簡單的美感；尤其這種「由昔而今」的順敘方式，是最為常見的敘述方式，也是最符合事物本身的發展規律的[74]，呈顯出規律之美，而次層雙疊的「先因後果」結構，為全篇增添了順推的規律之美，使得作者情意的表達更顯得流暢有力。尤其值得注意的是，「更上層樓，更上層樓」、「欲

手段。……內在節奏是一種情感節奏，……無論是情感節奏，還是生命節奏，它們都是靠運動來呈現的，運動是時間的本質。意象的內在節奏，在具體的意象時間構成中，便呈現出一種動態的運動性。」見《詩歌意象學》（合肥市：安徽文藝出版社，2000年8月），頁104-105。

73 見顏崑陽：《蘇辛詞》（臺北市：臺灣書店，1998年3月），頁158。

74 張紅雨：「最能吻合美感情緒的發生、發展，亦即初震、再震，震動的高峰、震動的回收這一規律的，就是以時間為序來結構文章」，「順向，是人們的美感情緒正常發展的類型。……合乎規律的東西就是美的，就是真的。」如此的說法，頗能解釋「由昔而今」結構的美感來源。見《寫作美學》（高雄市：麗文文化事業公司，1996年10月），頁245-246、頁350。

說還休，欲說還休」等「事象」的重覆呈現，更有加強情意的作用，極具動態的節奏美感。[75]

三　張弛法

所謂「張」是指緊張，而「弛」則指鬆弛。「張弛法」就是造成文章中緊張與鬆弛的不同節奏，並使之互相配合，使文章更具姿態、更富美感的一種章法。「張」與「弛」兩種對比性的材料被運用到篇章時，如果是以秩序性的方式呈現，那麼，所形成的結構便是「先張後弛」或「先弛後張」的移位結構。詩如《詩經》〈邶〉的〈擊鼓〉，其原詩為：

> 擊鼓其鏜，踊躍用兵，土國城漕，我獨南行。從孫子仲，平陳與宋，不我以歸，憂心有忡。爰居爰處，爰喪其馬。于以求之，于林之下。「死生契闊，與子成說。執子之手，與子偕老」。于嗟闊兮，不我活兮！于嗟洵兮，不我信兮。[76]

其結構分析表為：

- 張（長期作戰）
  - 事（正：戰果豐）：「擊鼓」六句
  - 情（反：未能返家）：「不我」二句
- 弛（慵懶疏懈）
  - 先（失馬找馬）：「爰居」四句
  - 後（回憶長歎）
    - 昔（相愛共誓）：「死生」四句
    - 今（誓言未實現）：「于嗟」四句

75　關於本詞的結構分析表及相關說明文字，詳見拙著：〈論稼軒「博山道中詞」篇章意象之形成及組合〉，《師大學報》第50卷第1期（2005年4月），頁56-58。

76　見毛亨傳，鄭玄箋，孔穎達疏：《毛詩正義》（臺北市：藝文印書館，1989年1月，十一版），頁80-81。

詩序：「擊鼓，怨州吁也。衛州吁用兵暴亂，使公孫文仲將，而平陳與宋。國人怨其勇而無禮也」[77]，可知本詩旨在寫一衛卒久役於外不得歸家、與妻偕老的無奈心情。全篇以「先張後弛」的對比性移位結構寫成，開頭八句是「張」（緊張），寫緊張的戰爭之事及因而不得返家的憂慮心情：起始「擊鼓其鏜」句，一下子便將讀者帶入金鼓齊鳴的緊張場面，接著以「踊躍用兵」正面地描繪士兵們攻戰操練的情況，以「土國城漕」寫士卒從事鞏固城池的建築工事，來側寫戰事的吃緊狀態；此次州吁派遣公孫文仲領軍出征、聯合陳、宋以攻鄭的戰事，不過是州吁個人的逞勇好戰而已，包括作者在內的戰士們並不支持他，因此，一旦不能按照原定時間返家時，從征的戰士就不免憂心忡忡了。

「爰居」以下，是「弛」（鬆弛）的部分，寫軍中戰士慵懶疏懈之狀。厭戰思歸的戰士，散居林間，無復有紀律，「爰」和「于以」都是疑問詞，可以想見戰士懈弛思家的恍惚之情。作者此時追憶昔日與妻子執手立誓、同生共死，而今卻遠征未歸、不能實現承諾，內心充滿著無奈之情。

這種「先張後弛」的移位結構，「張」（戰爭的緊張）的節奏予人緊張感，而「弛」（厭戰思歸的疏懈）的節奏則是舒緩的，兩種材料間形成了對比的關係，具對比之美。同時，「張」與「弛」兩種對比性材料呈現了「由張而弛」的秩序性移位安排，會造成緊張之後的更形放鬆，不僅凸顯出作者長期在外征戰、無法回家的慵懶而無奈之情，也呈現出秩序、簡單的美感；而次層的「先後」結構及第三層的「由昔而今」的結構，為全篇增添了順序之美，使得作者情意的表達更顯得流暢自然。

---

77 見屈萬里：《詩經釋義》（臺北市：中國文化大學出版部，1983年11月，新二版），頁57。同頁並有按語：「此即州吁以諸侯之兵伐鄭事，見魯隱公四年左傳。」可知此詩的寫作背景，大約是在魯隱公四年衛君州吁聯合宋國、陳國等討伐鄭國之時。

詞如李之儀的〈卜算子〉（我住長江頭），其原詞為：

> 我住長江頭，君住長江尾。日日思君不見君，共飲長江水。
> 此水幾時休，此恨何時已。只願君心似我心，定不負、相思意。[78]

其結構分析表為：

```
┌ 弛（水長恨也長）┬ 事（相隔之遠）:「我住」二句
│                 └ 情（相思恨無已）:「日日」四句
└ 張（不負情意）:「只願」二句
```

本首詞的主旨在寫相思之苦，且末尾結以堅定不變的情意，韻味無窮，感人極深。全篇主要以「先弛後張」的對比性移位結構寫成，開頭六句是「弛」的部分：首二句是敘事，以兩人分別住在長江的頭與尾，極寫相隔之遠、見面之不易；接著「日日」四句，以長江水的悠遠流長喻自己的相思之久，因此，心中之恨便無已時。由此可知，前六句將空間、時間推擴得極為遼闊、久遠，予人無邊悠遠之感，因此是「弛」。末尾二句，將空間凝聚至兩人之「心」，將時間拉回到眼前，使作者堅定、不負的心意，得到最大的特寫，這是「張」。

這種「由弛而張」的移位安排，最大的特點便是：容易在作品的結尾處製造出高潮，使作者相思之苦及對愛情的堅定心意，在「弛」與「張」兩種對比性的材料中強烈地映襯凸顯出來。全篇除了「弛」與「張」

---

78 見唐圭璋編：《全宋詞簡編》（上海市：上海古籍出版社，1995年1月，初版3刷），頁192。

所呈現的對比美感外，還因次層「先事後情」的結構，而呈現出具體美及抽象美。

四　詳略法

所謂「詳略法」，是指將詳寫、略寫的筆法在篇章中相互為用，以突出主旨的一種章法。當「詳」與「略」兩種材料被運用到篇章時，如果是以秩序性的方式呈現，那麼，所形成的結構便是「先詳後略」或「先略後詳」的移位結構。詩如白居易的〈輕肥〉，其原詩為：

> 意氣驕滿路，鞍馬光照塵。借問何為者？人稱是內臣。
> 朱紱皆大夫，紫綬或將軍。誇赴軍中宴，走馬去如雲。
> 罇罍溢九醞，水陸羅八珍。果擘洞庭橘，鱠切天池鱗。
> 食飽心自若，酒酣氣益振。是歲江南旱，衢州人食人。[79]

其結構分析表為：

```
        ┌ 果（赴宴途中）：「意氣」六句
┌ 詳（宦官驕奢）┼ 因（赴宴）：「誇赴」二句
│       └ 果（宴會實況）：「罇罍」六句
└ 略（江南大旱）：「是歲」二句
```

本詩旨在揭露宦官的驕奢，以強烈對比出百姓遭到天災的痛苦悲慘。全篇以「先詳後略」的對比性移位結構寫成，開頭十四句是「詳」的部分，極力鋪寫宦官的驕奢：「意氣驕滿路」六句描繪出宦官們在路途中的「驕」與「奢」；「誇赴軍中宴」二句點出原因是去趕赴「神策軍」的宴

79　見白居易：《白氏長慶集》（臺北市：藝文印書館，1971年2月），頁44-45。

會；接著「罇罍溢九醞」六句則是具體寫出宦官們宴會時的「驕」與「奢」。末尾二句，筆鋒一轉，寫出江南大旱、百姓人吃人的慘劇，作者不多作說明，也不多發議論，是「略」的部分。

這種「先詳後略」的移位結構，「詳」與「略」兩種材料間形成了極度對比的關係，將全篇分割成兩個極度對比的畫面，其實兩個世界間是有著「因果」的關係，因此，作者鋪敘了「詳」（因）的部分，「略」（果）的部分，讀者可以很輕易地推論而出，而且，如此鮮明的對比，結以短短的兩句，更能產生當頭棒喝、振聾發聵的效果，使人讀來驚心動魄，悄然動容，極具對比之美。全篇的主結構雖然是「先詳後略」的移位結構，看似僅有簡單、秩序性的美感特色，但是在「詳」的部分，作者選取了令讀者印象深刻的材料（宦官驕奢的形象）來加以詳寫，在「果、因、果」的轉位結構中，曲折而強烈地凸顯出宦官「乘肥馬，衣輕裘」的「輕肥」形象，使得全篇還增添了不少的迴環變化之美。

詞如李煜的〈望江南〉（多少恨），其原詞為：

> 多少恨，昨夜夢魂中。還似舊時遊上苑，車如流水馬如龍。花月正春風。[80]

其結構分析表為：

80 見楊家駱輯：《全唐五代詞彙編》（臺北市：世界書局，1971年1月，再版），頁223。

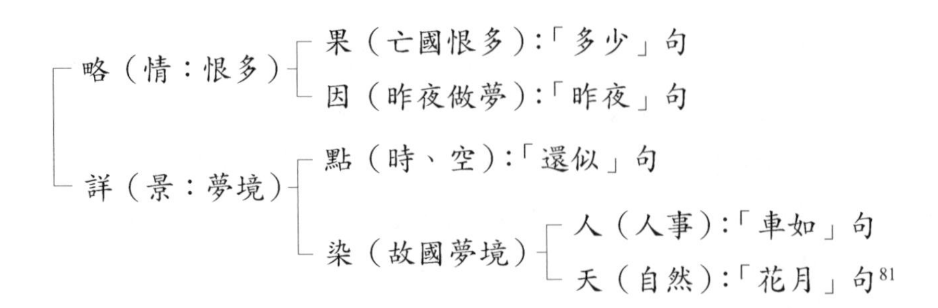

這闋詞主旨在抒發亡國之痛，全篇以「先略後詳」的對比性移位結構寫成。開頭二句是「略」的部分：首句直接傾寫自己夢後的滿腔怨恨，點明主旨；次句則是交代他「怨恨之由」。[82]「還似舊時遊上苑」以後三句，則是「詳」的部分，詳寫他的夢境：時間是「舊時」，即亡國前；地點是「上苑」；整個夢境則是故國熱鬧、繁華的人事景象，以及春花明月的自然美景，如此深刻而鮮明的夢境，強烈地勾起作者的「亡國之痛」。[83]

這種「先詳後略」的移位結構，「詳」與「略」兩種材料間形成了極度對比的關係，將全篇分割成兩個極度對比的畫面，一是夢後的滿心怨恨，一是夢中的熱鬧綺麗，其實兩個世界間是有著「因果」的關係，因此，作者鋪敘了「詳」（夢中故國）的部分，「略」（夢後之恨）的部分只須輕輕點出，讀者就可以深刻體會；而且，在如此鮮明的對比之

---

81 參考陳師滿銘：《章法學綜論》（臺北市：萬卷樓圖書公司，2003年6月），頁139。

82 王沛霖、傅正谷：「次句『昨夜夢魂中』，寫其怨恨之由。原來是昨夜作了一個夢。一個『中』字，說明夢裡有很多使人產生怨恨的情節。」見《唐宋詞鑑賞集成》（香港：中華書局香港分局，1987年7月），頁119。

83 王沛霖、傅正谷：「一覺醒來，方知是黃粱一夢，立刻想到現實的處境。兩兩相較，能不『困愁萬種，無語怨東風』嗎？詞章寫到這裡，亡國之痛已經溢於言表。然而語言含蓄，感情蘊藉，頗耐人尋味。」見《唐宋詞鑑賞集成》（香港：中華書局香港分局，1987年7月），頁120。

中，起始僅用短短的兩句「情語」，更能產生震撼人心的效果，極具對比之美。全篇的主結構雖然是「先略後詳」的移位結構，看似僅有簡單、秩序性的美感特色，但是在「詳」的部分，作者選取了令讀者印象深刻的材料（夢中故國的繁榮美好）來加以詳寫，在「先點後染」及「先人後天」的結構中，以「車水馬龍」、「花月春風」等形象具體而強烈地鋪陳出故國的美好，將現實中作者的「亡國之恨」和盤襯托出來，極具渲染的漸層之美，以及人事、天然交流的溫潤自由之美。

五　縱收法

「縱」是放開，「收」是拉回；表現在辭章上，「縱」就是在時、空、情、理等各方面縱離主軸，「收」就是將遠放的文勢完全兜攬包抄，拍回主軸。所以「縱收法」是將「縱離主軸」、「拍回主軸」的手段交錯為用的一種章法，也有人將之稱為「開合法」。[84]「縱」與「收」兩種對比性的材料被運用到篇章時，如果是以秩序性的方式呈現，那麼，所形成的結構便是「先縱後收」或「先收後縱」的移位結構。詩如王勃的〈山中〉，其原詩為：

長江悲已滯，萬里念將歸。況屬高風晚，山山黃葉飛。[85]

其結構分析表為：

---

84 見吳闓生：《古今詩範》（臺北市：臺灣中華書局，1971年9月，臺二版），頁202。

85 見清聖祖御纂：《全唐詩》（上海市：上海古籍出版社，1996年11月，初版14刷），頁167。

```
          ┌ 果（長江已滯）:「長江」句
┌ 收（急切思歸）┤
│         └ 因（急欲歸鄉）:「萬里」句
└ 縱（景象遼遠）:「況屬」二句[86]
```

本詩旨在寫急欲歸鄉之情，全篇以「先收後縱」的對比性移位結構寫成。開頭二句是「收」的部分，此二句又互為因果：因急欲歸鄉，所以眼前所望之長江似乎也悲滯不流，能與主旨「思鄉」緊密相扣；接著，三、四句是「縱」，作者先著一「況」字將空間推擴出去，而「高風」、「山山黃葉飛」等遼遠蒼涼的景象，與作者回鄉的意念是相悖離的，所以是「縱」。

這首詩形成的是「拍回－跳離」的章法現象，這種「拍回」、「跳離」，會在文章中「形成了美感情緒放與收之間的落差，於是便增強了文章的感染力」[87]，也就是說，放開、收束的交互作用，可以藉著因落差而產生的力量，來推深作品中的情意，以增強美感。本詩在結尾處的空間拋離，特別有一種不羈的姿態，在「由收到縱」的移位安排中，除了簡單的、秩序性的美感外，格外有一種迷人的情味。

詞如黃庭堅的〈清平樂〉（春歸何處），其原詞為：

> 春歸何處。寂寞無行路。若有人知春去處。喚取歸來同住。
>
> 　春無蹤跡誰知。除非問取黃鸝。百囀無人能解，因風飛過薔薇。[88]

---

86 參考仇小屏：《篇章結構類型論》（臺北市：萬卷樓圖書公司，2000年2月），下冊，頁538。

87 見張紅雨：《寫作美學》（高雄市：麗文文化事業公司，1996年10月），頁228。

88 見黃庭堅：《山谷琴趣外篇》，收於《叢書集成續編》（臺北市：新文豐出版公司，1984年），冊206，頁493。

其結構分析表為：

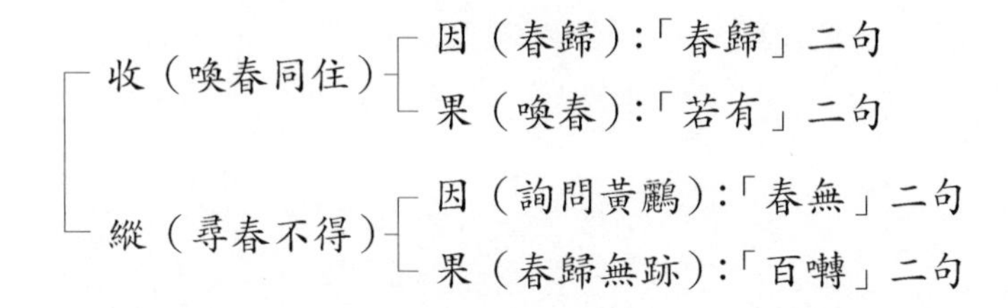

本闋詞的主旨在寫傷春、惜春之情，全篇以「先收後縱」的對比性移位結構寫成。開頭四句是「收」的部分，寫作者的惜春之情；其中「春歸」二句是「因」，寫春歸的事實；「若有」二句是「果」，寫追惜之情，希望能喚取春歸、與之同住。此時作者喚春同住的動作，與其傷春、惜春之情是一致的，「事」與「情」之間，彼此能緊密相合，所以是「收」。下片四句是「縱」，寫尋春不得的結果；其中「春無」二句是「因」，寫尋問黃鸝；而「百囀」二句寫它的結果，結果作者以「不答之答」的方式，藉初夏開花的薔薇暗示春歸已無踪跡。[89]全篇的結尾，以黃鸝的鳴聲隨著風兒飛過薔薇，飄向不可知的地方，將空間拋離至無涯之處，與作者的情意悖離，使作者尋春、惜春的情意無著力之所，而留下悠長不盡的情韻，因此是「縱」。

這闋詞形成的是「拍回－跳離」的章法現象，這種「拍回」、「跳離」，會在篇章中形成美感情緒收與放之間的落差，從而增強了文章的感染力，推深了作品中的情意，以增強對比的美感。本闋詞在結尾處的空間拋離，特別有一種不羈而多變的姿態，在「由收而縱」的移位安排中，除了簡單的、秩序性的美感外，又因次層雙疊的「因果」結構，便益增一種曲折微妙的況味。

---

89 本闋詞的結構分析表及說明文字，參考陳師滿銘：《詞林散步——唐宋詞結構分析》（臺北市：萬卷樓圖書公司，2000年1月），頁196-197。

第五章
章法變化律形成的轉位結構類型

如前章所述，章法所處理的是篇章中內容的邏輯關係，也就是結合句與句、節與節的內容材料結構，它是聯句成節、聯節成段、聯段成篇的一種組織。就章法所組織起來的內容而言，材料間如果呈現著調和的關係時，會產生調和的美感，如凡目法、本末法、淺深法、因果法、泛具法、平側法、點染法、偏全法、賓主法、情景法、論敘法、敲擊法等章法；當某些章法所組織起來的內容材料，如果彼此之間呈現著對比的關係時，會產生對比的美感，如立破法、抑揚法、縱收法、正反法、張弛法等章法。此外，還有一些章法所組織起來的內容材料，並非絕對會形成對比或調和的關係，而必須視個別篇章的情況來判定，是屬中性的章法，如圖底法、眾寡法、天人法、詳略法、今昔法、久暫法、遠近法、內外法、左右法、高低法、大小法、虛實法、問答法等。

就章法結構的形式來看，材料間如果以參差性的方式加以安排，會形成複雜而往復的「轉位結構」，如「凡、目、凡」、「目、凡、目」、「情、景、情」、「景、情、景」、「泛、具、泛」、「具、泛、具」、「因、果、因」、「果、因、果」、「點、染、點」、「染、點、染」、「正、反、正」、「反、正、反」、「今、昔、今」、「昔、今、昔」、「張、弛、張」、「弛、張、弛」、「詳、略、詳」、「略、詳、略」、「縱、收、縱」、「收、縱、收」等結構類型。

因此，在下列的兩節中，就分別針對實際篇章中，其內容材料間所呈現的調和或對比的關係來加以分類（由於中性章法必須視個別篇章的情況來判定，因此在下列篇章中，沒有中性章法的項目，實已分派於對比或調和章法之中），並舉古典詩詞為例說明，以彰顯出「轉位結構」在層次邏輯結構上，是以參差性的材料安排來凸顯主旨的特點，及其可以涵蓋調和性與對比性材料關係的普遍性質；並作美學上的詮釋，以分別見出調和「轉位結構」與對比「轉位結構」所呈現的不同的美感效果。

第一節　調和性結構類型

一　凡目法

「凡」是指「總括」，「目」是指「條分」，在敘述同類事、景、情、理時，運用了「總括」與「條分」來組織篇章的章法，就稱為「凡目法」。[1]「凡」與「目」兩種調和性的材料被運用到篇章時，如果是以參差性的方式呈現，那麼，所形成的結構便是「凡、目、凡」或「目、凡、目」的轉位結構。詩如朱熹的〈觀書有感〉，其原詩為：

> 半畝方塘一鑑開，天光雲影共徘徊。問渠那得清如許？為有源頭活水來。[2]

其結構分析表為：

1　本章關於章法定義的敘述，主要參見陳師滿銘：《章法學綜論》（臺北市：萬卷樓圖書公司，2003 年 6 月），頁 17-32；以及仇小屏：《篇章結構類型論》（臺北市：萬卷樓圖書公司，2000 年 2 月），上、下冊；同時亦見於本論文第二章第一節。

2　見朱熹：《朱文公文集》（臺北市：臺灣商務印書館，1980 年 10 月，臺一版），卷 2，頁 19。

```
┌ 凡（果：清澈）：「半畝」句
│
├ 目（清澈的情形）：「天光」句
│
│                    ┌ 問：「問渠」句
└ 凡（因：有活水）┤
                     └ 答：「為有」句
```

本詩旨在藉自然之景寫讀書窮理的重要，全篇以「凡、目、凡」的調和性轉位結構寫成。起句是「凡」，以池水的清澈比喻人的寸心領悟了書理而感到暢快的心情；次句是「目」，具體地描繪出池水清澈的情形，此時天光和雲影都倒映在方形的水塘中，緩慢地一起移動，格外美麗；三、四句則是第二個「凡」，以自問自答的結構來指明池水所以清澈的原因是由於有源頭活水的緣故，其實是在暗示：心靈所以明潔的原因是由於讀書能窮究聖賢之意的緣故。

這種「凡、目、凡」的章法結構，「凡」是總括，而「目」是「凡」的條分，兩種材料都是在表達作者「讀書有所領悟」的暢快心情，從而強調出讀書窮理的重要，因此，形成的是調和的材料關係，具調和之美；其中「凡」具有統括的力量，使全篇的注意力集中在「池水清澈（讀書悟理）」之上，因此有集中的美感，而「目」是寫「清澈」的具體狀態，其條分的項目是具體的，有具象的美感。至於其呈現出「凡、目、凡」的轉位結構，在材料的安排上表現出參差的、往復的夾寫形式，首尾的「凡」呈顯出對稱、均衡之美，中間的「目」則有凸出的美感。同時，局部的「先問後答」結構，也能造成全詩起伏的文勢，活潑地表現出作者讀書「悟理」的暢快心情。

詞如韋莊的〈菩薩蠻〉五首之四（勸君今夜須沉醉），其原詞為：

勸君今夜須沉醉，樽前莫話明朝事。珍重主人心，酒深情亦深。

須愁春漏短，莫訴金杯滿。遇酒且呵呵，人生能幾何。[3]

其結構分析表為：

```
┌ 目一（勸酒內容）:「勸君」二句
│                ┌ 因（主人情深）:「珍重」句
├ 凡（主人情深）┤
│                └ 果（接受勸酒）:「酒深」句
│                ┌ 小（今夜短）:「須愁」二句
└ 目二（勸酒理由）┤
                 └ 大（人生短）:「遇酒」二句[4]
```

這首詞是聯章五首中的第四首，主要在藉蜀主殷勤勸飲來寫作者感受到的蜀主情深。就章法結構而言，這首詞以「目、凡、目」的調和性轉位結構寫成，開頭二句是「目一」，寫蜀主對作者勸酒的內容，蜀主勸作者暫時沉醉，趁著美酒當前及時行樂，可以忘卻縈繞在作者心頭久久無法釋懷的「明朝事」（歸鄉）。第三、四句是「凡」的部分，作者直接拈出「主人」、「情深」的主旨；就作者本身的立場來說，國已滅、家已破既是事實，明朝之事是不可期、不可訴說的，在蜀主的厚情盛意之下，就以酒感謝他的深情招待吧！關於這兩句，俞平伯也曾指出其在章法上的重要地位，他說：

> 「珍重」二句，以風流蘊藉之筆調，寫沉鬱潦倒之心情，寧非絕妙好詞，豈有刪卻之必要哉。人之待我既如此其厚，即欲不強顏歡笑，亦不可得矣。上章未盡之意，俱於此章盡之，久留西川之

---

3 見趙崇祚輯，李一氓校：《花間集》（臺北市：源流出版社，1982 年 8 月），頁 33。

4 此結構分析表，參考陳師滿銘：《詞林散步——唐宋詞結構分析》（臺北市：萬卷樓圖書公司，2000 年 1 月），頁 41。

> 故，至此大明。總之，中原離亂，欲歸則事勢有所不能，西蜀遇我厚，欲歸則情理有所不許；所以說到這裏，方纔真正到水窮山盡地位，轉出結尾的本旨來。就章法言，又豈可刪哉。[5]

這段話清楚說明了此二句所以為本詞主腦地位的原因，也強調它在連繫其他四首的詞意上，有不可刪除的重要性。

至於「目二」的部分，包括「須愁春漏短」到末句「人生能幾何」四句，具寫蜀主勸酒的理由：一是因春宵苦短，當及時飲酒行樂，「春漏」指春宵，呼應第一句的「今夜」，「金杯」則呼應第二句的「樽前」，在章法上前後照應得十分緊密，更特別的是，這兩句有「須」、「莫」二字，與第一、二句一樣，接軌的痕跡非常明顯，葉嘉瑩就注意到這個特色，說：

> 四句之中竟有兩個「須」字，兩個「莫」字，口吻的重疊成為這首詞的特色所在，也是佳處所在。[6]

即指出此二字在一、二句及五、六句形成呼應，是本詞最大的特色所在。接下來的二句「遇酒且呵呵，人生能幾何」，則承接「春漏」加以擴大來寫，是寫蜀主勸飲的第二個理由：人生是短暫的，何必自尋煩惱呢？但值得注意的是，「呵呵」只是空洞的笑聲，沒有真正歡笑的感情，只有強顏歡笑的辛酸，「人生能幾何」，表面上看來，似乎是領悟了人生苦短、應及時行樂的道理，其實是故作曠達，正如俞平伯說的：

5　見俞平伯：〈讀詞偶得〉，附於《唐宋詞選釋》（臺北市：木鐸出版社，1981 年 5 月，再版），頁 27。

6　見葉嘉瑩：《唐宋名家詞賞析》（臺北市：大安出版社，1988 年 12 月），頁 79。

「有將『年少』、『白頭』……種種字樣一筆鈎卻氣象」[7]，其實是有著極沉痛的故國之思。

這種「目、凡、目」的章法結構，「凡」是總括，而「目」是「凡」的條分，兩種材料都是在表達作者「珍重蜀主」的心情，因此，形成的是調和的材料關係，具調和之美；其中「凡」具有統括的力量，使全篇的注意力集中在「珍重主人心」之上，因此有集中的美感，而「目一」與「目二」都是寫「主人勸酒」的具體內容及理由，其條分的項目是並列的，因而有整齊的美感。至於其呈現出「目、凡、目」的轉位結構，在材料的安排上表現出參差的、往復的夾寫形式，首尾的「目」呈顯出對稱、均衡之美，中間的「凡」則有凸出的美感。同時，局部的「先因後果」、「先小後大」結構，也能使全詩前後呼應，在虛（凡）、實（目）結合之中，曲折而含蓄地表現出作者「珍重主人心」的感激心情及隱於篇外的故國之思。[8]

二　情景法

「情景法」是一種借重具體的景物，來襯托抽象的情意，以增加詩文情味力量的章法。「情」與「景」兩種調和性的材料被運用到篇章時，如果是以參差性的方式呈現，那麼，所形成的結構便是「情、景、情」或「景、情、景」的轉位結構。詩如李白的〈送友人〉，其原詩為：

> 青山橫北郭，白水遶東城。此地一為別，孤蓬萬里征。浮雲遊子

7 見俞平伯：〈讀詞偶得〉，附於《唐宋詞選釋》（臺北市：木鐸出版社，1981 年 5 月，再版），頁 27。

8 關於本闋詞的說明文字，詳參抽著：〈韋莊《菩薩蠻》聯章五首篇章結構探析〉，《中國學術年刊》第 26 期（2004 年 9 月），頁 166-168。

意，落日故人情。揮手自茲去，蕭蕭班馬鳴。[9]

其結構分析表為：

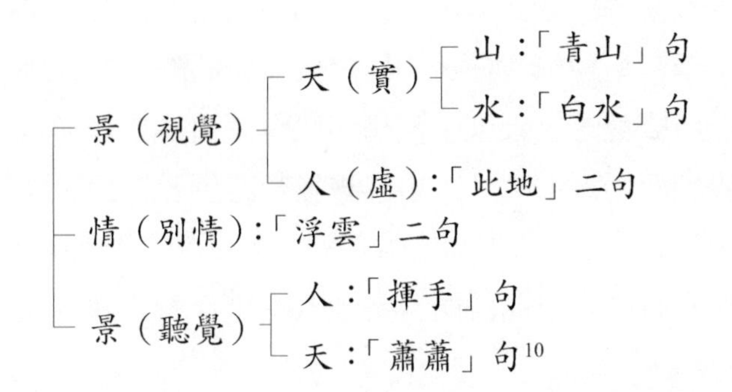

本首詩的主旨在寫送朋友遠行的離情愁緒，全篇以「景、情、景」的調和性轉位結構寫成。首聯以眼前所見之自然實「景」點出送別的地點：有橫亙北郭的青山及繞過東城的白水；而接著的頷聯，則是別後的設想（虛）：我們兩人從此就會像蓬草般地飄零萬里。由以上四句眼前所見之景及心中所想之事，導引出頸聯的「情」意：遊子（友人）的行跡像浮雲般難有定所，而我送別你的依依不捨就像落日不願離開山頭一樣；此處明確地點出本詩的主旨——送別友人的離情愁緒。末聯則又以景作結，作者預想這場離別會在兩人揮手道別及蕭蕭的馬鳴聲中結束，將自己滿腔的離愁別情藉由具體的揮手動作及悲哀的聽覺傳達而出。

這種「景、情、景」的章法結構，「景」屬於客觀的材料，「情」

9　見楊齊賢注，蕭士贇補，郭雲鵬編：《李太白全集》（臺北市：世界書局，1997 年 5 月，二版 1 刷），頁 907。

10　參考江錦珏：《詩詞義旨透視鏡》（臺北市：萬卷樓圖書公司，2001 年 9 月），頁 272。

則是主觀的材料，主、客兩種材料之間必須是相適應、相調和的關係，本篇作者選擇了與主體情感（別情）相接近的客體（即別地之景、友人馬騎的悲鳴），並對客體景物賦予意義，因此，「景」與「情」之間不僅形成了調和之美，也呈現了具象美及抽象美。至於其呈現出「景、情、景」的轉位結構，在材料的安排上表現出參差的、往復的夾寫形式，首尾的「景」呈顯出對稱、均衡之美，中間的「情」則有凸出的美感。同時，次層雙疊的「天人」結構，使全詩自然之景與人事之景產生交流，自然界因而增添情味，人事界也獲得開展，從而呈顯出溫潤自由的美感。而全篇有「實」（眼前之景）有「虛」（預想別後之景），在虛實景致的往復交融中，更曲折而含蓄地表現出作者「送別友人」的不捨心情及滿懷愁緒。

詞如李清照的〈行香子〉（草際鳴蛩），其原詞為：

> 草際鳴蛩，驚落梧桐，正人間天上愁濃。雲階月地，關鎖千重，縱浮槎來，浮槎去，不相逢。　　星橋鵲駕，經年纔見，想離情別恨難窮。牽牛織女，莫是離中。甚霎兒晴，霎兒雨，霎兒風。[11]

其結構分析表為：

- 景一（實：人間七夕）:「草際」二句
- 情（愁濃）:「正人間」句
- 景二（虛：天上七夕）:「雲階」十三句

本篇是作者藉牛郎織女的神話，來寫自己對丈夫的思念之情。即徐北文

11 見王學初：《李清照集校註》（臺北市：里仁書局，1982 年 5 月），頁 40-41。

主編的《李清照全集評注》所說的：

> 作者以牛郎織女的神話故事為喻，表現自己對離家遠行的丈夫的深情懷念。[12]

黃師麗貞也指出：

> 這詞以牛郎織女的相會為主題，是我國二千多年來盛傳不衰的故事，……李清照用這個尋常的題目，寄託她對離家暫別的丈夫的思念之情。[13]

從章法結構來看，全篇是以「景、情、景」的調和性轉位結構寫成。開頭二句以寒蛩哀鳴、梧葉凋落的淒清之景，實寫「人間」七夕的夜晚；接著以「正人間」句，寫她因「七夕」神話而勾起的別恨離愁，這份濃愁，是與天上的織女一樣的愁。「雲階」以後的十三句，則以極大的篇幅來寫牛郎織女的神話：七夕是牛、女相會之日，卻同時也是離別之日，因此，此時的天氣才會一會兒晴，一會兒雨，一會兒又刮風。[14]這時的畫面全在天上，是作者望著銀河、透過「幻想」而構建出的「幻想空間」，其實，她的目的還是在寫她自己的思念之情，王延梯說：

> 正面描寫的雖是牽牛織女的離愁別恨，但用「正人間天上愁濃」

---

12 徐北文主編：《李清照全集評注》（濟南市：濟南出版社，1992 年，初版 3 刷），頁 35。

13 見黃師麗貞：《詞壇偉傑李清照》（臺北市：國家出版社，1996 年 11 月），頁 84-85。

14 王思宇：「用天氣的陰晴變化，隱喻人的悲喜交集，由喜而悲；而風起雲飛，雙星隱沒，又自然使人想到牽牛、織女的含恨別去。」見唐圭璋主編：《唐宋詞鑑賞集成》（中）（臺北市：五南圖書出版公司，1991 年 6 月），頁 1403。

> 一句，就把作者和牽牛織女的處境聯繫在一起，使我們感到，這離愁別恨，是牽牛織女的，更是作者自己的。[15]

是很有道理的。劉瑜也說：「全詞寫的是牛郎織女在七夕相會，離愁別恨的難以窮盡。作者於詞中著『人間』一詞，便把自己的離情別緒，與牛郎織女的離愁別恨密切聯繫起來」[16]，牽牛、織女可說是人間別離男女的化身，清照對他們不幸遭遇的嘆恨，正是對自己離愁別緒的嘆恨，她長期無法見到丈夫[17]，比之牛郎織女一年還能見一次面，自然是更加悲愁的。

這種「景、情、景」的章法結構，「景」屬於客觀的材料，「情」則是主觀的材料，主、客兩種材料之間必須是相適應、相調和的關係，本篇作者選擇了與主體情感（相思）相接近的客體（即人間七夕之實景、天上七夕之虛景），並對客體景物賦予意義，因此，「景」與「情」之間不僅形成了調和之美，也呈現了具象美及抽象美的和諧統一美。至於其呈現出「景、情、景」的轉位結構，在材料的安排上表現出參差的、往復的夾寫形式，首尾的「景」呈顯出對稱、均衡之美，中間的「情」則有凸出的美感。而全篇有「實」（人間七夕之景）有「虛」（天上七夕之景），在虛實景致的往復交融中，在「現實空間」與「幻想空間」的交流轉換之中，將現實與神話結合起來，於含蓄的寄託中婉轉曲

---

15 見王延梯：《漱玉集注》（濟南市：山東文藝出版社，1984 年 1 月），頁 33。

16 見劉瑜：《莫道不銷魂——李清照作品賞析》（臺北市：德威國際文化公司，2002 年 8 月），頁 139。

17 陳祖美以為此首作於崇寧三、四年間（1104-1105A.D.），是新婚離別之作。她說：「此詞應作如是解——就像那隨著秋風中蟋蟀的鳴聲紛紛飄落的桐葉，朝廷的風吹草動也殃及到了無辜者，由於黨爭的株連，把一對恩愛夫妻變成了長年分離的人間牛郎織女，彼此間阻隔重重，難以相逢。」可以參考。見《李清照評傳》（南京市：南京大學出版社，2002 年 5 月，初版 3 刷），頁 58-59。

折地傳達了作者的相思情意。同時，以奇麗而富變化的神話世界展現，能給予讀者十分新穎的審美感受，是很高明的空間設計藝術。

三　泛具法

泛具法是指將泛泛的敘寫和具體的敘寫結合在同一篇章中的一種章法。包括「事」與「情」、「景」與「理」兩種類型。「泛」與「具」兩種調和性的材料被運用到篇章時，如果是以參差性的方式呈現，那麼，所形成的結構便是「泛、具、泛」或「具、泛、具」的轉位結構。詩如宋子侯的〈董嬌饒〉，其原詩為：

> 洛陽城東路，桃李生路傍。花花自相對，葉葉自相當。春風東北起，花葉正低昂。不知誰家子，提籠行採桑。纖手折其枝，花落何飄颻，「請謝彼姝子，何為見損傷？」「高秋八九月，白露變為霜，終年會飄墮，安得久馨香。」「秋時自零落，春月復芬芳，何時盛年去，歡愛永相忘。」吾欲竟此曲，此曲愁人腸，歸來酌美酒，挾瑟上高堂。[18]

其結構分析表為：

- 具（女：折枝花落）
  - 點（桃李花美）：「洛陽」六句
  - 染（女子折枝）：「不知」四句
- 泛（情：零落之愁）
  - 實（秋日零落）：「請謝」六句
  - 虛（色衰愛弛）
    - 反（花會重開）：「秋時」二句
    - 正（色衰愛弛）：「何時」二句
- 具（作者：及時行樂）：「吾欲」四句

---

18 見郭茂倩：《樂府詩集》（臺北市：里仁書局，1980 年 12 月），頁 1034。

本詩旨在以桃李喻女子的紅顏，言盛年易逝之愁，並從而感悟應及時行樂。全篇以「具、泛、具」的調和性轉位結構寫成，開頭十句是第一個「具」的部分，具體寫出女子折花的動作：「洛陽」六句是「點」，點明桃李花生長的地點及其生得極美；「不知」四句是「染」，敘述採桑女折花、使花飄落的事件。接著，「請謝」以下十句是「情」的部分，藉由女子與花的對話、駁難，呈現出本詩的主旨：「請謝」六句，是就「花」的實質面來說，言花花相對、長得極美的桃花，終究也會在白露為霜的秋日枯黃飄落、無法維持永遠的馨香；「秋時」四句，則以花喻人（虛），先以落花喻女子的盛年終究會逝去（反），而後再翻騰文勢，言人不如花，因花落還有花開之時，但人的青春卻一去不復返、終將色衰而愛弛，以逼出「盛年易逝且一去不返之愁」的主旨（正）。末尾四句，為第二個「具」，是作者飲酒彈瑟、及時行樂的具體動作，由此暗示出作者對人生苦短的感悟。

這種「具、泛、具」的章法結構，女子折花的動作（「具一」）及作者飲酒彈瑟的動作（「具二」）都是屬於眼前的、具體的材料，「情」的部分則是設想的、泛說的、抽象的材料，在作者「盛年易逝之愁」情意的綰合下，「事」與「情」之間不僅形成了調和之美，也呈現了具象美及抽象美。至於其呈現出「具、泛、具」的轉位結構，在材料的安排上表現出參差的、往復的夾寫形式，首尾的「具」呈顯出對稱、均衡之美，中間的「泛」（情）則有凸出的美感。而全篇有「實」（花的秋日飄零）有「虛」（以花落喻女子盛年之易逝），在虛、實的往復交融中，含蓄婉轉地傳達了作者對人生苦短、一去不回的感嘆。

詞如柳永的〈鳳棲梧〉（佇倚危樓風細細），其原詞為：

> 佇倚危樓風細細。望極春愁，黯黯生天際。草色煙光殘照裡，無言誰會凭闌意。　擬把疏狂圖一醉。對酒當歌，強樂還無味。

衣帶漸寬終不悔。為伊消得人憔悴。[19]

其結構分析表為：

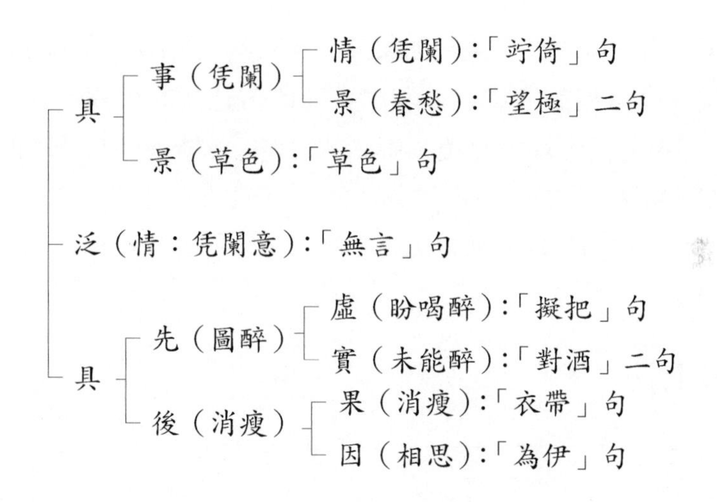

這闋詞的主旨在寫相思之苦，全篇以「具、泛、具」的調和性轉位結構寫成。開頭四句是「具一」的部分，其中「竚倚」三句是「事」，寫作者倚樓望遠的動作，但極目所見，都是惹人愁緒的連天春草（「春愁」暗指春草）；「草色」句則明白點出眼前的景致是夕陽映照著一片春草。接著「無言」句是「情」的部分，說出了自己孤獨、痴情地倚樓，卻無人了解的傷感。下片是「具二」的部分，具體寫出自己因滿懷愁緒而表現出的外在作為：「先」是試圖喝醉高歌以求消愁，但尋歡作樂的結果卻適得其反，其「後」自己竟是為伊人日漸消瘦、憔悴；即使如此，作者在最終仍表達自己「不悔」的堅持，令人動容。

---

19 見柳永：《樂章集》，收於《叢書集成續編》（臺北市：新文豐出版公司，1984 年），冊 206，頁 332。

這種「具、泛、具」的章法結構，作者倚樓望遠的動作、倚樓所見的草色景致（「具一」）及作者飲酒的動作、消瘦的狀態（「具二」）都是屬於眼前的、具體的材料，「情」的部分則是泛說的、抽象的材料，在作者「相思」情意的綰合下，「事」、「景」與「情」之間不僅形成了調和之美，也呈現了具象美及抽象美。至於其呈現出「具、泛、具」的轉位結構，在材料的安排上表現出參差的、往復的夾寫形式，首尾的「具」呈顯出對稱、均衡之美，中間的「泛」（情）則有凸出的美感。而全篇有「實」(「事」、「景」)有「虛」(「情」)，也有雙疊的「因果」結構，在虛、實的往復交融及因果的順推中，含蓄婉轉地傳達了作者的相思之苦。

四　因果法

「因」是原因；「果」是結果，所謂「因果法」是由「因」與「果」所組合而成的一種章法。換言之，將「因為……所以……」這種順推的邏輯思維方式，其應用範圍擴大至篇章時，就形成所謂的「因果法」。此外，由「所以」至「原因」的情形也有，是屬於「逆推」的邏輯思維方式；甚至，「因為」與「所以」多次交互出現的情況也屢見不鮮。「因」與「果」兩種調和性的材料被運用到篇章時，如果是以參差性的方式呈現，那麼，所形成的結構便是「因、果、因」或「果、因、果」的轉位結構。詩如白居易的〈賣炭翁〉，其原詩為：

> 賣炭翁，伐薪燒炭南山中。滿面塵灰煙火色，兩鬢蒼蒼十指黑。賣炭得錢何所營？身上衣裳口中食。可憐身上衣正單，心憂炭賤願天寒。夜來城外一尺雪，曉駕炭車輾冰轍。牛困人飢日已高，市南門外泥中歇。翩翩兩騎來是誰？黃衣使者白衫兒。手把文書口稱敕，迴車叱牛牽向北。一車炭，千餘斤。宮使驅將惜不得。

半匹紅紗一丈綾，繫向牛頭充炭直！[20]

其結構分析表為：

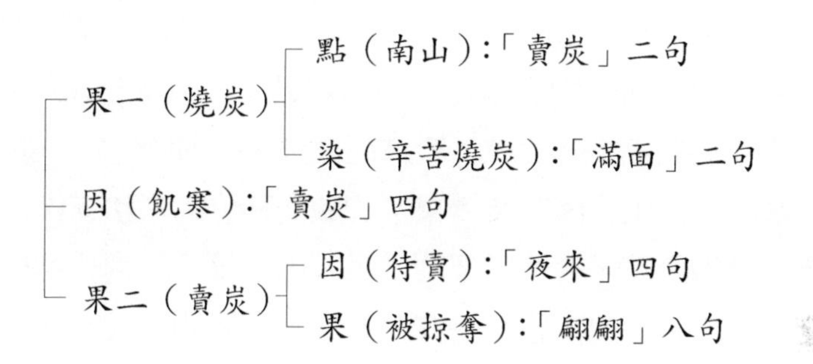

本詩旨在藉「賣炭翁」的遭遇，控訴官市[21]巧取掠奪的罪行。全篇以「果、因、果」的調和性轉位結構寫成，開頭四句是「果一」的部分，寫老人燒炭的辛苦及炭得來的不易：先「點」出燒炭的地點在「南山」；而後是「染」，寫老人燒炭的辛苦經過，由伐薪而燒炭，由滿面塵灰而十指黑。其次，「賣炭」四句是「因」的部分，指出辛苦燒炭來賣的原因是要得錢以餬口、買衣以禦寒，只是為了要滿足最基本的生活需求。「夜來」四句則是第二個「果」的部分，寫老人「賣炭」的經過：此處又形成「先因後果」的結構，「因」是「夜來」四句，寫老翁在雪中駕炭車，老遠地趕到市南門外，又飢又累、暫時休息；結「果」，宮中的黃衣使者只以「半匹紅紗一丈綾」的代價，就把滿車的炭換走了，使得老翁滿心的希望完全破滅。作者在敘事中自然而有力地「控訴」[22]了當

---

20 見白居易：《白氏長慶集》（臺北市：藝文印書館，1971 年 2 月），頁 97-98。

21 治芳、楚葵：「官市是唐朝宮廷掠奪人民財物的一種方式。原本宮中的日常用品，由官府承辦購置，唐德宗貞元末年，改由太監直接向民間採買，實際上就是巧取豪奪，這是當時的一大弊政。本詩所寫就是百姓強遭掠奪的一個鏡頭。」見《歷代敘事詩選譯》（南京市：江蘇教育出版社，1984 年 10 月），頁 111。

22 王曉昀：「全詩通篇敘事，沒有發表議論，而作者的批判態度在敘事中自然而然地流

時官市巧取掠奪的罪行。

這種「果、因、果」的章法結構，「果」與「因」之間形成了調和性的關係，都在表現「控訴官市」的激憤心情，呈現出調和的美感。同時，詩的前半是由「果」溯「因」的逆向移位的章法安排，因為違反了正常的推展規律，所以別有變化的新奇之感；而且先出現「果」，最後才交待「因」，如謎底揭曉般，能挑起讀者的「期待慾」，極具含蓄之美。詩的後半則是由「因」及「果」的順向移位的章法安排，展現了順推的美感。合觀全詩，其所呈現的「果、因、果」的轉位結構，在材料的安排上表現出參差的、往復的夾寫形式，首尾的「果」呈顯出對稱、均衡之美，中間的「因」則有凸出的美感。而次層的「點染」及「因果」結構，在立體層次的美感及因果的順推美中，更含蓄婉轉地表現了作者對賣炭老翁的同情及對官市的不滿之情。

詞如辛棄疾的〈水龍吟〉（楚天千里清秋），其原詞為：

> 楚天千里清秋，水隨天去秋無際。遙岑遠目，獻愁供恨，玉簪螺髻。落日樓頭，斷鴻聲裡，江南遊子。把吳鉤看了，欄干拍徧，無人會，登臨意。　　休說鱸魚堪鱠，儘西風季鷹歸未？求田問舍，怕應羞見，劉郎才氣。可惜流年，憂愁風雨，樹猶如此！倩何人喚取，紅巾翠袖，揾英雄淚？[23]

其結構分析表為：

露出來，含蓄而有力量，實際上作了最沉痛的控訴。」見馬美信、賀聖遂主編：《中國古代詩歌欣賞辭典》（上海市：漢語大詞典出版社，2000 年 5 月，初版 4 刷），頁 308。

23 見鄧廣銘：《稼軒詞編年箋注》（上海市：上海古籍出版社，1995 年 5 月，初版 2 刷），頁 34。

```
┌ 果一（登臨所見愁景）┬ 天（愁景）：「楚天」五句
│                    └ 人（無奈的舉動）：「落日」五句
├ 因（愁緒：請纓無路）┬ 主（請纓無路）：「無人」二句
│                    └ 賓（困窘之境）：「休說」八句
└ 果二（願望：請纓）：「倩何」三句
```

這闋詞當作於南宋孝宗淳熙元年（1174），題作「登建康賞心亭」，主旨在寫「請纓無路」的愁緒。全篇以「果、因、果」的調和性轉位結構寫成，開頭十句是「果一」的部分，寫自已請纓無路的結果：先以「楚天」五句寫登亭所見的自然景物（「天」），依序有楚天、秋水、螺髻般的山，而且景中寓有作者的愁情；「落日」以下五句則以落日與斷鴻為媒介帶出自己，將自己流落江南的遊子形象，以久看吳鈎、拍遍闌干的無奈動作具體呈現出來（「人」）。「無人會」十一句是「因」的部分，又形成「先賓後主」的結構，其中「無人會」二句，正面寫作者（主）「請纓無路」的痛苦，為主旨所在；「休說」九句是「賓」，分別藉了張翰、許汜與桓溫的故事，依次寫自己有家歸不得、求田不成與時不我與的困窘，從旁映襯出請纓無路的痛苦，將作者無奈的情緒更推深一層。末尾「倩何人」三句，是「果二」的部分，寫作者請纓的強烈願望。

這種「果、因、果」的章法結構，「果」與「因」之間形成了調和性的關係，都在表現「請纓無路」的無奈心情，呈現出調和的美感。同時，詞的前半是由「果」溯「因」的逆向移位的章法安排，因為違反了正常的推展規律，所以別有變化的新奇之感；而且先出現「果」，最後才交待「因」，如謎底揭曉般，能挑起讀者的「期待慾」，極具含蓄之美。詞的後半則是由「因」及「果」的順向移位的章法安排，展現了順推的美感。合觀全詞，其所呈現的「果、因、果」的轉位結構，在材料的安排上表現出參差的、往復的夾寫形式，首尾的「果」呈顯出對稱、均衡之美，中間的「因」則有凸出的美感。而次層的「天人」及「主賓」結構，在立體層次的交流美感及映襯之美中，更婉轉而流暢地表現了作者請纓無路的無奈及渴望出仕之情。

五　點染法

所謂「點」，是指時間或空間的落足點，僅用做敘事、寫景、抒情或說理的一個引子、橋樑或收尾；而「染」則是根據此時間或空間的落足點所作的鋪敘或渲染，為文章之主體所在。也就是說，「點」只是一個切入或固定點，而「染」則是各種內容本身。因此，「點染法」是針對同一事物，點明其時空落足點，並加以鋪敘的一種章法。「點」與「染」兩種調和性的材料被運用到篇章時，如果是以參差性的方式呈現，那麼，所形成的結構便是「點、染、點」或「染、點、染」的轉位結構。詩如杜審言的〈和晉陵陸丞早春遊望〉，其原詩為：

> 獨有宦遊人，偏驚物候新。雲霞出海曙，梅柳渡江春。淑氣催黃鳥，晴光轉綠蘋。忽聞歌古調，歸思欲霑巾。[24]

其結構分析表為：

```
┌染（因：驚物候新）:「獨有」二句
│                   ┌空間（物：雲霞、梅柳）:「雲霞」二句
├點（空間、時間）┤
│                   └時間（候：淑氣、晴光）:「淑氣」二句
└染（果：極欲歸鄉）:「忽聞」二句
```

---

24 見清聖祖御纂：《全唐詩》（上海市：上海古籍出版社，1996 年 11 月，初版 14 刷），頁 177。

這首詩的主旨是寫「歸思」之情，全篇以「染、點、染」的調和性轉位結構寫成。開頭「獨有」二句是第一個「染」的部分，寫作者宦遊在外，特別會因眼前所見所聞而觸生情思的心理狀態。「雲霞」四句則是「點」的部分，點出作者「遊望」的空間及時間：空間是雲霞出海、梅柳渡江等美景，時間則是淑氣迎春、晴光新物等初春清晨之時；這些「物候新」的時、空材料，特別容易引起作者心理的變化（驚），使作者因眼前所見所聞而導致的情緒改變，有了明確的落足點，所以是「點」。末尾「忽聞」二句是第二個「染」的部分，寫作者因「驚」眼前的「物候」（空間及時間）的改變，且讀了陸丞詩後（交待題目的「和」），而湧生的亟欲「歸鄉」的心情，以點明主旨作收。[25]

這種「染、點、染」的章法結構，「點」與「染」所指涉的均為同一類的情感（思歸），因此，彼此間形成了調和的關係，具調和之美。且此篇作者在時空中選取最能抒發旨趣的「時間」（眼前的初春清晨）與「地點」（眼前雲霞、梅柳的新景）作為切入之「點」，再加以渲染、擴大（分別寫出作者因物候新而觸生的歸思），在敘述過程中，因「染、點、染」的轉位安排，「點」的部分（「時間、空間」）在篇腹向篇首及篇末作輻射式的擴大，在篇章的前半「先染後點」的結構，產生收束情意的效果；在篇章的後半「先點後染」的結構，造成了擴大、奔放的美感效果。又在作者「思歸」情意的綰合下，除了轉位結構所造成的繁複美之外，還在收納了室外的多樣景物的同時，呈顯出立體空間變化中的和諧統一之美。合觀全詞，其所呈現的「染、點、染」的轉位結

---

25 倪其心：「『古調』是尊重陸丞原唱的用語。詩人用『忽聞』以示意外語氣，巧妙地表現出陸丞的詩在無意中觸到詩人心中思鄉之痛，因而感傷流。反過來看，正因為詩人本來思鄉情切，所以一經觸發，便傷心流淚，既點明心思，又點出和意，結構謹嚴縝密。」見《唐詩大觀》（香港：商務印書館香港分館，1986 年 1 月，香港初版 2 刷），頁 16。

構，在材料的安排上表現出參差的、往復的夾寫形式，首尾的「染」呈顯出對稱、均衡之美，中間的「點」則有凸出的美感。

詞如賀鑄的〈石州引〉（薄雨收寒），其原詞為：

> 薄雨收寒，斜照弄晴，春意空闊。長亭柳蓓纔黃，倚馬何人先折？煙橫水漫，映帶幾點歸鴻，平沙銷盡龍荒雪。猶記出關來，恰如今時節。　　將發。畫樓芳酒，紅淚清歌，便成輕別。回首經年，杳杳音塵都絕。欲知方寸，共有幾許新愁，芭蕉不展丁香結。憔悴一天涯，兩厭厭風月。[26]

其結構分析表為：

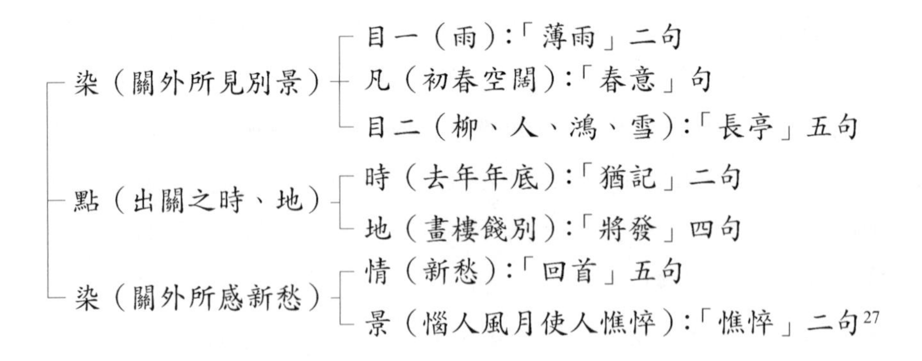

這闋詞的主旨是寫「別情」，全篇以「染、點、染」的調和性轉位結構寫成。開頭「薄雨」八句是第一個「染」的部分，具體寫出作者在關外

---

26 見賀鑄：《東山詞》，收於《叢書集成續編》（臺北市：新文豐出版公司，1984 年），冊 206，頁 613。

27 此結構分析表，參考陳師滿銘：《章法學綜論》（臺北市：萬卷樓圖書公司，2003 年 6 月），頁 406。

的所見：雨霽、柳黃、鴻歸、雪銷等自然景色與折柳贈別的人事景致，都是為了襯托別情而設。「猶記」六句是「點」的部分，點出自己出關的時間是在去年年底，餞別地點是在有美女[28]清歌的「畫樓」，如此呼應前後的「染」（出關的實見實感），使自己在關外的所見所感，有了明確的時空落腳點。「回首」七句是第二個「染」，寫出作者在關外的所感：先以丁香、芭蕉為喻，以拈出「新愁」；再以景結情[29]，暗示自己因別後兩地相思而致憔悴的愁情。

這種「染、點、染」的章法結構，「點」與「染」所指涉的均為同一類的情感（別情），因此，彼此間形成了調和的關係，具調和之美。且此篇作者在時空中選取最能抒發旨趣的「時間」（去年年底的別時）與「地點」（與美人以酒話別的畫樓）作為切入之「點」，再加以渲染、擴大（分別寫出作者關外所見之雨霽、柳黃、鴻歸、雪銷，以及所感之別情），在敘述過程中，因「染、點、染」的轉位安排，「點」的部分（「時間、空間」）在篇腹向篇首及篇末作輻射式的擴大，在篇章的前半「先染後點」的結構，產生收束情意的效果；在篇章的後半「先點後染」的結構，造成了擴大、奔放的美感效果。又在作者「相思」情意的綰合下，除了轉位結構所造成的繁複美之外，還在收納了室外及室內的多樣景物的同時，呈顯出律動變化中的和諧統一之美；甚至，隨著時間的推移，空間的變化也顯得多彩多姿，饒具立體美、流動美及變化美。合觀全詞，其所呈現的「染、點、染」的轉位結構，在材料的安排上表現出參差的、往復的夾寫形式，首尾的「染」呈顯出對稱、均衡之美，

---

28 吳曾：「方回眷一姝，別久，姝寄詩云：『獨倚危欄淚滿襟，小園春色懶追尋。深恩縱似丁香結，難展芭蕉一片心。』賀因賦此詞，先敘分別景色，後用所寄詩成〈石州引〉云。」見《能改齋詞話》，《詞話叢編》一（臺北市：新文豐出版公司，1988 年 2 月，臺一版），頁 139。

29 唐圭璋：「『憔悴』兩句，以景收，寫出兩地相思，視前更進一層。」見《唐宋詞簡釋》（臺北市：木鐸出版社，1982 年 3 月），頁 119。

中間的「點」則有凸出的美感。而次層的「目、凡、目」及「情景」結構，在「虛」的情意及「實」的景物交流之美中，更婉轉而含蓄地表現了作者「相思」的無奈及痛苦之情。

第二節　對比性結構類型

一　正反法

將極度不同的兩種材料並列起來，作成強烈的對比，藉反面的材料襯托出正面的意思，以增強主旨的說服力與感染力，便是「正反法」。其中，「正」是指合於主旨的材料，而「反」是指從對面托出主旨的材料。「正」與「反」兩種對比性的材料被運用到篇章時，如果是以參差性的方式呈現，那麼，所形成的結構便是「正、反、正」或「反、正、反」的轉位結構。詩如《詩經》〈周南〉的〈關雎〉，其原詩為：

> 關關雎鳩，在河之洲；窈窕淑女，君子好逑。參差荇菜，左右流之；窈窕淑女，寤寐求之。求之不得，寤寐思服，悠哉悠哉，輾轉反側。參差荇菜，左右采之；窈窕淑女，琴瑟友之。參差荇菜，左右芼之，窈窕淑女，鍾鼓樂之。[30]

其結構分析表為：

30 見毛亨傳，鄭玄箋，孔穎達疏：《毛詩正義》（臺北市：藝文印書館，1989 年 1 月，十一版），頁 20-22。

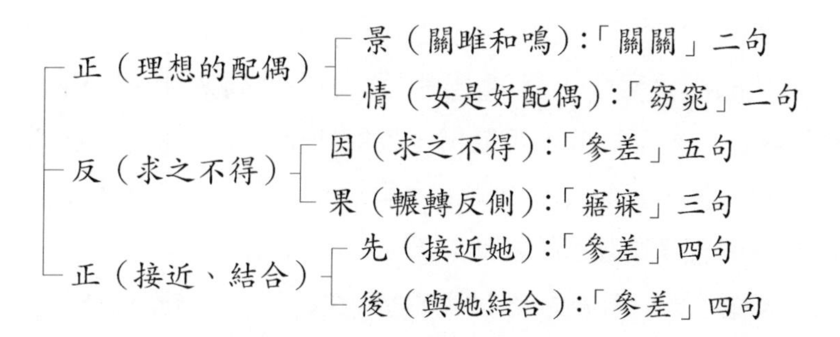

本詩的主旨在寫男追女以致結合的曲折過程及其心境，全篇以「正、反、正」的對比性轉位結構寫成。開頭四句是第一個「正」的部分，寫男方對女子的愛慕之意及欲與其匹配的心願；先以「關關雎鳩」二句（景）起興，以雎鳩鳥相和的鳴聲暗示女子是自己的理想對象，而後以「窈窕淑女」二句（情）明確說出自己思慕的心情。接著，「參差荇菜」八句，是「反」的部分，寫男子追求淑女不可得的苦悶；此處又形成「先因後果」的結構，因為求女子不得，於是夜裏輾轉難眠，連夢裏都在想著那名女孩，詩中更以「悠」的重覆來加強寫其相思之苦及內心不安的心情。最後，「參差荇菜」以至結尾八句，則是第二個「正」的部分，寫男子終於追求成功的喜悅心境；男子「先」是投其所好、以琴瑟接近她，藉音樂來增進彼此的感情，而「後」是感情成熟了、到了可以結婚的地步，男子遂敲鑼打鼓地將女子娶回家。

這種「正、反、正」的對比性結構，「反」與「正」兩種材料間形成了對比的關係，具對比之美，對比因為具有極大的差異性，因而給人鮮明、醒目、活躍、振奮的強烈感受；而且有「相對立的形態」出現在篇章中，反而能使主體（正）的特點更突出、姿態更優美，也因此使得男子追求女子、急欲與之匹配的熱切心情，以至終於得以與之結合的喜悅心境更具感染力量。至於其呈現出「正、反、正」的轉位結構，在材料的安排上表現出參差的、往復的夾寫形式，首尾的「正」呈顯出對稱、均衡之美，中間的「反」則有凸出的美感，使得男子追求女子過程中迭宕起伏的心境變化，呈顯出迴環動人的藝術效果。同時，局部的「先因後果」、「先景後情」等結構，也能使全詩前後呼應，在虛、實結合之中，曲折而淋漓地表現出男子由思慕而追求、由追求不得而苦悶，再由努力不懈而終致成功的複雜心情。

詞如辛棄疾的〈瑞鷓鴣〉（膠膠擾擾幾時休），其原詞為：

> 膠膠擾擾幾時休？一出山來不自由。秋水觀中山月夜，停雲堂下菊花秋。　　隨緣道理應須會，過分功名莫強求。先自一身愁不了，那堪愁上更添愁。[31]

其結構分析表為：

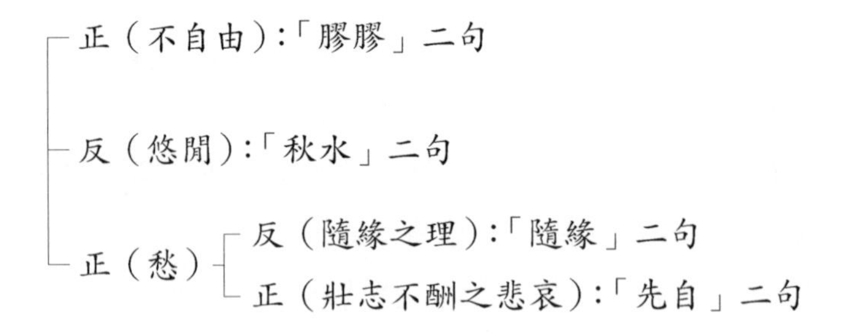

本闋詞當是作者六十四歲起知紹興府，兼浙東安撫司後所作，[32]其主旨在寫對二度出山的悔恨與壯志未酬的悲哀。全詞以「正、反、正」的對

---

31 見鄧廣銘：《稼軒詞編年箋注》（上海市：上海古籍出版社，1995 年 5 月，初版 2 刷），頁 552。

32 此時辛棄疾本欲北伐，惜身邊無可用之兵及足夠之糧，北伐之志遂難以實現，因此辛氏後悔接此職務。參見陳師滿銘：《蘇辛詞論稿》（臺北市：文津出版社，2003 年 8 月），頁 90、281。

比性轉位結構寫成，開頭二句是第一個「正」，寫出作者此時（出山）官場生涯的苦悶心情：其中所說的「山」是指鉛山，第一次出鉛山、知紹興府之後，卻因無法實現收復中原的志向而感到「不自由」。接著，「秋水」二句是「反」的部分，「秋水觀」和「停雲堂」是稼軒在鉛山別墅裡的二所居第，作者回憶起從前隱居生活的悠閒自在，與今日的不自由，形成強烈的對比，因此是「反」。下片則又拉回到現在，是第二個「正」的部分，回應開頭二句，明白說出自己對二度出山的悔恨與壯志不能酬的哀愁，劉坎龍說：

> 這是一首抒懷詞，表達詞人對隱居閑適生活的嚮往。詞人的志向是收復中原，統一祖國，但朝廷卻苟且偷安，所以辛棄疾被起用為紹興知府後，無法實現理想，便產生一種厭倦之情。這首詞正是這種心理的反映。[33]

甚能道出稼軒此時的心境及壯志未酬的原因。

這種「正、反、正」的對比性結構，「反」與「正」兩種材料間形成了對比的關係，具對比之美，對比因為具有極大的差異性，因而給人鮮明、醒目、活躍、振奮的強烈感受；而且有「相對立的形態」出現在篇章中，反而能使主體（正）的特點更突出、姿態更優美，本闋詞中「反」的部分是描寫過去隱居在鉛山別墅的悠閒生活，與首尾部分的「正」材料形成相對立的形態，也因此使得稼軒今日悔恨出山的苦悶及志未酬的心情更具感染的力量。至於全詞呈現出「正、反、正」的轉位結構，在材料的安排上表現出參差的、往復的夾寫形式，首尾的「正」

---

33 見劉坎龍：《辛棄集詞全集詳注》（烏魯木齊市：新疆人民出版社，2000 年 11 月），頁 429。

呈顯出對稱、均衡之美，中間的「反」則有凸出的美感，使得稼軒今昔相間、迭宕起伏的心境變化，呈顯出迴環動人的藝術效果，格外具有深長的意味。同時，局部的「先反後正」的結構，也能更深一層地激盪、映照出作者內心強烈的懷才不遇的憂愁。

二　今昔法

這是將時間中的「今」（現在）與「昔」（過去），依篇章需求作適當安排的一種章法。「今」與「昔」兩種材料被運用到篇章時，如果是以參差性的方式呈現，那麼，所形成的結構便是「今、昔、今」或「昔、今、昔」的轉位結構。詩如連橫的〈寄曼君〉，其原詩為：

> 痛飲黃龍未可期，投荒猶憶李師師。杏花春雨江南夢，衰柳寒笳塞北詩。　此日飛鴻傳尺素，他時走馬寄胭脂。鏡中幸有人如玉，位置蘆簾紙閣宜。[34]

其結構分析表為：

```
┌今（塞北荒）：「痛飲」二句
├昔（江南美）：「杏花」句
│              ┌實（今：寒冷）：「衰柳」二句
└今（塞北寒）┼虛（未來：寄胭脂）：「他時」句
               └實（今：環境仍可寫作）：「鏡中」二句
```

34　見連橫：《劍花室詩集》（南投市：台灣省文獻委員會，1992 年 3 月），頁 16。

這首詩寫於民國二年、雅堂遊大陸吉林之時[35]，主旨在第二句，寫他在荒地對紅粉知己曼君的思念之情。從章法結構來看，全篇以「今、昔、今」的對比性轉位結構，迂迴曲折地表達出作者內心綢繆婉轉的情思。起筆「痛飲」二句是第一個「今」的部分，首句引用岳飛「直抵黃龍府，與諸君痛飲爾」的典故，表明自己目前期盼國家早日安定、與曼君痛飲的心願；第二句則點明主旨，直言在「實」時間的現在，作者內心十分思念曼君（以李師師代稱，表示對她貢獻國家的期盼）。緊接著第三句是「昔」的部分，回憶往昔與曼君在江南，一同欣賞杏花春雨的美好時光。「衰柳」以下五句是第二個「今」，雅堂今日置身在關外，聽寒笳、觀衰柳，心中更加思念起遠在溫暖而美麗的江南的曼君，遂提筆寫詩給她；「他時」句則由「實」入「虛」，寫作者心中的希望：願來日二人相逢，再贈胭脂給她。末二句，再由「虛」返「實」，提及吉林此地，幸有香禪（與曼君相識）相伴，書房中也有雅致的環境，適宜作者自己寫作及思考，以安慰曼君，要她不必為自己擔憂。全篇的思念之情，就在「今」與「昔」的時間轉換中、「虛」與「實」的空間變換中，靈活地穿梭、流動，不僅細膩地刻劃出蘊藏在作者內心無限的情思，也展現了多變的時空姿態。

這種「今、昔、今」的章法結構，「今」（衰）與「昔」（美）兩種材料間形成了對比的關係，具對比之美。此詩前半先採「由今而昔」的逆敘方式，將美感情緒波動最急促最密集的「思念」曼君之情先逼顯出來，而這種不依正常時序的敘述，所造成的特殊強調效果，即金健人在《小說結構美學》所說的：「時序的打破之處，同時也是提請讀者的注意之處。這種『倒撥』在效果上當能起到強調和設置懸念的雙重作

---

35 雅堂詩作的繫年，參考鄭喜夫：《連雅堂先生年譜》（南投市：台灣省文獻委員會，1992 年 3 月）及黃美玲：《連雅堂文學研究》（臺北市：文津出版社，2000 年 5 月）二書。

用」[36]，是十分引人注目的；而此詩後半採「由昔而今」的順敘方式，是最為常見的敘述方式，也是最符合事物本身的發展規律的，呈顯出規律之美。[37]至於全詞呈現出「今、昔、今」的轉位結構，在材料的安排上表現出參差的、往復的夾寫形式，首尾的「今」呈顯出對稱、均衡之美，中間的「昔」則有凸出的美感，且將雅堂「當下」強烈的思念情緒再次重現，前後形成呼應，令讀者有餘韻不絕的深刻感受。同時，局部的「實、虛、實」的轉位結構，也能在虛實相間之中，造成時空交錯的美感，更添增了「特殊的時空美」。[38]

詞如蘇軾的〈念奴嬌〉（大江東去），其原詞為：

> 大江東去，浪淘盡、千古風流人物。故壘西邊，人道是、三國周郎赤壁。亂石崩雲，驚濤裂岸，捲起千堆雪。江山如畫，一時多少豪傑。　　遙想公瑾當年，小喬初嫁了，雄姿英發。羽扇綸巾，談笑間、強虜灰飛煙滅。故國神遊，多情應笑我，早生華髮。人間如夢，一尊還酹江月。[39]

其結構分析表為：

---

36 見金健人：《小說結構美學》（臺北市：木鐸出版社，1988 年 9 月），頁 19。

37 張紅雨：「最能吻合美感情緒的發生、發展，亦即初震、再震，震動的高峰、震動的回收這一規律的就是以時間為序來結構文章」、「順向，是人們的美感情緒正常發展的類型。……合乎規律的東西就是美的，就是真的。」如此的說法，頗能解釋「由昔而今」結構的美感來源。見《寫作美學》（高雄市：麗文文化事業公司，1996 年 10 月），頁 245-246、頁 350。

38 陳佳君：「在時空的虛實變化與轉移之中，更會擦出難以言喻的火花，從而形成特殊的時空美。將長遠的時間之流，和寬闊的空間之域，同時壓縮於一篇文學作品當中時，必然會增加辭章的強度與張力。」見《虛實章法析論》（臺北市：臺灣師範大學國文研究所碩士論文，2001 年 6 月），頁 147。

39 見龍沐勛：《東坡樂府箋》（臺北市：華正書局，1978 年 9 月），頁 152。

- 今（興亡之感）
  - 目（江山豪傑）
    - 一（豪傑風流）:「大江」四句
    - 二（江山美麗）:「亂石」三句
  - 凡（江山豪傑）:「江山」二句
- 昔（周瑜年輕有為）:「遙想」五句
- 今（自己老大無成）
  - 人（自己）:「故國」三句
  - 事（灑酒）:「人間」二句

這闋詞題作「赤壁懷古」，為神宗元豐五年（1082）作者謫居黃州時所作，主旨在藉三國周瑜之年輕有為來對比自己的年華老大、功業無成，但結尾則從物內提昇到物外，表現曠達的思想。全篇以「今、昔、今」的對比性轉位結構寫成，開頭九句是第一個「今」的部分，寫東坡眼前所見的江山美景，以及其所聯想到的赤壁之戰的英雄豪傑們，徐中玉說：

> 詞一開頭便氣勢豪邁，高唱入雲，包含無限興亡之感和宇宙永恆、人生短暫的感嘆。[40]

可知作者從眼前東去的長江想入，以江中的「浪」、「淘」為媒介，由空間推擴到時間，來抒發宇宙無限但人生卻極有限的興亡之感。這第一個「今」的部分，營造了浩瀚的氣勢，既為第二個「今」作鋪墊，又為轉入「昔」作前導，極為巧妙地將過去三國時赤壁之戰的史蹟推演出來。接著，「遙想公瑾當年」至「強虜灰飛煙滅」是「昔」的部分，寫當年三國周郎的年輕有為、雄姿英發，常國武說：

40　見徐中玉：《蘇東坡文集導讀》（成都市：巴蜀書社，1990年6月），頁246。

> 將周瑜形象刻畫得愈是「雄姿英發」，就愈加反襯出自己遭到貶謫而不能為國為民有所作為的悲哀與憤懣。[41]

可見作者將描繪重心置於周瑜年少得意的形象，一方面是為了表達其對「周郎」無限的追慕、嚮往之情，另一方面也和自己至今仍一事無成、竟「早生華髮」的垂老形象，作成極強烈的對比，以造成「反襯」的效果。

最後，由「故國神遊」到篇末，是第二個「今」的部分，東坡將思緒拉回到現在，寫自己今日的形象與心情：「多情應笑我」是「應笑我多情」的倒裝，點出作者心中的感慨萬千；這時的東坡是「早生華髮」的衰頹形象，與周瑜的風流倜儻形成強烈對比，內心自然有無限悲慨，正如葉嘉瑩所說：

> 其開端數句「大江東去，浪淘盡、千古風流人物」，其氣象固然寫得極為高遠，結尾的「人間如夢，一尊還酹江月」兩句，語氣也表現得甚為曠達。但事實上則在「公瑾當年」之「談笑間、強虜灰飛煙滅」，與自己今日之遷貶黃州，志意未酬而「早生華髮」的對比中，也蘊含著很多的悲慨。[42]

但值得注意的是，東坡在壯志未酬的失意中，卻能體認「人生如夢」，於是一下子由實推向虛，從有限推向無限，從「多情」中脫身而出，使自己的思想提昇到物外，而展現曠達的開闊思維。

這種「今、昔、今」的章法結構，「今」（衰）與「昔」（盛）兩種

---

41 見常國武：《新選宋詞三百首》（北京市：北京人民文學出版社，2000 年 1 月），頁 89。

42 見葉嘉瑩：《靈谿詞說》（臺北市：國文天地雜誌社，1989 年 12 月），頁 212。

材料間形成了對比的關係，具對比之美。此詞前半先採「由今而昔」的逆敘方式，將美感情緒波動最急促最密集的「周瑜」形象先逼顯出來，是十分引人注目的；而此詞後半採「由昔而今」的順敘方式，是最為常見的敘述方式，也是最符合事物本身的發展規律的，呈顯出規律之美。至於全詞呈現出「今、昔、今」的轉位結構，在材料的安排上表現出參差的、往復的夾寫形式，首尾的「今」呈顯出對稱、均衡之美，中間的「昔」則有凸出的美感，且將東坡「當下」強烈的失意感慨與能夠超脫物外的曠達思想再次重現，前後形成呼應，令讀者有餘韻不絕的深刻感受。同時，局部的「先目後凡」的結構，也能在歸納式的章法特色之中，加強今與昔的時空交錯的美感，更添增了特殊的時空美感。

三　張弛法

所謂「張」是指緊張，而「弛」則指鬆弛。「張弛法」就是造成文章中緊張與鬆弛的不同節奏，並使之互相配合，使文章更具姿態、更富美感的一種章法。「張」與「弛」兩種對比性的材料被運用到篇章時，如果是以參差性的方式呈現，那麼，所形成的結構便是「張、弛、張」或「弛、張、弛」的轉位結構。詩如李白〈早發白帝城〉，其原詩為：

> 朝辭白帝彩雲間，千里江陵一日還。兩岸猿聲啼不住，輕舟已過萬重山！[43]

其結構分析表為：

43　見李白撰，楊齊賢注，蕭士贇補，郭雲鵬編：《李太白全集》（臺北市：世界書局，1997 年 5 月，二版 1 刷），頁 1094。

張（節奏快）:「朝辭」二句
弛（節奏緩）:「兩岸」句
張（節奏快）:「輕舟」句[44]

這首詩主要在記作者從白帝城到江陵中的一日所見，由於沒有別情，因此表現出特別輕快的詩意。全篇以「張、弛、張」的對比性轉位結構寫成，起始二句是第一個「張」的部分，由白帝城到江陵，其間有千里之遠，而作者所乘之船卻可在一日飛渡，可見船行速度之快疾，因此，呈現出極快的節奏。第三句「兩岸猿聲啼不住」則是「弛」的部分，「不住」是不停之意，在三峽，猿聲已啼過極為悠長的歲月，而後也將一直啼下去，如此悠長無止盡的時間感，給人緩慢的節奏感。第四句「輕舟已過萬重山」則是第二個「張」的部分，轉瞬間，輕舟已毫無阻滯地渡過了萬重的高山，此時，輕舟的迅捷，給人一瀉千里的速度感，其節奏是極快的。

這種「張、弛、張」的章法結構，「張」（速度快）的節奏予人緊湊感，而「弛」（悠長的時間）的節奏則是舒緩的，兩種材料間形成了對比的關係，具對比之美。同時，在詩的前三句，「張」與「弛」兩種對比性材料呈現了「由張而弛」的結構，會造成緊湊之後的更形放鬆，更加凸顯出兩岸猿啼的淒苦；而詩的後二句，則形成「先弛後張」的結構，使得最末的「張」得到更大的強調，因而李白這一趟旅行就顯得更加輕鬆而愉快。至於全詩呈現出「張、弛、張」的轉位結構，在材料的

44 此結構分析表參考仇小屏：《篇章結構類型論》（臺北市：萬卷樓圖書公司，2000 年 2 月），下冊，頁 560。

安排上表現出參差的、往復的夾寫形式，首尾的「張」呈顯出對稱、均衡之美，且前後形成呼應，能將李白旅途舟行的輕快再次強調；而中間的「弛」則有凸出的美感，能與前後的「張」形成起伏變化的效果，增加了全詩的韻律感，令讀者對此篇輕快的詩意有更深刻的感受。

詞如賀鑄〈橫塘路〉（又〈青玉案〉）（淩波不過橫塘路），其原詞為：

> 淩波不過橫塘路。但目送、芳塵去。錦瑟華年誰與度。月橋花院，瑣窗朱戶。只有春知處。　飛雲冉冉蘅皋暮。彩筆新題斷腸句。若問閒情都幾許。一川煙草，滿城風絮。梅子黃時雨。[45]

其結構分析表為：

```
┌ 張（美人不來）：「淩波」二句
│
├ 弛（閑情：春花為伴）：「錦瑟」四句
│
│                        ┌ 景（飛雲：美人不來）：「飛雲」句
└ 張（美人不來：斷腸）─┼ 事（題詩：斷腸句）：「彩筆」句
                         └ 景（滿眼愁景）：「若問」四句
```

這闋詞的主旨在寫懷人的愁緒，全篇以「張、弛、張」的對比性轉位結構寫成。開頭二句是「張」的部分，化用了曹植「淩波微步，羅襪生塵」（〈洛神賦〉）的句子，寫自己等候美人、美人卻不來的惆悵，這時作者等候的心情是急切的、忐忑不安的，節奏是緊張的。接著「錦瑟」四

45 見賀鑄：《東山詞》，收於《叢書集成續編》（臺北市：新文豐出版公司，1984 年），冊 206，頁 640。

句則將節奏放慢，是「弛」的部分，作者先援用李商隱「錦瑟無端五十絃，一絃一柱思華年」（〈無題〉詩）的詩句，暗示自己春青年華空度的無奈；再以「月橋」三句，寫美人不來，無人與他共度良辰，只有春花慰藉的哀愁。這時作者對光陰虛擲的感受是無奈的，節奏是較緩慢的。下片是第二個「張」的部分，作者引用「日暮碧雲合，佳人殊未來」（休上人〈怨別詩〉）的詩句，並運用郭璞將彩筆借給江淹的典故，寫美人仍不來，惟有自題自解斷腸詩句的憂傷。尤其「若問」四句，依其所見的景致（煙草、風絮與梅雨），盡情宣洩滿腔的愁懷恨緒。此時作者因美人不來而為之斷腸的痛苦，使全篇的節奏加快，有緊湊之感。

這種「張、弛、張」的章法結構，「張」（美人不來的痛苦）的節奏予人緊湊感，而「弛」（悠長的等待時間）的節奏則是舒緩的，兩種材料間形成了對比的關係，具對比之美。同時，在詞的上片，「張」與「弛」兩種對比性材料呈現了「由張而弛」的結構，會造成緊湊之後的更形放鬆，更加凸顯出獨自虛度青春的無奈；而詞的下片，則形成「先弛後張」的結構，使得最末的「張」得到更大的強調，因而賀鑄苦候美人不至乃至斷腸的愁緒，就更具感染人的力量。至於全詞呈現出「張、弛、張」的轉位結構，在材料的安排上表現出參差的、往復的夾寫形式，首尾的「張」呈顯出對稱、均衡之美，且前後形成呼應，能將作者等待美人的焦急心情再次強調；而中間的「弛」則有凸出的美感，能與前後的「張」形成起伏變化的效果，增加了全詩的韻律感，令讀者對此篇懷人的相思之苦有更深刻的感受。

四　詳略法

所謂「詳略法」，是指將詳寫、略寫的筆法在篇章中相互為用，以突出主旨的一種章法。當「詳」與「略」兩種材料被運用到篇章時，如果是以參差性的方式呈現，那麼，所形成的結構便是「詳、略、詳」或

「略、詳、略」的轉位結構。詩如漢樂府〈有所思〉，其原詩為：

> 有所思，乃在大海南。何用問遺君？雙珠玳瑁簪，用玉紹繚之。聞君有他心，拉雜摧燒之。摧燒之，當風揚其灰。從今以往，勿復相思，相思與君絕。雞鳴狗吠，兄嫂當知之。妃呼豨！秋風肅肅晨風颸，東方須臾高知之。[46]

其結構分析表為：

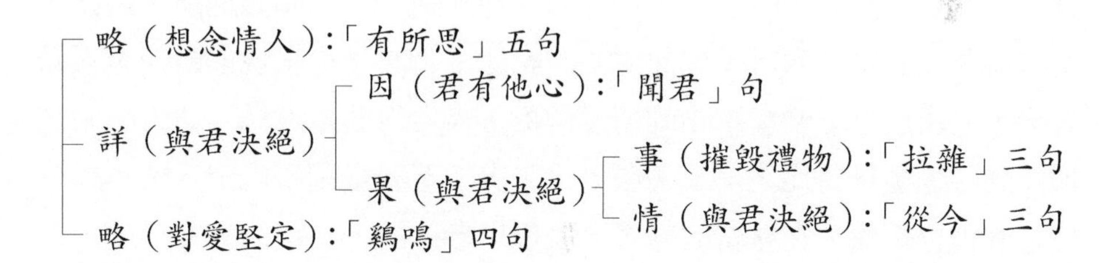

本詩的主旨在寫女子對男友變心的「剪不斷理還亂」的心情，全篇以「略、詳、略」的對比性轉位結構寫成。開頭「有所思」五句是「略」的部分，作者極扼要地道出了女子正在思念情人，並打算送情人極珍貴的禮物；接下來「聞君」六句，是「詳」的部分，女子的情感有了轉折，而轉折的關鍵點是因為男友變了心；於是，女子展現了激烈的性格，將本欲贈給男友的禮物折斷摧毀、焚燒成灰，並任風將灰吹散，似乎想把兩人過去的恩愛也一併隨風而逝。女子心中默默地告訴自己，從今以後，不要再想這個無情之人，從此將與此人恩斷義絕。這部分「詳」述了女子在聽說男友變心後的激烈反應及心情，是詩中最引人的高潮部分。而最末四句，是第二個「略」的部分，寫女子在絕望之餘，又不禁

46 見郭茂倩：《樂府詩集》（臺北市：里仁書局，1980 年 12 月），頁 230。

回憶起兩人從前約會的情形：驚動了雞狗，也驚動了兄嫂，卻仍樂此不疲；女子越想就越憂愁百結，輾轉難眠，最後，在一整夜的苦苦思索後，她仍然表達出自己堅定不變的情意，就像此時東方昇起的白日一樣，光亮高潔，永不改變。

這種「略、詳、略」的章法結構，「詳」與「略」兩種材料間形成了極度對比的關係，將全篇分割成極度對比的畫面，「略」的部分是女子對愛情的肯定及堅守的表現；「詳」的部分是女子對男友變心的激烈反應及決絕心意，因此，作者鋪敘了最具代表性的「詳」的部分，而「略」（果）的部分，讀者可以順理成章地作進一步的聯想鋪陳，因此，不必再多加著墨。而且，如此鮮明的對比，將女子從喜悅期盼而至難過心痛，最後仍堅守愛情承諾的情感轉折，表現得曲折淋漓，使人讀來，悄然動容，極具對比之美及迴環變化之美。至於全詞呈現出「略、詳、略」的轉位結構，在材料的安排上表現出參差的、往復的夾寫形式，首尾的「略」呈顯出對稱、均衡之美，且前後形成呼應，能將女子對愛情的嚮往及堅定心意再次強調；而中間的「詳」則有凸出的美感，能與前後的「略」形成起伏變化的效果，增加了全詩的韻律感，令讀者對女子的痴情、男友變心的痛苦有更深刻的感受。

詞如蘇軾的〈江城子〉（老夫聊發少年狂），其原詞為：

> 老夫聊發少年狂，左牽黃，右擎蒼。錦帽貂裘千騎卷平岡。為報傾城隨太守，親射虎，看孫郎。　酒酣胸膽尚開張，鬢微霜，又何妨！持節雲中何日遣馮唐？會挽雕弓如滿月，西北望，射天狼。[47]

47 見龍沐勛：《東坡樂府箋》（臺北市：華正書局，1978年9月），頁67。

其結構分析表為：

- 詳（狂：出獵壯舉）
  - 泛（狂）:「老夫」句
  - 具（出獵）
    - 一（裝扮及陣容）:「左牽」三句
    - 二（打獵實況）:「為報」三句
- 略（己形象：酒酣微老）:「酒酣」三句
- 詳（狂：報國壯志）
  - 因（請纓）:「持節」句
  - 果（守邊）:「會挽」三句

這闋詞題為「密州出獵」，是蘇軾四十歲（熙寧八年，1075）在密州作的記射獵的詞作，主旨在寫自己的豪情壯志。[48]全篇以「詳、略、詳」的對比性轉位結構寫成，開頭八句是第一個「詳」的部分，寫東坡自己有少年人的豪情狂放；其中首句為「泛說」，作為引子，以領起下文；第二句「左牽黃」以下六句，則具寫其「密州出獵」（題目）時威武的場面：先是運用《梁書．張充傳》的典故，描繪自己左手牽著黃狗，右臂舉著蒼鷹準備出獵的裝扮；其次以「千騎」寫打獵陣容的盛大；再以孫權自比，以孫權曾親自以雙戟射虎，使虎倒退的英勇來譬喻自己打獵時的豪情狂放。中間「酒酣」三句，是「略」的部分，簡單地描繪了自己的形象，已經有了白髮，但他強調自己尚有豪放開朗的心胸。因此，「持節」以下四句，便詳述了他想要守邊的雄心壯志，是第二個「詳」的部分；先以《漢書．馮唐傳》雲中太守魏尚獲罪被削職，馮唐諫文帝而得以持節去赦免魏尚的典故，寫希望自己能像魏尚一樣，重新被朝廷重用，以達成守邊的願望；如果真能如願，東坡相信自己必能將弓拉得如圓月一樣的滿，將西北頑抗的敵人一一射倒。徐中玉說：

---

48 葉嘉瑩：「如果說蘇軾詞中也有表現為英雄豪傑之氣者，則最為眾所熟知的一篇作品，自當推其〈江城子〉（老夫聊發少年狂）一首為代表。」見《靈谿詞說》（臺北市：國文天地雜誌社，1989 年 12 月），頁 204。

> 這首詞通過打獵場面的描寫，表現了作者渴望效命疆場、建功立業的雄心壯志。全詞意境豪邁，聲情激越。[49]

夏承燾也說：

> 這首詞一洗綺羅香澤之態，突破了晚唐以來兒女情詞的局限。詞中不但描寫了打獵時的壯闊場景，同時也表現了他要為國殺敵的雄心壯志。[50]

二人都把這闋詞的作意與風格闡述得十分詳明。

這種「略、詳、略」的章法結構，「詳」與「略」兩種材料間形成了極度對比的關係，將全篇分割成極度對比的畫面，「詳」的部分是東坡出獵的盛況及效命疆場時殺敵的威風想像；「略」的部分則是作者自己鬢髮微白、有點衰老的描繪，因此，作者鋪敘了最具代表性的「詳」的部分，而「略」（果）的部分，僅稍微點出，作為自己雖然已有白髮但仍心懷壯志的對比，因此，不必再多加著墨。而且，如此鮮明的詳略對比，將作者從出獵的威武轉而變成稍有白髮的衰老形象，最後仍堅持守邊報國的情感轉折，表現得曲折淋漓，使人為其雄心豪放感動不已，極具對比之美及迴環變化之美。至於全詞呈現出「略、詳、略」的轉位結構，在材料的安排上表現出參差的、往復的夾寫形式，首尾的「詳」呈顯出對稱、均衡之美，且前後形成呼應，能將作者的「狂」放再次強調；而中間的「略」則有凸出的美感，能與前後的「詳」形成起伏變化的效果，增加了全詩的韻律感，令讀者對作者的報國壯志有更深刻的感受。

---

49 見徐中玉：《蘇東坡文集導讀》（成都市：巴蜀書社，1990年6月），頁228。
50 見夏承燾：《唐宋詞欣賞》（臺北市：文津出版社，1983年10月），頁110。

五　縱收法

「縱」是放開，「收」是拉回；表現在辭章上，「縱」就是在時、空、情、理等各方面縱離主軸，「收」就是將遠放的文勢完全兜攬包抄，拍回主軸。所以「縱收法」是將「縱離主軸」、「拍回主軸」的手段交錯為用的一種章法，也有人將之稱為「開合法」。「縱」與「收」兩種對比性的材料被運用到篇章時，如果是以參差性的方式呈現，那麼，所形成的結構便是「縱、收、縱」或「收、縱、收」的轉位結構。詩如盧仝的〈有所思〉，其原詩為：

> 當時我醉美人家，美人顏色嬌如花；今日美人棄我去，青樓朱箔天之涯。娟娟姮娥月，三五二八盈又缺；翠眉蟬鬢生別離，一望不見心斷絕。心斷絕，幾千里，夢中醉臥巫山雲，覺來淚滴湘江水；湘江兩岸花木深，美人不見愁人心。含愁更奏綠綺琴，調高弦絕無知音。美人兮美人，不知為暮雨兮為朝雲？相思一夜梅花發，忽到窗前疑是君。[51]

其結構分析表為：

- 收（與美人近）：「當時」二句
- 縱（與美人遠）
  - 因（美人棄我）
    - 凡（美人離去）：「今日」二句
    - 目（虛時空）：「娟娟」十句
  - 果（含愁相思）：「含愁」四句
- 收（似與美人重逢）：「相思」二句

本詩的主旨在抒發相思之情，全篇以「縱、收、縱」的對比性轉位結構

51　見清聖祖御纂：《全唐詩》（上海市：上海古籍出版社，1996 年 11 月，初版 14 刷），頁 970。

寫成。開頭二句是第一個「收」的部分，作者回憶與美人相處的過往，當時與美人的關係是極為親近的，因此是「收」。接著，「今日」以下十五句，隨即將時間向未來延展，寫出月圓月缺皆見不著伊人芳蹤；同時也將空間向目力未及處推擴，寫出夢裏的巫山及夢醒後的湘江皆尋不著伊人倩影；使得詩篇在此時大幅縱離主軸，與作者想見美人的主要情意大大悖離，因此是「縱」。最後二句，情意拍回主軸，是第二個「收」的部分，此時作者似乎又與美人重逢，傅庚生在《中國文學欣賞舉隅》中說：

> 突然云「忽到窗前疑是君」，藉「疑」字竟將梅花與美人捏合為一，藉一「忽」字竟將全篇約束得住，終於落到「君」字上。[52]

因此，藉由「疑」字將梅花與美人合而為一，見到梅花就像見到美人一般，此刻作者的心情，就好比與美人再度重逢一樣，因此是「收」。

這闋詞形成的是「拍回－跳離－拍回」的章法現象，這種「拍回」、「跳離」，會在篇章中形成美感情緒收與放之間的落差，從而增強了文章的感染力，推深了作品中的情意，以增強對比的美感。全詞所呈現出「收、縱、收」的轉位結構，在材料的安排上表現出參差的、往復的夾寫形式，首尾的「收」呈顯出對稱、均衡之美，前後形成呼應，能將作者渴望與美人相聚的情意再次強調。至於中間的「收」則有凸出的美感，其將時間延展及空間推擴，特別有一種不羈而多變的姿態，能將作者相思的迷離無奈，表達得更加曲折動人；而且能與前後的「收」形成起伏變化的效果，增加了全詩的韻律感，令讀者更能深刻領略作者曲折含蓄的相思情意。

---

52 見傅庚生：《中國文學欣賞舉隅》（臺北市：國文天地雜誌社，1990 年 4 月），頁 75。

詞如晏幾道的〈臨江仙〉（夢後樓臺高鎖），其原詞為：

> 夢後樓臺高鎖，酒醒簾幕低垂。去年春恨卻來時。落花人獨立，微雨燕雙飛。　　記得小蘋初見，兩重心字羅衣。琵琶絃上說相思。當時明月在，曾照彩雲歸。[53]

其結構分析表為：

- 縱（今：春恨）
  - 景（內）：「夢後」二句
  - 情（春恨）：「去年」句
  - 景（外）：「落花」二句
- 收（昔：初見小蘋）
  - 景（小蘋服飾）：「記得」二句
  - 情（相思情愫）：「琵琶」句
- 縱（今：無限思念）：「當時」二句

這闋詞的主旨在寫「對往日愛情生活的懷念」[54]，全篇以「縱、收、縱」的對比性轉位結構寫成。開頭五句是第一個「縱」的部分，寫作者酒醒夢回之後的春恨：其中又形成「景、情、景」的結構，「夢後」二句是室內之景，作者夢回之後、酒醒之餘，本是最感寂寥之時，卻偏偏面對著高鎖的樓臺、低垂的簾幕，人去樓空之景，令人倍感惆悵；「去年」句點出心頭的舊恨（情）；「落花」二句則將空間由室內推擴到室外，落花微雨之中，人獨立燕卻雙飛，不禁令作者思念起那久別的人，這種有著反襯效果的淒迷的春光，與作者想與伊人相聚的心境是悖離的，因

---

53 見晏幾道：《小山詞》，收於《叢書集成續編》（臺北市：新文豐出版公司，1984 年），冊 206，頁 379。

54 見王熙元、曾永義：《詩詞曲賞析》（臺北市：國立空中大學，1990 年 4 月），頁 41。

此是「縱」。接著，「記得」三句，作者追憶去年初見小蘋的光景；她穿著衣領作心字形的一襲羅衫，彈弄著充滿情愫的琵琶，這樣的景與情，與作者的情意是一致的，因此是「收」。最後，「當時」二句，作者的思緒回到現實，以「彩雲」比喻小蘋，象徵著佳人容易消散、無踪可尋的無奈特點，此時的空間由高掛明月的天空，拋離至彩雲歸去的不知明的所在，與作者想與佳人重聚的情意悖離，因此是第二個「縱」。

這闋詞形成的是「跳離－拍回－跳離」的章法現象，這種「拍回」、「跳離」，會在篇章中形成美感情緒收與放之間的落差，從而增強了文章的感染力，推深了作品中的情意，以增強對比的美感。全詞所呈現出「縱、收、縱」的轉位結構，在材料的安排上表現出參差的、往復的夾寫形式，在開頭的空間推擴及結尾處的空間拋離，特別有一種不羈而多變的姿態，能將作者相思的迷離無奈，表達得更加曲折動人；而且首尾的「縱」呈顯出對稱、均衡之美，前後形成呼應，能將作者相思的無奈之情再次強調。至於中間的「收」則有凸出的美感，不僅凸顯了相思對象（小蘋）的美麗可愛，且能與前後的「縱」形成起伏變化的效果，增加了全詩的韻律感，令讀者更能深刻領略作者曲折含蓄的相思情意。

第六章
章法變化律的心理基礎與美學特色

第一節　章法變化律的心理基礎

辭章章法，講求的是篇章的條理或結構，由於它根本於人類的邏輯思維，因此，多訴諸客觀聯想；而人類的「思維形式，又是客觀事物本質關係的反映」[1]，所以，章法所呈現的規律，是對應於宇宙自然規律的。變化律，是宇宙自然的規律之一，宇宙間一切的事物莫不在變易之中；人類長期觀察自然界變動的現象後，抽繹出移位及轉位的「變化之理」，再透過人之「心」，將此「理」（規律）投射到哲學、藝術、文學等領域，而辭章章法的變化律，也就因此而產生了。由此可知，人之「心理活動」，是文學作品反映創作者對自然感知的重要中介，研究章法變化律的文學現象及美感效果，自然少不了對其心理基礎的探討。以下便嘗試就心理層面來探究「章法變化律」（含移位與轉位）的心理基礎。

一　「變化規律」的心理定勢

「心理定勢」這個概念，最初是由德國心理學家 G.E.繆勒和 F.舒曼在西元一八八九年提出的，後經蘇聯心理學家 I.H.烏茲納捷加以改造，

1　見吳應天：《文章結構學》（北京市：中國人民大學出版社，1989 年 8 月，初版 3 刷），頁 359。

並形成一種系統的理論。所謂「定勢」，即指主體狀態的模式對以後心理活動趨向的制約性。烏茲納捷認為，定勢不是主體的什麼具體「心理體驗」，而是主體狀態的模式，即主體對某種體驗的準備性、傾向性。是由一定心理活動所形成的準備狀態，決定同類後繼心理活動的趨勢。[2]邱明正《審美心理學》稱之為「思維定勢」，他說：

> 思維定勢又稱「心理定勢」，包括知覺定勢、情感定勢等。按照它的提出者德國心理學家繆勒的意思，是指特定心理活動的預先準備狀態及其對同類後繼心理活動施加影響的趨勢。它使人按照事先已有的知識、經驗、情感等心理準備和相對固定的思緒去考察當前的對象和出現的新問題，表現出事先預定的思維方向的定向化和思維內容的定性化。[3]

也指出「心理定勢」是以已有的知識、經驗、情感等為基礎的心理準備，並且以相對固定的思緒去考察、規定、制約當前的對象和尚未發生的心理活動的發展趨勢。例如我們欣賞梅花，事先已有了關於梅花之美的經驗、觀念、情感的準備，在欣賞時就讓原有的心理準備制約著後繼的審美心理活動，對梅花之美作出定向、定性的反應，從而描繪出或感受出梅花的美。這種由同類經驗的多次反複而形成的心理定勢，引導著外部的傳入信息「輕車熟路」地抵於經驗所安排好的歸宿，完全是一種「習慣成自然」，英國藝術史家 E.H.岡布里奇便將這種由經驗積累的結果稱之為「預成圖式」，他認為：

2　參考高楠：《藝術心理學》（臺南市：復漢出版社，1993 年 6 月），頁 194。

3　見邱明正：《審美心理學》（上海市：復旦大學出版社，1993 年 4 月），頁 124-125。

> 視知覺是極大地受著前在經驗的影響和支配的。……預成圖式是經驗積累的結果，也是參與知覺活動的前在經驗的心理形態。所見與所知並非等同，它們經常地存在著矛盾，在這一矛盾中，「知」是主導方面，「視」由「知」制約和支配。這「知」就是積澱在經驗中的「預成圖式」。每個人在知覺對象時，都以心中的預成圖式作為依據，沒有關於某一類對象的預成圖式就不可能知覺地把握這一對象。[4]

可見，藉由前在經驗的「知」所累積形成的「預成圖式」，即「心理定勢」，是創作者或鑑賞者把握審美對象的重要依據。

這種「心理定勢」是「審美習慣心理」[5]之一，在習慣心理驅動下的審美活動一般比較輕鬆、不費力，消耗能量較少，往往尚未進行理智分析，就能憑著「直覺」迅速而自動地進入對象的深層境界，彷彿是種「無意識」的本能反應。實際上這種心理運動的昇華、騰越，是以往「心理積澱」的結果，是心理慣性在審美中的突進。由於對象已經熟知，對象審美特性已積澱在經驗中，因此當人再度欣賞該對象或類似對象時，以往審美中積澱的情感、理智等審美意識，便凝聚、再現於當前的直覺之中，乃至喚醒了沉積於大腦中的潛意識，使人未經深入分析就能習慣成自然地迅速而自動地把握對象的特性，與對象達於和諧。因

4　見高楠：《藝術心理學》（臺南市：復漢出版社，1993 年 6 月），頁 98。

5　邱明正：「審美習慣心理則是憑著已有的心理慣性與已知對象同化，在較小張力的情況下維持著自己同習慣、適應了的客體之間的和諧。審美習慣心理是人在多次重複的審美實踐中形成、鞏固下來的有特定指向性的審美需要和熟練的反復出現的自動化了的思維方式。它是一般習慣心理的特殊表現形態，是一種習慣成自然的審美心理傾向、心理習性，並表現為不假思索的自動化的習慣行為、動作。其功能是維持與已知客體的和諧與心理的平衡。」見《審美心理學》（上海市：復旦大學出版社，1993 年 4 月），頁 119。

此，這種「心理定勢」的特點在於它是以往「心理積澱」的結果，其功能在使心理活動自動化、迅捷化、完整化、輕鬆化，使人迅速而完整地把握對象的審美特性，使主客體達於和諧。[6]

章法變化律的產生，也是人類這種「心理定勢」發動的結果。作家在創作時，面對著有形或無形的內容材料，心存目想，神領意造，喚起了他對種種自然人事變化規律的記憶，這個事先已存在他心中的有關變化規律的觀念、知識、記憶，形成了他創作時的準備狀態，於是，便制約著他後繼的審美心理活動。而自然界變化的規律是以陰陽的「二元對待」為根基的：人類由客觀世界觀察到天與地、日與月、山與水等兩兩相對的存在事實，從而推論出宇宙萬物生成變化的根源在「陰」、「陽」兩種對立性質相互作用的結果，這股「二元對待」的力量，是生化萬物的原動力；於是人們在主觀方面形成了「兩兩相對」的意識，進而在社會實踐上也多方展現這種「二元對待」的思想，如君與臣、父與子、夫與婦等等；而變化的歷程中會發生「移位」及「轉位」的現象，無論在東方或西方，都因此形成了「變化哲學」的思維（詳見本論文第三章）。這種「二元對待」所造成的「移位」、「轉位」的思維長期「積澱」在人類心理的結果，就成為審美心理中的固有經驗和固有功能，當作家處理創作的材料時，它就會反複起作用於熟悉的習慣性對象（即創作材料），在不知不覺中、在潛意識中，將創作材料也分成兩兩對照或呼應的關係，如：

「今」與「昔」、
「正」與「反」、
「虛」與「實」、

6　參考邱明正：《審美心理學》（上海市：復旦大學出版社，1993年4月），頁125。

「因」與「果」、
「偏」與「全」、
「凡」與「目」……

這就是章法「二元對待」的「心理定勢」，有了這種預先的心理準備，作家就能迅速、輕鬆、完整地掌握住創作材料的兩兩相映關係，然後依其情感表現的需要，將這些材料加以適當的組合、安排，亦即依其事先已具有的「變化規律」（移位、轉位的變化歷程）的「心理定勢」來安排辭章材料的圖式——移位或轉位，而形成如：

「先今後昔」、「先昔後今」、
「先正後反」、「先反後正」、
「先虛後實」、「先實後虛」、
「先因後果」、「先果後因」、
「先偏後全」、「先全後偏」、
「先凡後目」、「先目後凡」……等移位結構，即材料的秩序性安排。

或是如：

「今、昔、今」、「昔、今、昔」、
「正、反、正」、「反、正、反」、
「虛、實、虛」、「實、虛、實」、
「因、果、因」、「果、因、果」、
「偏、全、偏」、「全、偏、全」、
「凡、目、凡」、「目、凡、目」……等轉位結構，即材料的參差性安排。

而以上這些移位、轉位的章法現象，也就是章法的「變化律」。從鑑賞者的角度言，也是由於這個「變化規律」的心理積澱，而能在面對辭章時，快速地辨明材料間的對待關係，從而準確掌握住移位或轉位的章法結構及其美感。

總之，由於陰陽「二元對待」及「移位」、「轉位」的變化律思維，在長期的社會發展及文化生活中已牢牢「積澱」在人類的心中，因而形成了審美活動發動前的「心理定勢」。它是一種心理準備，可使作家或鑑賞者，更迅速地、完整地、輕鬆地認識並掌握對象材料的審美特性及其相互間的「二元對待」關係，以便於在創作或鑑賞時，更易於與材料對象發生同化與順化作用[7]，且能更自動地展開客觀的聯想[8]、想像[9]等活

---

7 同化和順化，是主體認識客體的同一過程的兩個方面：一方面主體以原有的格局（即心理結構，是對事物作出反應的準備）去整合客體，即同化；另一方面，主體的格局又受影響於客體，即順化。參考童慶炳：《中國古代心理詩學與美學》（臺北市：萬卷樓圖書公司，1994 年 8 月），頁 30。楊恩寰更指出其重要性，說：「主體通過工具操作（按實踐目的）把內在尺度（圖式、結構）運用到客體自然形式（聯繫、結構）上去，交織著兩種不可分割的方式，以實現人與自然雙向對應的變化；主體內在尺度適應客體自然形式而發生變化，表現為『順應』；客體自然形式適應主體內在尺度而發生改變，表現為『同化』。『順應』和『同化』這兩種活動方式構成人化的形式，體現著主體目的性與客體規律性的統一，這就是『美的規律』的全部內容和含義。」可知作家藉由「同化」作用，將大自然變化的現象，整合出變化的規律；又在面對辭章材料時，經由「順化」作用，將變化的規律應用在章法上，而表現出「二元對待」的章法特色及移位、轉位的章法結構。見《審美心理學》（臺北市：五南圖書出版公司，1993 年 11 月），頁 42-43。

8 朱光潛：「知覺和想像都以聯想為基礎。」見《文藝心理學》（臺北市：漢京文化事業公司，1984 年 7 月），頁 109；而童慶炳說：「聯想是人的一種心理機制，主要指人的頭腦中表象的聯繫，即其中一個或一些表象一旦在意識中呈現，就會引起另一些相關的表象。」因此，作家看到天與地的二元對待關係，就會想到人事的父與子、君與臣等二元對待關係，甚至再想到辭章材料的正與反、賓與主等二元對待關係。見《中國古代心理詩學與美學》（臺北市：萬卷樓圖書公司，1994 年 8 月），頁 133。

9 彭聃齡主編的《普通心理學》：「想像是對頭腦中已有的表象進行加工改造，創造出

動，將「變化哲學」的「心理定勢」完全投射到作品之中。[10]於是，在創作的殷切期待下，作家在這投射過程中，既可獲得愉悅，又可使其作品材料的組合圖式（移位或轉位），在「變化規律」的心理定勢下，得到更靈活的發揮；並且以更多樣的章法變化之姿，藉作品傳達出心中所欲表現的情感[11]；而鑑賞者在鑑賞的期盼下，也在投射的過程中，藉由「變化規律」的心理定勢，掌握到章法移位、轉位的變化圖式，從而領

新形象的過程。……形象性和新穎性是想像活動的基本特點。想像是在感知的基礎上，改造舊表象創造新形象的心理過程。它主要處理圖形的信息，即以直觀形式呈現在人們頭腦中的表徵，而不是詞或者符號。」可知作家在感知辭章材料的基礎上，改造了自己頭腦中已有的自然界「二元對待」的表象，創造了辭章材料新的「二元對待」關係，並加以組合（移位或轉位），在頭腦中產生新的圖式，這便是想像的作用。見彭聃齡主編：《普通心理學》（北京市：北京師範大學出版社，1993 年 12 月，初版 5 刷），頁 337。

10 童慶炳：「投射機制作為現代心理學的一個重要觀念，是指主體將自己的平日的記憶、知識、期待所形成的心理定向，化為一種主觀圖式，外射到特定的客體上，使客體符合主觀圖式的心理機能。」可知作家在面對辭章材料時，會將自然界「二元對待」的現象（心理定向），投射到作品中，亦將作品的材料視為「二元對待」的關係，並加以移位或轉位的組合、安排，以適合的形式來表達所欲傳達的情感。見《中國古代心理詩學與美學》（臺北市：萬卷樓圖書公司，1994 年 8 月），頁 109。這種「投射」的機能，其功用是：「當我們把我們自身的活動，投射到事物裡，那末不僅事物所具有的形式會顯得美，同時我們自身也會感受到一種增加生命之活力的快感。」可知，自然界的變化律，經由人心，投射到作品中而形成的章法變化律，不僅可以形成辭章優美的結構形式，同時也能令讀者感受到充滿生命活力的「動感」及「快感」。見劉文潭：《現代美學》（臺北市：臺灣商務印書館，2003 年 9 月，初版 19 刷），頁 188。

11 在接受圖式的心理組織中，情感充當著頗為特殊的核心作用，沒有情感就沒有接受圖式的整體現實性。具體地說，主體出乎內心的情感一旦被喚起，它就有可能較為充分地引發大腦中繁富多姿、鮮靈活躍的表象因素。往往情感愈是豐富，表象的活動範圍也就愈大，而無窮多樣的表象是主體對於藝術的自由反應的重要前提。在情感既為感知和表象所觸發又進一步推進後者的運動中，其它的心理因素就有可能得以聚滙和親和，從而對藝術的諸多特殊意義的把握具有更為深刻的力量。對藝術家接受來說，情感所凝聚的諸心理能量愈是和諧統一，其互補的整體意義也就愈大。因而，主體的接受視野也將大大拓展。總之，情感有統一接受圖式的功用，對於章法移位、轉位的心理圖式亦然。參考童慶炳主編：《現代心理美學》（北京市：中國社會科學出版社，1993 年 2 月），頁 542。

略到豐富多樣的章法移位、轉位之美。

二 「異質同構」的心理感應

「異質同構」是由「格式塔」[12]心理學派所提出的，即指「兩個不同的空間領域具有相似的結構特性」。[13]具體地說，某藝術對象所以能經由知覺而喚起主體的一定情感，即所以具有一定的表現性，是由於它與一定情感具有同樣性質的結構。韋太默（Wertheimer）以舞蹈為例指出：

> 對舞蹈動作的表現性的知覺之間所以具有如此強烈的直接性，主要是因為，舞蹈動作的形式因素與它們表現的情緒因素之間，在結構性質上是等同的。[14]

而後，阿恩海姆（Arnheim）揭示了這種具有表現性的結構（即「喚情結構」[15]），乃是因具有與一定的情感活動所依據張力相一致的力而喚起情感的，他說：

---

[12]「格式塔」是德文字 Gestalt 的譯音，英文往往譯成 form（形式）或 shape（形狀）。其實，在格式塔心理學中，它既不是指一般人所說的外物的形狀，也不是一般藝術理論中籠統指的形式，而是指經由知覺活動組織成的經驗中的整體。格式塔心理學認為，任何「形」，都是知覺進行了積極組織或建構的結果或功能，而不是客體本身就有的。參見魯道夫．阿恩海姆著，滕守堯譯：《視覺思維——審美直覺心理學》（成都市：四川人民出版社，1998 年 3 月）譯者前言，頁 2-3。

[13] 見魯道夫．阿恩海姆（Rudolf Arnheim）著，郭小平、翟燦譯：《藝術心理學新論》（臺北市：臺灣商務印書館，1998 年 1 月，臺灣初版第 3 刷），頁 354。

[14] 見魯道夫．阿恩海姆（Rudolf Arnheim）著，滕守堯、朱疆源譯：《藝術與視知覺》（北京市：中國社會科學出版社，1984 年 3 月），頁 615。

[15]「喚情結構」體現著藝術形式的整體性，它有兩種形態：一是靜態的，由色彩、線條、塊面、聲音、靜態關係等因素構成，組合方式有整齊一律、平衡對稱、變化統一等原則；一是動態的，包括動作、表情、動態關係等因素。參見高楠：《藝術心理學》（臺南市：復漢出版社，1993 年 6 月），頁 87-88。

> 表現性其實並不是由知覺對象本身的這些「幾何－技術」性質本身傳遞的，而是由這些性質在觀看者的神經系統中所喚起的力量傳遞的。不管知覺對象本身是運動的（如舞蹈演員或戲劇演員的表演）還是靜止不動的（如繪畫和雕塑），只有當它們的視覺式樣向我們傳遞出「具有傾向性的張力」或運動時，才能知覺到它們的表現性。[16]

如此，從動力配置的角度看來，當外部客體的力與主體內部的力相互作用時，對象客體所傳遞的力的式樣是具表現性的，而主體則因這種外力的作用而喚起內部的力[17]，同時便有了「相應」的情感體驗。

由此可知，「異質同構」，是對象的表現性及其力的結構（外在世界），與人的神經系統中相同的力的結構（內在世界）的同型契合。李澤厚在〈審美與形式感〉一文中闡發這種理論，說：

> 不僅是物質材料（聲、色、形等等）與視聽感官的聯繫，而更重要的是它們與人的運動感官的聯繫。對象（客）與感受（主），物質世界和心靈世界實際都處在不斷的運動過程中，即使看來是靜的東西，其實也有動的因素……其中就有一種形式結構上巧妙的對應關係和感染作用……格式塔心理學家則把這種現象歸結為外在世界的力（物理）與內在世界的力（心理）在形式結構上的「同形同構」，或者說是「異質同構」，就是說質料雖異而形式結

16　見魯道夫．阿恩海姆（Rudolf Arnheim）著，滕守堯、朱疆源譯：《藝術與視知覺》（北京市：中國社會科學出版社，1984年3月），頁616。

17　不論就心理學或物理學言之，這些力都是實在的。就心理學上說，這力是在觀看的經驗中產生。且因這些力有力點、有方向、有強度，適合物理學上的條件，故心理學家也採用力這個字來說明。參見魯道夫．阿恩海姆（Rudolf Arnheim）著，滕守堯、朱疆源譯：《藝術與視知覺》（北京市：中國社會科學出版社，1984年3月），頁23。

> 構相同，它們在大腦中所激起的電脈衝相同，所以才主客協調，物我同一，外在對象與內在情感合拍一致，從而在相映對的對稱、均衡、節奏、韻律、秩序、和諧……中，產生美感愉快。[18]

強調了審美體驗的發生，是由於兩個不同空間的領域（物理世界與心理世界）中，不同質料卻有著相同的力的形式結構，使得主客協調、心理相應的結果。蘇珊．朗格說：「要把一幅圖案、一支旋律、一首詩歌或任何藝術符號的情感內容傳達給觀眾，其唯一的方法就是把有表現力的形式表現得非常抽象、非常有力」[19]，也點明了藝術對象「表現性」的重要，因為它能引起人心的「同構感應」。邱明正則進一步指出這個「異質同構」的理論根據是「完形趨向律」，他說：

> 他們（格式塔心理學家）還提出了一條心理組織、結構的基本規律：「完形趨向律」，即在一定條件下，心理結構經過神經系統的組織作用，總是盡可能趨向完善化、整體化。如果事物各部分之間具有相似性、接近性、連續性、閉合性這些特徵，就容易組成一個整體性的單元，構成一個完形，並使人產生整體性、系統性的反應，形成完形的心理結構；如果對象整體中有缺口，觀察者的完形心理結構就會根據「完形趨向律」對缺口加以彌合，完善對象圖形，既使人發生頓悟，把握對象的整體系統，又使心理結構整體化、系統化、完形化。……把心理結構視為人腦的先驗的、固有的、封閉的組織機能，以為外界物理力場與內部力場具

---

18 見李澤厚：《李澤厚哲學美學文選》（臺北市：谷風出版社，1987 年 5 月），頁 503-504。

19 見蘇珊．朗格著，劉大基等譯：《情感與形式》（臺北市：商鼎出版社，1991 年 10 月），頁 440。

有天然的一致性。[20]

正因為觀察者具有完形的心理結構，所以在審美歷程中，其所注意的是對象整體的表現性，而非對象局部的特點。童慶炳更指出，他們特別重視無生命事物所傳達的表現性，如季節、山脈、雲彩、大海、小溪、枝條、花朵等等，它們在不同條件下變化出來的表象，都傳達了人的某種內在的情感、心境，都具有表現性。如中國古人所說的「春山淡冶而如笑，夏山蒼翠而如滴，秋山明淨而如妝，冬山慘澹而如睡」，就是通過大自然的季節的變化與人的內在情感生活的聯繫，從而溝通了自然與心靈這兩個不同的世界，傳達出了人的情感生活的跌宕起伏的變化。[21]

在中國，這種「異質同構」的思想也自古就有。孔子在〈雍也〉篇中說：「知者樂水，仁者樂山。知者動，仁者靜」，水是流動的，它和變動不居的智慧，雖然質料不同，其力的結構則是相同的；同樣，山是沉靜、穩重的，它和仁者的堅定貞固的情操也是「異質同構」的關係。又如，《禮記》〈樂記〉中說「大樂與天地同和」，《文心雕龍》〈原道〉中說「言之文也，天地之心哉」，也都意識到了物理世界與心靈世界雖然質料、品位不同，但兩者之間存在著某種潛在的對應同構關係。從這種思想出發，中國古人對內在與外在兩個世界的異質同構現象實作了大量的描述：如陸機在〈文賦〉中說：「遵四時以嘆逝，瞻萬物而思紛。悲落葉於勁秋，喜柔條於芳春。心懍懍以懷霜，志眇眇而臨雲」，就分別把屬於物理世界與心理世界的落葉與悲涼、柔條與欣喜、寒霜與畏懼、雲霞與高志，一一對應起來，是典型的異質同構。把異質同構現象描述得特別精彩的是清代桐城派文論家姚鼐，他在〈復魯絜非書〉說：

---

20 見邱明正：《審美心理學》（上海市：復旦大學出版社，1993 年 4 月），頁 29。

21 參見童慶炳：《中國古代心理詩學與美學》（臺北市：萬卷樓圖書公司，1994 年 8 月），頁 169-170。

> 鼐聞天地之道，陰陽剛柔而已。……其得於陽與剛之美者，則其文如霆，如電，如長風之出谷，如崇山峻崖，如決大川，如奔騏驥；其光也，如杲日，如火，如金鏐鐵；其於人也，如馮高視遠，如君而朝萬眾，如鼓萬勇士而戰之。其得於陰與柔之美者，則其文如升初日，如清風，如雲，如霞，如煙，如幽林曲澗，如淪，如漾，如珠玉之輝，如鴻鵠之鳴而入廖廓；其於人也，漻乎其如歎，邈乎其如有思，暖乎其如喜，愀乎其如悲。觀其文，諷其音，則為文者之性情形狀舉以殊焉。[22]

儘管姚鼐所述僅憑直覺，但他以「表現性」作為對各種存在物進行分類的標準，把天下萬事萬物分為兩大類，即「天地之道，陰陽剛柔而已」，無論在「陽剛」類，還是在「陰柔」類，都包含了極不相同的但在力的結構上相同的事物。運用這種非科學的分類法，對於科學可能毫無用處，但卻幫助人們去發現事物的表現性和力的基本式樣，發現那些屬於不同範疇的或很少相同之處的事物之間的對應點、共同點。而這種對應點和共同點正是產生美感和詩意的源泉。[23]

因此，就創作的角度言，物理世界與心理世界的質料雖然不同，但物理世界所展現的「移位」現象所傳遞的「具有傾向性的張力」是單一方向的、重複的、穩定的、沉靜的類型，與人類心理沉靜的、穩定的情感所依據的神經系統的張力相一致，因此，創作主體便有了相應的情感體驗；同樣地，物理世界所展現的「轉位」現象所傳遞的「具有傾向性的張力」是順逆雙向的、往復的、鮮明的、鼓舞的類型[24]，與人類心理

---

22 見《中國歷代文論選》（臺北市：木鐸出版社，1881 年 4 月，再版），下冊，頁 204。

23 參見童慶炳：《中國古代心理詩學與美學》（臺北市：萬卷樓圖書公司，1994 年 8 月），頁 171-173。

24 有關移位、轉位的力的結構及表現性，參見仇小屏：〈論章法的移位、轉位及其美

鼓舞的、活潑的情感所依據的神經系統的張力相一致，因此，創作主體便有了相應的情感體驗。這樣的「異質同構」關係，表現在辭章材料的安排上，也形成了移位、轉位的現象，展現出章法變化的「力」的結構及美感。

就鑑賞者而言，人的心理世界與物理世界既有「異質同構」的對應關係，那麼對文學作品中所展現的「張力結構」，更不會無所感應。尤其是章法的移位、轉位現象，「力」是造成其運動變化的主因，其中關於「力」的變化樣式是最引人注意的，涂光社以「勢」來概括這種「力的樣式」，他說：

> 「勢」的心理效應中包含著一種「場」效應在內，……從被作品吸引開始，欣賞者就置身於無形的「場」中。就審美客體而言，其「勢」以富有衝擊力的可感的動態意象造就出一定範圍、一定強度的「場」，能夠以其自身的運動勢態和方向左右或者影響審美主體的心理和思維感情運動。就審美主體而言，其固有的意識經驗在「勢」的動態意象的持續衝擊下，形成一個承受某種定向心理壓強的動力結構，使超越「形」外的審美再創造得以運轉和完成。[25]

同理，鑑賞者受到移位、轉位結構之「勢」的影響，在「異質同構」的心理感應之下，可以通過視覺神經系統傳到大腦皮層，而與人的神經系統中所固有的「力」的結構接通，從而達到了同型契合，於是內外兩個世界產生了審美的共鳴。

感〉，《辭章學論文集》（福州市：海潮攝影藝術出版社，2002 年 12 月），上冊，頁 105-110。

25 見涂光社：《因動成勢》（南昌市：百花洲文藝出版社，2001 年 10 月），頁 266。

總之，就創作者而言：宇宙萬物生成變化的動力，在於陰陽二種相反力量的互動、推移、往來變化；而其變化的歷程，則是移位、轉位兩種現象；依格式塔心理學派的「異質同構」理論，這些物理世界中力的結構、變化，與人內在世界的神經系統中力的結構契合，人心遂起「同構」的感應，而有「變化律」的審美注意，在創作時遂有移位及轉位等的章法安排。同理，就鑑賞者而言，章法所表現的移位、轉位的現象，在與人心理相同的「力的樣式」的導引下，也能與人心發生「異質同構」的心理感應，而引起讀者的審美注意，並且在多樣豐富的變化形式（對稱、節奏、均衡等等）之中，給予讀者多樣化的審美感受。

三　「平衡原則」的心理需求

一般物理學上所謂的「平衡」是指作用於一個物體的各種力達到相互抵消時的狀態；而審美心理的「平衡」則是指審美主客體和主體心理諸要素在矛盾運動中所達到的協調統一。至於審美心理的「平衡原則」，指的是審美主客體和主體知意情系統，由不平衡達於相對平衡的原則，它又稱「均衡原則」，是審美心理運動的基本法則之一。章法的移位、轉位結構及其美感的發生，即與這種「平衡原則」有著密切的關連。

平衡，是人類心理的基本需求。格式塔（Gestalt）心理學者認為每當外來的擾亂發生時，內在的力量會恢復其平衡，使人類的生理組織保持安定的關係，而視覺神經就具有這種統一的作用，是組織系統最終平衡的決定因素[26]；滕守堯也針對此點闡釋：

---

26 參見庫爾特．考夫卡（Kurt Koffka）原著，黎煒譯：《格式塔心理學原理》（臺北市：昭明出版社，2000 年 7 月），上冊，頁 484-485。

> 人們在觀看一個不規則、不完美的圖形時所感受到的那種緊張，以及竭力想改變它，使之成為完美圖形的趨勢。在格式塔心理學中，這種趨勢被解釋成機體的一種能動地自我調節的傾向，即機體總是最大限度地追求內在平衡的傾向。[27]

邱明正在《審美心理學》中更從生理與心理兩方面，詳述了人體這種追求平衡的調節過程：

> 當人受到對象刺激，大腦神經系統的活動便由原先的抑制狀態轉為興奮狀態，心理活動便由平和鬆弛變為激烈緊張，審美主客體之間由於發生聯繫而出現了矛盾，主體知、意、情系統也由原先的相互協調變得不協調，從而使原有的心理相對平衡變成了不平衡或失衡。這時由於心理結構的自我調節和人的平衡需求，便展開求同性或求異性探究，通過同化、順應作用，協調自己同對象、環境的矛盾和進行自我調節，使矛盾得以緩解，於是審美心理便又由不平衡達到新的乃至最佳的動態平衡，肌體舒坦，精神愉悅，心氣和平。這是一個由平衡到不平衡再到新的平衡的過程，生理、心理由鬆弛到緊張再到鬆弛的過程。所以對於平衡原則又可以概括為「平衡——不平衡——平衡」原則。但是，由於平衡原則是相對的、暫時的，而不平衡則是絕對的、永恒的。當新的平衡出現以後，只要審美活動沒有中止，只要新的對象仍在撲面而來，新的刺激便又激起了新的不平衡，以至無限循環往復，永無止境。[28]

---

27 見魯道夫．阿恩海姆（Rudolf Arnheim）著，滕守堯譯：《視覺思維——審美直覺心理學》，譯者前言，頁 7。

28 見邱明正：《審美心理學》（上海市：復旦大學出版社，1993 年 4 月），頁 130。

當視覺神經接受到刺激後，生理及心理都會產生「平衡──→不平衡──→平衡」的歷程，也就是由鬆弛到緊張再到鬆弛的過程，但最終都會達到一種新的動態平衡。而且，從功能來看，平衡是最能給人輕鬆感的，呂清夫《造形原理》說：

> 造形要素的平衡常會減少造形的緊張之感。……從平衡方面來說，為什麼有平衡的需要呢？就個人而言，是因為平衡使人感到快樂，人維持身體的平衡乃是人的基本要求之一，人若看到不平衡的形態，往往會產生不平衡的感情，因此便要尋求平衡的形態。[29]

平衡，在消極方面可以減少緊張的心理；在積極方面可以給人快樂的感受，是人類基本的心理需求。

這種審美心理運動的平衡，表現在審美的心理及生理的節奏之中：從審美的心理節奏來看，各種心理內容、心理形式總是周期性地相互交替著、轉換著，呈現出循環往復、螺旋型上升的節奏；從審美的生理節奏來看，人的神經活動，興奮到一定程度，就必然地出現超限抑制，抑制到一定程度，興奮又隨之產生，這一張一弛就呈現出周期性的節奏。這種生理與心理的節奏，使人類的審美心理始終維持著一種動態的平衡。[30]

這些一張一弛、往復循環的節奏，在一般情況下雖然是自律的、不自知的，但人們「可以超意識地捕捉住這種節奏」[31]，「可以自我省察，

---

29 見呂清夫：《造形原理》（臺北市：雄獅圖書公司，1991 年 7 月，八版 2 刷），頁 163。
30 參見邱明正：《審美心理學》（上海市：復旦大學出版社，1993 年 4 月），頁 132。
31 見高楠：《藝術心理學》（臺南市：復漢出版社，1993 年 6 月），頁 307。

並可以在理智、意志的控制下自覺地加以調節」[32]，因此，就創作者而言，他可以有意識地捕捉到這種節奏，並以之為依據將這種節奏表現在作品之中，藉由安排材料的方式（秩序性或參差性），分別形成了辭章內蘊中或張（逆向移位）、或弛（順向移位）、或往復循環（轉位）的局部節奏；甚而結合移位與轉位，來營造出篇章整體的「張力結構」，以維持著篇章結構的「動力均衡」[33]，表現出「生命力及動感」。[34]這些節奏是一種「隱性節奏」，陳師滿銘在〈章法的「移位」、「轉位」結構論〉一文中說：

> 因為「移位」而造成的「力」的變化是較為和緩的，所以這是傾向於沉靜的節奏美；……因為「轉位」而造成的「力」的變化是較為顯著的，所以這是傾向於鼓舞的節奏美。而且因為這種形成秩序之移位和造成變化之「轉位」，是在字面上看不出來的，必須深入到文章的內蘊，理清其組織的脈絡，才能夠加以掌握，所以我們稱這種節奏為「隱性節奏」。[35]

---

32 見邱明正：《審美心理學》（上海市：復旦大學出版社，1993 年 4 月），頁 133。

33 劉思量曾用一個圖表來揭示藝術在「表達」什麼？可簡化為：〔由具體而抽象〕內容主題／形式→意義→完形（動力的均衡）→存在之本質（真實）。而其中「動力的均衡」是指生命力動力場各力之均衡（運動和張力均衡）。見《藝術與創造——藝術創作與欣賞之理論與實際》（臺北市：藝術家出版社，1989 年 5 月），頁 44。

34 王秀雄：「整個構圖之所以能造出力動性，乃是各細部的動勢很微妙地配合整體的動勢。這樣的藝術作品，是以主要的力動性主題為中心，加以組織，然後其運動必須貫徹到全領域裏。」又說：「要創作出畫面上之生命力以及動感，首先就要做到畫面上完整之平衡，如此才能得到動感的效果。」指出有「張力」的作品，能在動力的均衡之中，表現出生命力及動感。見《美術心理學》（臺北市：臺北市立美術館，1991 年 11 月，修訂版），頁 322、頁 212。

35 見陳師滿銘：〈章法的「移位」、「轉位」結構論〉，《師大學報》（人文與社會類）第 49 卷第 2 期（2004 年 10 月），頁 17。

雖然這種節奏是隱性的，無法從字面上看出，卻是作者審美心理的體現，楊匡漢《詩學心裁》說：

> 「張力」結構在詩中的呈現，是詩人審美心理結構的對象化形態。詩人內在情緒力的豐繁，也就往往要求詩的張力的豐繁與強大。[36]

他認為作品的結構，是作者審美心理結構對象化的表現，並稱此結構為「張力結構」，是對應於作者內在情緒與節奏的。蘇珊．朗格也有相似的說法：

> 藝術品包含著張力和張力的消除、平衡與非平衡以及節奏活動的結構模式，它是一種不穩定的然而又是連續不斷的統一體，而用它所標示的生命活動本身也恰是這樣一個包含著張力、平衡和節奏的自然過程。[37]

強調了藝術品的張力、平衡及節奏等，是人類生命活動的標示，亦即能與人類心理相對應。而此張力結構，是由層層的移位、轉位結構組合而成的，其中，「力」又是移位、轉位變化的動力所在，因此，我們可以說，整個作品之完成乃是各種力量之均衡、秩序與統一[38]，而這種動態的「力」的均衡表現，就是人心需求平衡的反映。

---

36 見楊匡漢：《詩學心裁》（西安市：陝西人民出版社，1995 年 7 月），頁 255。

37 見蘇珊．朗格著，滕守堯、朱疆源譯：《藝術問題》（湖南市：中國社會科學出版社，1983 年 6 月），頁 8。

38 參見劉思量：《藝術與創造——藝術創作與欣賞之理論與實際》（臺北市：藝術家出版社，1989 年 5 月），頁 165。

就鑑賞者而言，基於平衡的心理需求，會有意識地捕捉住心理的節奏，並以之為依據去感受與衡量審美對象的節奏，而對相應的節奏形式產生審美的愉悅；而章法的移位所造成的和緩節奏、轉位所造成的鼓舞節奏，以及結合移位與轉位所造成的整體「張力結構」，正是與人的心理節奏相對應的，因此能分別讓人感到沉靜的、亢奮的、動態均衡的審美愉悅。美國心理學家樸孚（Puffer）認為：凡是貌似不平衡的第一流作品，其實都藏有「平衡原則」在裏面。她把這種隱含的平衡叫做「代替的平衡」[39]，而章法的移位、轉位所造成的「張力結構」，是一種隱含在辭章脈絡中的節奏，即屬於這種「代替的平衡」，它在「力」的動態平衡中，不僅表現了動感的生命力，且能使鑑賞者滿足平衡的心理需求，從而產生輕鬆、穩定[40]的審美感受。

總之，就創作者而言，基於對平衡的心理需求，會有意識地去捕捉那維持著心理平衡的心理節奏，而將之表現在作品中，形成了章法的移位、轉位現象，分別造成了和緩的及鼓舞的不同節奏；甚至還結合了移位與轉位而形成篇章整體的「張力結構」，造成了「力」的動態均衡，表現出作品的生命力及動感。就鑑賞者而言，基於平衡的心理需求，也會有意識地捕捉住心理的節奏，並以之為依據去感受與衡量審美對象的節奏，而對相應的節奏形式產生審美的愉悅，從中分別體驗出因章法的移位、轉位而產生的沉靜及亢奮之不同感受，以及篇章整體的動感與生命力。

四　「和諧原則」的求同心理

陳師滿銘在談到章法的規律時曾說：「合於『秩序』的結構，無論

---

39 參見朱光潛：《文藝心理學》（臺北市：漢京文化事業公司，1984 年 7 月），頁 388。
40 參見葉太平：《中國文學之美學精神》（臺北市：水牛圖書出版公司，1998 年 7 月），頁 405。

順、逆，都是作者將寫作材料，訴諸人類求『秩序』的心理，經過邏輯思考，予以組合而成的。這種組合，也稱為『反復』，亦即『齊一』之形式」[41]，強調章法的移位現象是以人類「求秩序」的需要為心理基礎的。這種「求秩序」的需要，是一種「求同」的心理特徵，是和諧原則的體現。

和諧原則，是一種審美活動的心理法則，它與對立原則、平衡原則一樣，都是人類審美心理活動過程中，自覺或不自覺地遵循的一些具有普遍性的原則。章法移位現象（有秩序的安排材料）的發生，即與這種「和諧原則」有密切的關連。

和諧，是審美中最佳的心理狀態，是人類最高的審美境界，是人創造美的最大的動力和最終目的。無論古今中外，人類在審美、創造美時，都自覺或不自覺地嚮往著、尋求著、創造著和諧，並在長期的審美、創造美的實踐中，形成、積澱、遵循著這條「和諧原則」。邱明正在《審美心理學》中闡釋它的定義說：

> 所謂和諧原則就是在矛盾中求得協調一致、和諧統一的原則。具體地說，就是人們審美、創造美時所遵循的在審美客體之間，客體各要素之間，客體與主體之間以及主體心理要素之間，從差異、矛盾、對立中發現其內在同一性，從而使矛盾雙方趨於協調一致、和諧統一的原則。[42]

天下的事物，其本身的形就具有大小、方圓、高低、長短、曲直、正斜的不同；質也具有剛柔、粗細、強弱、潤燥、輕重的差異；勢則具有疾

41 見鄭頤壽主編，陳師滿銘名譽主編：《大學辭章學》（福州市：福建人民出版社，2004年12月），頁229。

42 見邱明正：《審美心理學》（上海市：復旦大學出版社，1993年4月），頁112。

徐、動靜、聚散、抑揚、進退、升沉等二元對待的變化。但在人類審美、創造時，會將這些對立的因素中，發現其內在的同一性，從而使矛盾雙方統一，而形成了和諧。楊辛、甘霖在《美學原理》中則指出了和諧的形式特色，包含了單純、齊一、對稱、均衡等等。[43]這些形式特色，也是章法移位現象所展現的有序性的形式之美。

由此可知，章法移位現象所表現的有序性，實出自於人類求「秩序」的心理需求，是以「和諧原則」為基礎的。而「和諧原則」在審美、創造美的心理活動中，主要體現於審美「求同心理」和「審美習慣心理」。其中審美求同心理是探求對象與對象、對象與自己以及自己與他人審美感受之間同一性、相似性、統一性的心理需要和心理狀態。它是審美探究心理中與求異心理相對應的又一種心理狀態。審美求同性探究、求同性思維則是求同心理的運動過程和在思維中的表現。與求異性探究相反，其功能是主體在探究中經過同化、順應作用，同化對象，適應對象，接納對象，順從他人，協調、克服主客體之間的矛盾、對立，使之達於統一和諧。[44]而這種求同心理的運動方式之一，就是「歸屬作用」，即把握對象之間的類屬關係和把握主客體之間的類屬關係，如果就章法的移位現象來看，作家面對寫作材料時，會先依材料彼此之間的類屬關係加以判別（如：因與果、正與反、賓與主），而在「求同」、「求秩序」的心理需求下，作出安排材料的「特定選擇」[45]，即「先因後果」、「先正後反」、「先賓後主」等有秩序的結合。

---

43 見楊辛、甘霖：《美學原理》（臺北市：曉園出版社，1991 年 5 月），頁 176。

44 參見邱明正：《審美心理學》（上海市：復旦大學出版社，1993 年 4 月），頁 112。

45 見金開誠：《文藝心理學概論》（北京市：北京大學出版社，1999 年 1 月，二版 1 刷），頁 18。而這種特定的選擇，是寫作主體「根據自己的動機和需要，克服重重阻力，排除一切干擾，從外部世界中選擇和確定自己進行觀察和感知活動的客體」，而求同心理就是這種需要的心理之一。參見劉雨：《寫作心理學》（高雄市：麗文文化事業公司，1995 年 3 月），頁 33。

從「力」的結構來看，更能凸顯章法移位現象是以「求同心理」為基礎的。在「先因後果」、「先正後反」、「先賓後主」等的移位現象中，每一種構成章法的元素（如「正」或「反」的材料）都可視為組織材料的「力」，「隨著時間的推移、行進，構成章法的兩個相應相成的『元素』（『力』）先後地出現，會依序將材料呈現出來以凸顯作品的主旨」[46]；這個移位過程，也可視為「力」的重複出現，產生了重複的節奏形式，讓人心中感受到「力」的單一方向性、連續性及重複性，因而展現出單純、和諧、整齊的美感。

這種由「求同心理」所產生的章法移位現象，呈現出單純、整齊、反複的形式美，能給人明淨、純潔、秩序的感受，楊辛、甘霖說：

> 整齊一律，這是最簡單的形式美。在單純中見不到明顯的差異和對立的因素。如色彩中的某一單色，蔚藍的天空，碧綠的湖面，清澈的泉水，明亮的陽光等等，單純能使人產生明淨、純潔的感受。……齊一、反覆能給人以秩序感。[47]

張紅雨《寫作美學》對於「求同心理」所依據的「和諧原則」的功能，也有類似的看法：

> 和諧整齊是人類在征服自然、開拓生活的勞動實踐中，長期形成的一種審美習慣和審美心理。和諧整齊就是雜多的統一、對立的統一、多樣的統一，是宇宙間一切事物的普遍規律。表現在文章上，是內容的歸類和集中，是形式的比例相稱和協調。這樣，便

---

46 見拙著：〈論辭章章法的對稱性及其美感——以古典詩詞為例〉，《興大人文學報》第35期（2005年6月），頁110。

47 見楊辛、甘霖：《美學原理》（臺北市：曉園出版社，1991年5月），頁167-168。

> 給人以輕鬆、明朗、通暢的美感。這種美感情緒的波動是徐徐進行的，是微微顫動的。如漣漪擴散，如薄霧蕩漾，美而且爽快。寫作主體運用這種美感情緒和審美心理去結構文章，就出現了淺顯明白，文勢平穩、形式整齊的寫作樣式。[48]

認為這種以求同、求和諧、求秩序的審美習慣和審美心理所結構成的文章，是合乎人們思維過程和理解問題的習慣的，因而表現出文章材料安排的整齊性、層次性及平穩性，給人以輕鬆、通暢、和諧、整齊和明晰的美感。

其實，人類這種求秩序、求和諧、求同的心理，在中國也是自古已有。早在《周易．艮卦》九五爻辭中，即有「君有序，悔亡」的說法，孔穎達疏云：「言有倫序，能亡其悔」，意即說話的內容要有次序，才能清楚傳達自己的意思，才不致發生遺憾；春秋時的史伯，在具象的四支（肢）、五味、六律、七體（竅）、八索（體）、九紀（臟）、十數、百體、千品、萬方、億事、兆物、經入（經常的收入）、姟極（最大的極數）之外，還加入了抽象的思維，提煉出「和」的觀點[49]，以「作為對事物多樣性、多元性衝突融合的體認」[50]，這個「和」就是統一之意；而後晏嬰論「同」[51]，是「同一物的加多或重複，如『以水濟水』、『琴

48 見張紅雨：《寫作美學》（高雄市：麗文文化事業公司，1996 年 10 月），頁 232。

49 見《國語．鄭語》，易中天：《新譯國語讀本》（臺北市：三民書局，1995 年 11 月），頁 707-708。

50 見張立文：《中國哲學邏輯結構論》（北京市：中國社會科學出版社，2002 年 1 月），頁 22。

51《左傳》〈昭公二十年〉：「景公至自畋，晏子侍於遄臺，梁丘據造焉。公曰：『維據與我和夫！』晏子對曰：『據亦同也，焉得為和。』公曰：『和與同異乎？』對曰：『異。和如羹焉，水火醯醢鹽梅，以烹魚肉，燀之以薪，宰夫和之，齊之以味，濟其不及；以洩其過，君子食之，以平其心。君臣亦然。君所謂可，而有否焉，臣獻其否，以成其可；君所謂否，而有可焉，臣獻其否，以去其否。是以政平而不干，民無爭心。故《詩》曰：『亦有和羹，既戒且平；奏鬷無言，時靡有爭。』先王之濟五味，和五

瑟之專壹』等」[52]，與史伯之說相似；到了《周易》、《老子》，則將同類的事物聯繫在一起，也是求「調和」的心理展現[53]；《文心雕龍》〈章句〉也說：「若辭失其朋，則羈旅而無友；事乖其次，則飄寓而不安。是以搜句忌於顛倒，裁章貴於順序，斯固情趣之指歸，文筆之同致也」，強調篇章的剪裁須有「次序」，這也是求秩序的思維所致。這些中國自古就有的求同、求秩序的心理及思維，是人類共同的心理及思維，如近人張會恩、曾祥芹主編的《文章學教程》也認為文章的層次規律，是作者條理性思維的結果，他們認為：

> 層次是文章內容和形式的秩序，是作者思想和表達的步驟。一切文體都遵循「言有序」(《周易》〈艮〉) 的法則。文章的語言正是依據作者的「意序」，由先而後地延展的，思想內容的層次決定了語言結構的層次。……它是客觀事物發展的階段性和作者思維的條理性在文章結構上的反映。[54]

由此可知，從古到今，求同、求和諧、求秩序的心理，是人們共通的心

聲也，以平其心，成其政也。聲亦如味：一氣，二體，三類，四物，五聲，六律，七音，八風，九歌，以相成也；清濁，大小，短長，疾徐，哀樂，剛柔，遲速，高下，出入，周流，以相濟也。君子聽之，以平其心，心平德和。故《詩》曰：『德音不瑕。』今據不然，君所謂可，據亦曰可；君所謂否，據亦曰否。若以水濟水，誰能食之？若琴瑟之專一，誰能聽之？同之不可也如是。』」見楊伯峻：《春秋左傳注》(臺北市：源流文化公司，1982 年 4 月，再版)，頁 1429-1420。

52 見張立文：《中國哲學邏輯結構論》(北京市：中國社會科學出版社，2002 年 1 月，初版 1 刷)，頁 23。

53 戴璉璋稱之為「同類相從的連繫」，他舉例說：「大壯以下各卦的『止』和『退』、『眾』和『親』、『寡』和『不處』、『不進』和『不親』、『女之終』和『女歸待男行』，都是同類相從的聯繫。」見《易傳之形成及其思想》(臺北市：文津出版社，1989 年 6 月)，頁 195。

54 見張會恩、曾祥芹主編：《文章學教程》(上海市：上海教育出版社，1995 年 4 月)，頁 317-318。

理；這種心理發之於文論，就有重視依材料先後次序安排的主張。這個主張，就是章法的「秩序律」(「變化律」之一種)，亦即章法的移位現象。

總之，章法的移位現象是以人類「求秩序」的需要為心理基礎的；而這種「求秩序」的需要，是一種「求同」的心理特徵，是和諧原則的體現。創作者基於求同、求和諧的心理需要，將創作材料予以有秩序的安排，使作品具有整齊、平穩、條理、明晰的特色；鑑賞者基於求和諧的審美心理需要，能從章法的移位現象中，感受到單純、整齊、輕鬆、通暢、和諧、層次和明朗的美感。

五　「對立原則」的求異心理

陳師滿銘在《篇章結構學》曾說道：「將『順』和『逆』結合在一起所形成的轉位結構，比起單『順』與單『逆』者，要來得複雜而有變化。而這種變化，可說源自於人類要求變化的心理」[55]，強調章法的轉位現象是以人類「求變化」的需要為心理基礎的。陳望道在《美學概論》中也說：

> 人類心理卻都愛好富於變化的刺激，大抵喚起意識須變化，保持意識底覺醒狀態也是須要變化的。若刺激過於齊一無變化，意識對它便將有了滯鈍、停息的傾向。在意識底這一根本性質上，反複的形式實有顯然的弱點。反複到底不外是同一(縱非嚴格的同一，也是異常的近似)狀態之齊一地刺激著我們的事。反複過度，意識對於本刺激也便逐漸滯鈍停息起來，有在不識不知之

[55] 見陳師滿銘：《篇章結構學》(臺北市：萬卷樓圖書公司，2005年5月)，頁149。

> 間，移向那有變化有起伏的別一刺激去的趨勢。[56]

詳細說明了人類在反複過度之後的求變、求刺激的心理需要。因此，創作者在安排辭章材料的邏輯思維中，自然會反映這種求變的心理，而在作品中將材料加以參差地安排，呈現了章法的轉位現象。

而這種「求變化」的需要，是一種「求異」的心理特徵，是對立原則的體現。對立原則，是一種審美活動的心理法則，它與和諧原則、平衡原則一樣，都是人類審美心理活動過程中，自覺或不自覺地遵循的一些具有普遍性的原則。章法轉位現象（參差地安排材料）的發生，即與這種「對立原則」有密切的關連。對立原則，由美國達爾文提出，他認為人有時在完全相反的精神狀態下，出於無意識的衝動，使感覺、運動並不與利害感相聯繫，卻可以喚起快感、美感。[57]張紅雨在《寫作美學》中也說：

> 寫作主體面對審美對象還會出現一種逆態心理，感到激情物美得突出和鮮明，常常會想到與激情物相對立的其他型態。……所以當審美對象以它特有的姿態作用於審美主體的時候，在腦海中立刻浮現出與之對映的許多新型態來同審美對象比較、衡量，使審美對象的特點更突出，姿態更優美……引起人們的審美衝動，產生美感。[58]

同樣指出了對立原則在審美心理活動中的重要性，它可以使審美對象的

---

56 見陳望道：《美學概論》，收於《陳望道文集》（上海市：上海人民出版社，1980 年 5 月），卷 2，頁 42。

57 參見邱明正：《審美心理學》（上海市：復旦大學出版社，1993 年 4 月），頁 93。

58 見張紅雨：《寫作美學》（高雄市：麗文文化事業公司，1996 年 10 月），頁 128。

特點更突出，引起人的審美衝動，進而產生美感。對立原則，不僅是人類審美心理的普遍原則，也是天地萬物運動變化的規律，在《周易》（含易傳）中早就有「一陰一陽之謂道」（〈繫辭上〉）的命題，以陰、陽二元對立來概括世界萬物的構成模式；在六十四卦的卦義及特性的描述中，也標舉了許多二元對立的範疇，如陰和陽、剛和柔、樂和憂、速和久、離和止、否和泰等「異類相應的聯繫」[59]關係。同樣地，《老子》一書也有類似的思想，陳鼓應在談到《老子》「反者道之動」時說：

> 在這裡「反」字是歧義的：它可以作相反講，又可以作返回講。但在老子哲學中，這兩種意義都被蘊涵了，它蘊涵了兩個概念：相反對立與返本復初。這兩個概念在老子哲學中都很重視的。老子認為自然界中事物的運動和變化莫不依循著某些規律，其中的總規律就是「反」，事物向相反的方向運動發展；同時事物的運動發展總要返回到原來基始的狀態。[60]

可知《老子》一書，早已揭示了自然界向對立面運動變化的規律，也就是對立原則的體現。西方哲人如阿納克西曼得（Anaximander）也認為：宇宙萬物的生成是冷與熱、乾與濕等對立物相互作用的結果。[61]總之，在人類所處的物質世界和精神世界中，普遍存在著「對立」的現象，如大與小、高與矮、新與舊、美與醜、善與惡等等。它在物質世界的體現是向對立面轉化的運動發展；而在精神世界的體現，則是求異心理及審

---

59 見戴璉璋：《易傳之形成及其思想》（臺北市：文津出版社，1989 年 6 月），頁 186-187。

60 見陳鼓應：《老子今註今譯及評介》（臺北市：臺灣商務印書館，1985 年 2 月，修訂十版），頁 154。

61 以上關於中西變化哲學的論述，詳見本論文第三章第一節「變化律的哲學義涵」。

美探究心理的展現。

審美探究心理，包括了審美求同心理和審美求異心理。其中審美求異心理是指在對比中探究對象與對象、主體與客體、自己審美感受與他人之間的差異、矛盾、對立的心理運動與特徵。它又稱「對比心理」，是審美探究心理的一種恒常方式，並生發出審美求新、求奇、求變、斥異等心態。[62]這種求新求變的審美心理，也可以從生理層面來解釋，陳望道說：

> 當我們看一條線時，我們的眼珠都是沿著那條線自此至彼地運動的。如果所看的是直線，那眼珠的筋肉就得刻刻用著同一方向的努力，刻刻繼續同一種類的緊張。故所看的直線萬一較長時，眼裡就要有疲勞厭倦之感。[63]

可知，由於單一方向的注視太久，會使得眼睛感到疲勞而心生厭倦之感，因此，適度地尋求變化以為調劑，是人類生理自然的反應。邱明正更詳細說明了這種求異的心理歷程，他說：

> 一方面，對象新、奇、變反映了事物的運動狀態，事物之間的差異、矛盾、對立，反映了事物的獨特性，而這種運動變化、差異、獨特的特徵最容易吸引人的注意，最能對人構成強刺激，引起感應神經的興奮，也最容易激發人去探其究竟的欲望。另一方面新、奇、變的對象蘊含著主體未知的成分，同主體審美經驗發生了矛盾，打破了心理的平衡狀態，使主體感到陌生、驚奇、困

62 參見邱明正：《審美心理學》（上海市：復旦大學出版社，1993 年 4 月），頁 101。
63 見陳望道：《美學概論》，收於《陳望道文集》（上海市：上海人民出版社，1980 年 5 月），頁 30。

> 惑、不適應。這種不適應既可能使人回避對象，無暇探究，拒絕接受，又可能正因為驚奇、困惑、不適應，恰恰激活了好奇驅力、求知欲，引起了主體的注意和興趣，喚起了求異性探究的衝動，誘導人去開展積極的思維活動，調動心理積澱，調整心理結構，順應、接納新奇、變幻的對象，從解惑中獲得滿足和樂趣。求新、求奇、求變是審美求異心理的衍生物，是審美心理的常態，它是沒有止境的，經歷了主客體之間由不適應到適應，再到不適應，又重新達到新的適應這樣一個無限往復的過程。[64]

首先是審美對象的對立性、新奇性及獨特性引起了主體的審美注意；在強刺激的吸引下，引起感應神經的興奮，激發了審美探究的衝動；主體的心理在調整、順應、接納的過程中，從「不適應→適應→再不適應→重新適應」的歷程中，獲得了滿足和樂趣。其中的「感應神經」，是指大腦皮層所控制的大腦的邊緣系統，彭聃齡主編的《普通心理學》說：

> 人選擇一些信息，而離開另一些信息，是和腦的更高級的部位——邊緣系統和大腦皮層的功能相聯繫的。邊緣系統是由邊緣葉、附近的皮層和有關的皮層下組織構成的一個統一的功能系統。邊緣系統既是調節皮層緊張性的結構，又是對新舊刺激物進行選擇的重要結構。一些研究表明，在邊緣系統中存在著大量的神經元，它們不對特殊通道的刺激作反應，而對刺激的每一變化作反應。因此，當環境中出現新異刺激時，這些細胞就會活動起來，而對已經習慣了的刺激不再進行反應。這些神經元也叫「注意神經元」。……產生注意的最高部位是大腦皮層。大腦皮層不

64 見邱明正：《審美心理學》（上海市：復旦大學出版社，1993 年 4 月），頁 106。

僅對皮層下組織起調節、控制的作用，而且是主動地調節行動、對信息進行選擇的重要器官。[65]

由於這些「注意神經元」，才能對信息產生注意，進行選擇。總之，在面對具有強刺激的客體時，人的生理、心理基於對立原則，會有求異的衝動：當主體不適應新、奇、變的對象時，便主動調節自己的生理、心理狀態以適應對象，獲得新知和樂趣；而當一旦適應以後，生理、心理的感受性又會處於飽和狀態，又會感覺麻痺、精神疲憊、興味索然，這時人又會在求異心理策動下去尋求新的刺激，探究新的對象，以期獲得新的滿足，如此往復循環，永不停止。

這種審美求異性探究，除了具有認識功能，還具有進行自我調節，滿足審美求新、求奇、求知欲望，提高美的創造力和確保主體自主性、獨立性精神需要的功能。所以創作者在面對辭章材料時，為了滿足審美求新、求奇、求變的欲望，會將具「二元對待」關係的寫作材料（如：因與果、正與反、賓與主）作變化性的思維，採取參差性（順向加逆向）的安排方式，而捨棄齊一的、秩序性的安排方式，形成了如：「因、果、因」、「正、反、正」、「賓、主、賓」等參差性的結合方式，即章法的轉位現象。

從「力」的結構來看，更能凸顯章法轉位現象是以「求異心理」為基礎的。在「因、果、因」、「正、反、正」、「賓、主、賓」等的轉位結構中，每一種構成章法的元素（如「正」或「反」的材料）都可視為組織材料的「力」，「隨著時間的推移，辭章的材料經由『轉位』而先後形成一順、一逆方向相反的參差安排，使內容的深層義蘊在材料的往

---

65 見彭聃齡主編：《普通心理學》（北京市：北京師範大學出版社，1993 年 12 月，初版 5 刷），頁 151。

復轉移中被曲折地凸顯出來」[66]；這個轉位過程，也可視為「力」的一順、一逆地朝著相反方向行進，產生了「往復」的結構，呈顯出比單一方向的移位還要鮮明、鼓舞的節奏形式，讓人心中感受到「力」發展出去後、又拉回來的雙向性，因而展現出律動、靈活、變化的美感。相較於移位現象的單一性及反複性，章法的轉位結構不僅提高了作者的審美創作力，也凸顯了創作主體的自主性及獨立性。

從鑑賞者的角度言，求變、求新的心理需求，也反映在中國文論家的論文主張之中，如宋代的胡仔在《苕溪漁隱叢話》中說：

> 律詩之作，用字平側，世固有定體，眾共守之。然不若時用變體，如兵之出奇，變化無窮，以驚世駭目。[67]

強調使用變式，可以補救律詩形式過於整齊的單調之感。又如方東樹的《昭昧詹言》說：

> 七言長篇，不過一敘、一議、一寫三法耳。即太史公亦不過用此三法耳，而顛倒順逆、變化迷離而用之，遂使百世下目眩神搖，莫測其妙，所以獨掩千古也。一敘也，而有逆敘、倒敘、補敘、插敘，必不肯用順用正。[68]

指出獨掩千古的文章作法，就是「變化」。王葆心的《古文辭通義》中列有「文局之參差與整飭」，說：

---

[66] 見拙著：〈論辭章章法的對稱性及其美感——以古典詩詞為例〉，《興大人文學報》第35期（2005年6月），頁120。

[67] 見胡仔：《苕溪漁隱叢話》（臺北市：長安出版社，1978年12月），前集卷7，頁42。

[68] 見方東樹：《昭昧詹言》（臺北市：廣文書局，1962年8月），卷11，總論七古，頁2。

> 整飭者，參差之對；欲救參差，須明整飭。文中專尚參差則入碎，專尚整飭則入排。[69]

其中「參差」指的便是材料的參差安排，即章法的轉位現象。蔣伯潛的《中學國文教學法》也談到「變化」，他說：

> 層次明順，前後聯絡，謀篇布局，已思過半矣。可是也有以變化出之的。因為平鋪直敘，文章終少生氣，……有這種種變化（追敘、插敘、補敘），文章方覺得不板滯。[70]

唯有以追敘、插敘、補敘等法來變化文章，方能使文章有生氣，而這些方法，都是章法的轉位現象。宋廷虎等編的《修辭新論》更明白指出章法的「變化」是基於人類好變的心理，說：

> 語言形式的齊整和變化來源於美學上的形式統一和變化這一原理，即：統一而有變化，變化中也要有統一。……因此在美的觀念上，人們常常以統一為美，不統一為不美。但如果僅有統一而沒有變化，又不免使人覺得單調平板。因為「人類心理卻都愛好富於變化的刺激，大抵喚起意識須變化，保持意識底覺醒狀態也是須要變化的。」這樣，變化又成了美的對象的另一個要質。[71]

由此可知，從古到今，求異、求新、求變、求刺激的心理，是人們共通

---

69 見王葆心：《古文辭通義》（臺北市：臺灣中華書局，1984 年 4 月，臺二版），下冊，頁 27。

70 見蔣伯潛：《中學國文教學法》（臺北市：泰順書局，1972 年 5 月，再版），頁 86。

71 見宋廷虎等編：《修辭新論》（上海市：上海教育出版社，1988 年 3 月），頁 222。

的心理；這種心理發之於文論，就有重視材料參差性安排的主張。這個主張，就是章法的轉位現象，亦即章法的「變化律」。

總之，章法的轉位現象是以人類「求變化」的需要為心理基礎的；而這種「求變化」的需要，是一種「求異」的心理特徵，是對立原則的體現。創作者基於求異、求變化的心理需要，將創作材料予以參差性的安排，使作品具有變化、生動、靈活、鼓舞的特色；鑑賞者基於求變化的審美心理需要，能從章法的轉位現象中，感受到章法豐富多樣的變化之美，有「變化」就不會造成心理「疲勞」，且足以使欣賞者在「注意」的張弛起伏中保持「注意」的穩定與持久，從而感受到轉位結構中複雜、變化、靈動、立體、「對立的統一」之美。

六　自由跳躍的審美聯想

一篇作品，可能只有單純的移位或轉位的核心結構；也可能在核心結構外，還有分層結構，因而呈現出移位、轉位交錯發生的較複雜的結構。然而，無論是單純的移位或轉位現象，還是複雜的移位、轉位交錯的現象，其內在動因，都是由於創作者運用了「審美聯想」的心理活動。經由聯想的自由跳躍，作者得以根據相似或相反的原則，將辭章材料之間的內在關係聯繫起來，而形成一篇具完整結構的作品。

「審美聯想」，是人的一種心理機制，是人類在審美過程中由一個事物想到另一個事物的心理過程。它是在回憶基礎上進行的，既可以再現過去的經驗，又可以由過去想到未來，在心目中設想未來的圖景。曹日昌主編的《普通心理學》中，對於「聯想」的心理活動過程有詳細的解釋，他說：

> 對人來說，客觀刺激物作用於感受器，引起大腦皮層的活動，就產生一定的心理現象（如感覺、知覺、表象等等）。由於客觀刺

激物彼此間存在著一定的聯繫，反映在心理現象中就成為各個心理現象之間的聯繫，並且可以彼此互相引起，成為聯想。這種聯想的生理機制就是大腦皮層中的暫時聯繫。所以巴甫洛夫把聯想稱為「主觀現象之間的聯繫」，並且認為聯想「與暫時聯繫的生理學事實、與大腦皮層各點間道路的接通相符合，……」正是在這種意義上，暫時聯繫被認為是心理的，又是生理的。[72]

指出產生聯想的客觀基礎是事物之間具有聯繫性，而生理基礎則是暫時的神經聯繫。劉雨在《寫作心理學》也說：

聯想的生理基礎是暫時的神經聯繫，它的產生是大腦內部記憶的神經元相互激活和接通的結果。這種由此及彼的過渡和連接，克服了表象和表象，概念和概念之間的距離，形成了一種新的連接模式和連接關係。[73]

詳細描述了聯想活動發生時的生理基礎。因此，在這些客觀的基礎及生理的基礎之上，人的大腦中其中一個或一些表象一旦在意識中呈現，就會引起另一些相關的表象。例如由「移位」想到「轉位」，由「轉位」又想到「移位」，這種由一事物想到另一事物的心理過程就是聯想。

依照聯想的成因，可以分為接近聯想、相似聯想、對比聯想等。接近聯想一般多從對某一事物的回憶開始，聯想到在時空上與它比較接近的事物，一般是對對象相近方面的概括，又稱由此及彼的聯想；相似聯想則是通過對事物的感知和回憶，從而引起對性質或形態上相似的事物

72 見曹日昌主編：《普通心理學》（北京市：人民教育出版社，1987 年 4 月），上冊，頁 59。

73 見劉雨：《寫作心理學》（高雄市：麗文文化事業公司，1995 年 3 月），頁 247。

的回憶，造成不同對象在時空上的聯繫，又稱以此喻彼的聯想，相當於我國古代的比興手法；對比聯想是由某一事物的感知而引起和它相反事物的回憶，反映出不同對象的矛盾關係，又稱以此襯彼的聯想。[74]就章法變化律而言，由於辭章的材料之間，是形成「二元對待」的關係，彼此間不是「調和」關係就是「對比」關係，因此，在作者構思安排這些材料時，即以「接近聯想」、「相似聯想」或「對比聯想」為其心理基礎。例如《古詩十九首》中的〈涉江采芙蓉〉，原詩為：

> 涉江采芙蓉，蘭澤多芳草；采之欲遺誰？所思在遠道。還顧望舊鄉，長路漫浩浩。同心而離居，憂傷以終老。[75]

其結構分析表為：

```
┌ 果一（采花）:「涉江」二句
│
├ 因（思遠）:「采之」二句
│              ┌ 事（望鄉）:「還顧」二句
└ 果二（望鄉）┤
               └ 情（憂傷）:「同心」二句[76]
```

這首詩是遊子思鄉之作[77]，作者先透過「相似聯想」的方式，在記憶中

---

74 以上關於聯想的分類及定義，參見周來祥、周紀文：《美學概論》（臺北市：文津出版社，2002 年 2 月），頁 106-107；以及蔣孔陽：《美學新論》（北京市：人民文學出版社，1995 年 4 月，初版 2 刷），頁 289-290。

75 見馬茂元：《古詩十九首探索》（臺北市：純真出版社，1982 年 9 月），頁 85。

76 見拙著：〈論辭章章法的對稱性及其美感——以古典詩詞為例〉，《興大人文學報》第 35 期（上）（2005 年 6 月），頁 128。

77 這首詩，徐陵《玉臺新詠》題為枚乘作，陳沆《詩比興箋》也說：「在梁憂吳也。」王闓運《八代詩選》說：「去吳遊梁，追念故國。」皆無實據。觀詩中情意，應為遊子思鄉之作較為妥適，主此說者有朱自清《古詩十九首釋》、馬茂元《古詩十九首探

搜尋過去閱讀中所獲得的相關事例，而決定取意於《楚辭》「采芳以贈所愛」的典故，寫身處異地的自己到江中采蓮、到澤邊采蘭的動作，以表達思念所愛之情；接著，再以「接近聯想」的思維，藉著與「採蓮」有相同時空及目的的「望鄉」動作，加強了遊子飄泊異地、思念家鄉妻子的急切心情，如此一來，核心結構的部分，就形成了「果、因、果」的轉位結構。而次層結構中，作者在「望鄉」的舉動中，通過「相反聯想」，由「同心」相愛的人本應廝守到老，聯想到今日卻遭到「離居」、分散的命運，因而形成「先事後情」的移位結構，相思之情也就更加深刻地被烘托出來了。由此可知，透過種種的聯想心理活動，可以形成層層的移位、轉位結構，以凸顯作者的相思之情。

值得注意的是，當一個富於創造力的作家面對寫作材料、構思如何將之融合成一個有機的整體時，其思維大多「是開放的而不是封閉的，是多向與逆向的而不是單向與順向的，是求異性的而不是求同性的，是動態多變性的而不是靜態超穩定性的」。[78]他們會靈活地結合移位與轉位的章法安排，在縱觀全局的考量下，營造出全篇作品最佳的章法結構，而其內在的動因，即是根源於自由跳躍的審美聯想。李元洛《詩美學》說：

> 有創造性的詩人，能夠衝破陳舊的思維模式，把思維從狹窄、封閉、陳陳相因的體系中解放出來，作創造性的輻合與輻射。輻合性思維，能把各種信息作有機聚合而得出一個最佳的意象結構，在多種設計與構想中尋覓一個最好的方案。輻射性思維又稱發散性思維，即藝術思路成扇形展開，所謂「文思泉湧」、「思路開

索》、顏崑陽〈古詩十九首選析〉（收於《古典詩文論叢》）等等。

78 見李元洛：《詩美學》（臺北市：東大圖書公司，1990 年 2 月），頁 34。

> 闊」、「浮想聯翩」等等，就是對這種思維狀態的形容。[79]

指出了創作者的心理構思活動，不會僅僅限於一種思維方式，它是多樣的；尤其在作者謀篇佈局時，會選擇最佳的結構來表達其情意，也會放縱其思維，自由地聯想，交錯地運用移位及轉位來將材料作最有效的安排。張紅雨稱此種心理活動為「美感情緒的雙邊跳躍」，他說：

> 所謂美感情緒的雙邊跳躍，就是人們在審美的過程中，在美感情緒發生波動的情況下，總希望要縱觀全局，鳥瞰整體。對某一事件的發展不僅希望瞭解此方，也希望掌握彼方。「知彼知己」這是人們的心理常態，也是審美的一種習慣和反映。寫作主體就順應這一美感情緒的雙邊跳躍的特點，寫出了許多成功的文章。[80]

由於寫作主體希望全面觀照作品的整體，因此在臨筆為文之際，需要特別思索如何安排材料，才能構成最佳的組合。例如：一篇作品有時可能其核心結構是移位結構（如：「先因後果」），而次層結構卻是轉位結構（如：「虛實虛」），接著第三層結構又呈現出移位結構的情形。總之，作者的審美聯想是不斷地在跳躍著的，在這樣靈活的心理機制作用下，寫作的材料不斷地湧現，也不斷地被作者以自由的、跳躍的美感情緒組織著；在縱觀全局的考量下，移位結構與轉位結構就這樣交錯地出現在文學作品之中。

對於鑑賞者而言，也需要通過自由跳躍的審美聯想，以相近、相似或對比的聯想方式，才能探察出作者移位與轉位的章法安排，在材料所

---

79 見李元洛：《詩美學》（臺北市：東大圖書公司，1990 年 2 月），頁 34。

80 見張紅雨：《寫作美學》（高雄市：麗文文化事業公司，1996 年 10 月），頁 241。

營構出的意象結構中，深入體會出作者所欲表達的主旨思想，從而感受到移位、轉位的交錯之美。

總之，就創作者而言，相近聯想、相似聯想及對比聯想等審美聯想的自由跳躍，是章法移位、轉位及其交錯現象發生的心理基礎，在作者縱觀全局的關照下，營構出一篇有機的結構體；就鑑賞者而言，透過自由跳躍的審美聯想，不僅能在移位、轉位交錯的結構中體會作者的情意，還能獲得章法變化的審美享受。

綜合本節所述，我們可以從「變化哲學」的「心理定勢」、「異質同構」的心理感應及「平衡原則」的心理需求三方面來探討「章法變化律」發生的心理基礎：「變化律」，是人們觀察宇宙客觀事物抽象而得的變化規律，在長期的社會發展及文化生活中，這個「變化哲學」已牢牢「積澱」在人類的心中，而形成審美活動發動前的「心理定勢」，使得創作者及鑑賞者能更迅速、完整、輕鬆地把握辭章材料的審美特性及其相互關係，而將「變化哲學」中移位轉位的思維投射到作品中，從而形成或探察出章法移位轉位的變化現象；依格式塔心理學派，我們還可從「異質同構」的理論來解釋「章法變化律」的發生心理：物理世界中移位轉位所造成的「力」的結構及變化，與人類心理世界的神經系統中「力」的結構契合，人心遂起「同構」的感應，而有「章法變化律」的審美注意；同時，人類對「平衡」的心理需求，也是「章法變化律」發生的心理基礎：無論是創作者或鑑賞者，基於對「平衡」的心理需求，會有意識地去捕捉那維持著心理平衡的心理節奏（一張一弛、循環往復），並以之為據，去表現或感受審美對象的節奏，因而形成或體驗出一張（逆向移位）、一弛（順向移位）、循環往復（轉位）的章法節奏。

如果分別就章法移位、轉位現象來看，則「章法移位現象」乃辭章材料的有序組合（順向或逆向），是基於人類求和諧、求同、求秩序的心理需要；而「章法轉位現象」乃辭章材料的參差組合（順向加逆向），比移位更具變化，是基於人類求異、求新、求刺激、求變化的心理需要。至於章法移位轉位現象交錯發生的情形，則是人類審美聯想自由跳躍的結果，其實，無論是章法的移位、轉位或移位轉位交錯現象，「聯想」，都是其不可或缺的、重要的心理機制。[81]

第二節　章法變化律的美學特色

美感是人類所獨有的，而其來源則是客觀現實中美的事物，當人心感知審美對象的存在後，會發生一種「能動的創造性的反映」[82]，從而得到精神的愉悅。而且，這些美感是有共同性的，康德就曾指出：

> 美感判斷雖然是主觀的，同時卻像名理判斷有普遍性和必然性。這種普遍性和必然性純賴感官，不藉助於概念。物使我覺其美時，我的心理機能（如想像、知解等）和諧地活動，所以發生不沾實用的快感，一人覺得美的，大家都覺得美（即所謂美感判斷的必然和普遍性），因為人類心理機能大半相同。[83]

美感雖是主觀的、憑藉感覺而不假概念的，但卻因人類的心理機能大半相同，所以仍有普遍性和必然性，只要物具有適合心理機能的條件，就能使心感覺到美。李澤厚對此有同樣的看法，他說：

---

81 以上章法變化律的心理基礎，詳參拙著：〈論章法結構的「變化律」及其心理基礎〉，《興大人文學報》第 36 期（2006 年 3 月），頁 325-362。

82 美感心理活動的發生層次是：最初的層次是對於對象的形式感知，……第二個層次是主客體之間的同情與共感，……第三個層次是獲得再創造的愉悅。參見歐陽周、顧建華、宋凡聖編：《美學新編》（杭州市：浙江大學出版社，2001 年 5 月，初版 9 刷），頁 225-227。

83 見朱光潛：《文藝心理學》（臺北市：漢京文化事業公司，1984 年 7 月），頁 188-189。

> 人們感受外物刺激和形成主觀反映的生理器官、機制是基本相同的，從而人們的心理結構和心理活動的規律，也就會有或多或少的共同之處。……作為特殊而又複雜的心理現象的美感，在正常的、不同的審美主體身上，也就會體現出某些共同性。這一點，尤其突出地反映在對形式美的欣賞方面。[84]

由於人們的生理器官及機制的相同，所以會體現出美感的共同性；尤其值得注意的是，他還指出這個共通性，主要反映在對「形式美」的欣賞，美國的美學家喬治．森塔亞納（George Santayana）也說：

> 審美的效果有三種主要成分：素材、形式與表現。……美的素材是雙重的：它們包含了被人覺知的感覺性質，像：色彩與聲音；並且它們引發了我們情緒的組織——假如人沒有強烈且堅持的激情衝動，他將不會充分地把美投射到自然裡去。但是在審美的元素當中形式是最佔優勢的，並且是最適合於設計藝術的。形式知覺的本身，只要能予人以審美的快樂，它在人的心理構造方面就有它的根源。[85]

強調了「形式」在審美元素中是最佔優勢的，而且可以與人的心理找出對應的根源，亦即可以引起美感，給人審美的快樂。

然而，這種可以引起美感的「形式」，不是一般的形式，而是一種「有意味的形式」[86]，它是積澱了社會內容的自然形式；而形式美的法

84 見李澤厚：《美學百題》（臺北市：丹青出版社，1987年6月），頁100。

85 見喬治．森塔亞納（George Santayana）著，王濟昌譯：《森塔亞納美學箋註》（臺北市：業強出版社，1986年11月），前言，頁1。

86 李澤厚：「美之所以不是一般的形式，而是所謂『有意味的形式』，正在於它是積澱

則，就是人類在長期實踐美的創造中，自覺地概括出的美的事物在形式上的共同特徵。黑格爾認為，藝術作品透過「形式」才能使作品本身成為可見的，經由形式我們才能面對精神的意識。[87]因此，研究形式美，可以「推動美的創造，以便使形式更好地表現內容，達到美的形式與美的內容高度統一」。[88]

章法所形成的篇章結構，就是運用形式結構、結合材料內容，來探究篇章深層情意主旨的一種組織形式。陳望道曾指出「形式」的定義，說：

> 形式一語，在藝術學上共有兩種不同的意義：一指藝術的外形。……而第二種的意義，卻是指事物所有的結合關係。[89]

而篇章結構，無論是「移位結構」或「轉位結構」，都是由二元對待的章法構成元素（如「因」與「果」、「賓」與「主」）組合而成，屬於後者的形式意義，但它不同於一般規格化的形式，而是一種「有意味的形式」，李澤厚說：

> 一般形式美經常是靜止的、程式化、規格化和失去現實生命感、力量感的東西（如美術字），「有意味的形式」則恰恰相反，它

了社會內容的自然形式。所以，美在形式而不即是形式。離開形式（自然形體）固然沒有美，只有形式也不成其為美。」見《美的歷程》（臺北市：三民書局，2002 年 6 月，初版 3 刷），頁 28。

87 參見劉思量：《藝術與創造——藝術創作與欣賞之理論與實際》（臺北市：藝術家出版社，1989 年 5 月），頁 26。

88 見楊辛、甘霖：《美學原理》（臺北市：曉園出版社，1991 年 5 月），頁 178。

89 見陳望道：《美學概論》，收於《陳望道文集》（上海市：上海人民出版社，1980 年 5 月），卷 2，頁 40。

是活生生的、流動的、富有生命暗示和表現力量的美。[90]

章法結構，尤其是變化的章法結構，就是這種結合了內容的、富有生命暗示和表現力量的形式美，因此，研究章法結構的形式美，不僅可以更深一層探知篇章的內容主旨如何被更好地「表現」出來，還可在審美心理的活動過程中體驗出對文章再創造的感動，並從中獲得精神的愉悅。

喬治・森塔亞納（George Santayana）認為「同樣的材料以不同的方式結合在一起，會造成極不同的審美效果」[91]，而辭章章法講求的就是辭章材料的結合方式；章法變化律，就是指將辭章材料加以秩序性結合或往復變化的結合安排，因此，運用「變化律」的邏輯思維在辭章材料上，就可以形成篇章的「移位結構」及「轉位結構」，而呈現出秩序與變化、並列與凸出、平移與回轉、調和與對比、優雅與健壯的形式美，從而使人充分感受到變化美、對稱美、動態美（節奏美）、剛柔美以及和諧美等等的審美效果。以下將針對這五種形式之美，分別就「移位」與「轉位」的美感效果，加以舉例並比較說明。

一　變化美

章法的移位現象，是指將辭章材料加以秩序性的安排，會呈現單純的、整齊的、秩序性的變化美感；它是基於人類求同、求秩序的心理需要而產生的，同時也是客觀事物變化規律的反映。章法的轉位現象，是指將辭章材料加以參差性的安排，會呈現複雜的、參差的、多樣的變化美感；它是基於人類求異、求變化的心理需要而產生的，同時也是客觀事物變化規律的反映。二者同等重要，且相輔相成，英國畫家和美術家

90 見李澤厚：《美的歷程》（臺北市：三民書局，2002 年 6 月，初版 3 刷），頁 48。

91 見劉昌元：《西方美學導論》（臺北市：聯經出版社，2000 年 7 月，二版 5 刷），頁 58。

羅傑．弗萊（Roger Fry）就指出了「秩序」與「變化」的重要，他說：

> 在我們的感覺中，我們所要求的性質首先是秩序，沒有秩序我們的感覺會混亂不堪和茫然無措，其次是變化，沒有變化感覺得不到足夠的刺激。……在一件事物中，有目的的秩序和變化的感覺使我們產生這是根據「那是美麗的」來表現的感情，當我們的感情透過感覺的方式調動起來時，我們在其中也要求有目的的秩序和變化。[92]

「秩序」可以免除混亂之感，而「變化」則可以滿足刺激之感。單純而不多樣就會平淡無味，可是當眼看膩了連續不斷的變化時，再去看那些在某種程度上單純的東西，就會感到輕鬆愉快；如果使單純與多樣結合起來，單純就會使人喜歡，因為它能提高多樣給予人的快感，使眼睛能夠更輕鬆地感受多樣性。[93]因此，「寓整齊於變化」[94]，是一切藝術所共有的原則，辭章章法也不例外，經由移位與轉位所造成的結構，就呈現出這種秩序性的單純優雅與變化性的多樣生動的交融之美。

（一）移位——秩序的變化美

作者基於求秩序的心理需要[95]，依空間、時間或事理展演的自然過

---

92 見羅傑．弗萊（Roger Fry）：〈論美感〉，收於佟景韓、易英主編：《現代西方藝術美學文選——造型藝術美學卷》（臺北市：洪葉文化公司，1995 年 2 月），頁 307-308。

93 參見威廉（William Hogarth）著，楊成寅譯：《美的分析》（臺北市：丹青圖書公司，1986 年 3 月，臺一版），頁 17、23。

94 見朱光潛：《文藝心理學》（臺北市：漢京文化事業公司，1984 年 7 月），頁 182。

95 韋特海默在自然中發現了走向平衡有序和完美的趨向。他發現這正是人之基本的衝動，文化的扭曲和思想之複雜化還不致完全遏止了這種衝動。人在本質上是極有條理的，因而是出色的（即處於充分行使其功能的適當情形中），因為良好的組織是一切自然系統所追求的。參見魯道夫．阿恩海姆（Rudolf Arnheim）著，郭小平、翟燦

程將其作適當的配排，[96]而形成章法的移位現象，其中又可依變化方向的不同，而分成「順向移位」與「逆向移位」。譬如屬於「空間」的遠近法，「由近而遠」是順向移位，「由遠而近」是逆向移位；屬於「時間」的今昔法，「由昔而今」是順向移位，「由今而昔」是逆向移位；而屬於「事理展演過程」的本末法，「由本而末」是順向移位，「由末而本」則是逆向移位。

然而，無論是「順向移位」或「逆向移位」，其所展現的都是最簡單的結構形式，趙凱華說：

> 一切都是從簡單、對稱、均衡開始的，一切複雜的、……都不是原初如此，而是有起源的。[97]

可知「簡單」是先於「複雜」的，是複雜變化的源頭；而這種簡單的形式，是可以產生美感的，一如喬治．森塔亞納（George Santayana）所說的：

> 美既然是一種主客間對應關係，就主體方面說，人可以對單元的對象發生美感，那對象有單純美。[98]

譯：《藝術心理學新論》（臺北市：臺灣商務印書館，1998 年 1 月，初版 3 刷），頁 48。

96 參見陳師滿銘：《國文教學論叢》（臺北市：萬卷樓圖書公司，1998 年 4 月，初版 4 刷），頁 28。

97 見趙凱華：《定性與半定量物理學》（北京市：高等教育出版社，1991 年 5 月），頁 51。

98 見喬治．森塔亞納（George Santayana）著，王濟昌譯：《森塔亞納美學箋註》（臺北市：業強出版社，1986 年 11 月），頁 249。

更具體地說，簡單的形式美，能使人產生明淨、純潔的感受，楊辛、甘霖在《美學原理》中就說：

> 或者叫整齊一律，這是最簡單的形式美。在單純中見不到明顯的差異和對立的因素。如色彩中的某一單色，蔚藍的天空，碧綠的湖面，清澈的泉水，明亮的陽光等等，單純能使人產生明淨、純潔的感受。[99]

而章法移位是「力」的單向「重複」運動，所以會形成「反復」與「齊一」的最簡形式，而給人單純的美感，歐陽周、顧建華、宋凡聖的《美學新編》也針對這種形式美說：

> 這是一種最常見、最簡單的形式美。它是單一、純淨、重複的，不包含差異和對立的因素，給人一種秩序感。顏色、形體、聲音的一致和重複，就會形成整齊一律的美。……這種形式美給人一種質樸、純淨、明潔和清新的感受。[100]

而章法「移位」所造成的形式特色，除了簡單之外，還有秩序性的構成。這種秩序性，也是可以產生美感的，張涵主編的《美學大觀》就說道：

> 秩序，事物的外在形式上部份與部份、整體與部份之間構成特定的有規律的排列組合。指形式因素內部關係有秩序的變化，則構

---

99 見楊辛、甘霖：《美學原理》（臺北市：曉園出版社，1991 年 5 月），頁 167-168。
100 見歐陽周、顧建華、宋凡聖：《美學新編》（杭州市：浙江大學出版社，2001 年 5 月，初版 9 刷），頁 76。

成一種不變與變和諧交叉的形式美。[101]

可見「秩序」並不是不變，而是一種「有秩序的變化」，是可以給人和諧變化的形式之美。更進一步說，「秩序」，在視覺上可以給人一種喜悅感、簡潔感、安定感、舒適感，林崇宏在《設計原理》中說：

> 有秩序的圖形排列或元素構成，在視覺的感受上會令人有一種安定感與舒適感。秩序可以是簡單之組合，只要是井然有序的組合，即使再繁多或複雜的元素，其組合之後仍會令人產生喜悅的、簡潔的清新現象。在自然界中許多事物或現象，往往因其有規律的重複出現或有秩序的變化，激發了大家對美的創作靈感。[102]

可知有次序的組合可以形成秩序美，給人穩定、平和、清新的感受，而章法的移位結構，就具有這樣的特色。茲舉古典詩詞為例，說明如下。

詩如樂府〈長歌行〉，其原詩為：

> 青青園中葵，朝露待日晞。陽春布德澤，萬物生光輝。常恐秋節至，焜黃華葉衰。百川東到海，何時復西歸。少壯不努力，老大徒傷悲。[103]

---

101 見張涵主編：《美學大觀》（鄭州市：河南人民出版社，1988 年 1 月，初版 2 刷），頁 246。

102 見林崇宏：《設計原理》（臺北市：金華科技圖書公司，1999 年 7 月，初版 2 刷），頁 142。

103 見郭茂倩：《樂府詩集》（臺北市：里仁書局，1980 年 12 月），頁 442。

其結構分析表為：

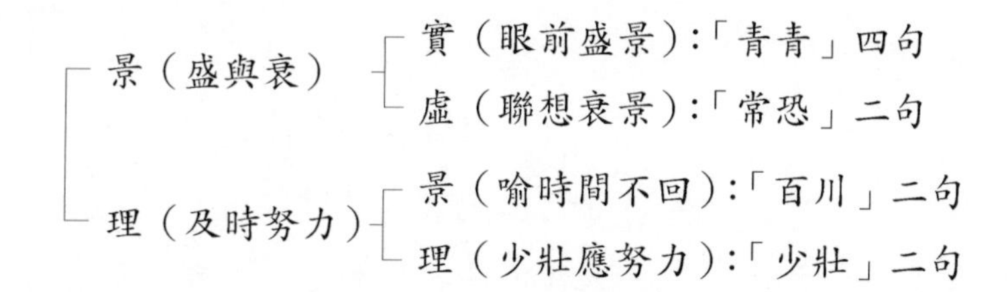

這首詩旨在從眼前的景物起興，寫出當及時努力的生命體悟。採「先景後理」的結構寫成：前六句是「景」，其中頭四句寫眼前所見之欣欣向榮的盛景，而五、六句則寫由盛景而反面聯想到的衰景（秋景），將接踵而至；如此一盛（實）一衰（虛）對比，表現出詩人因外在景物變動而引發的季節變動的聯想。接著，末四句是「理」，作者由季節變動、草木盛衰，又聯想到時間如流水，一去不回；因此，明白地說出本詩的主旨，即：當趁少壯時，及時努力。

由於全詩的主旨在末二句「少壯不努力，老大徒傷悲」，即「理」的部分，因此，本篇的核心結構落在最上層的「先景後理」結構，它是一種簡單的逆向「移位」結構，與複雜的「轉位」結構比起來，較為單純、秩序、簡潔；而且在由「具象」的寫景之後，生發出「抽象」的體悟、哲理，產生了向外推開的自由美感。由此可知，移位結構，在單純且和諧的組合中，可以形成簡單的秩序美，從而給人穩定、平和、清新的感受。

詞如李清照的〈蝶戀花〉（暖雨晴風初破凍），其原詞為：

> 暖雨晴風初破凍，柳眼梅腮，已覺春心動。酒意詩情誰與共？淚融殘粉花鈿重。　　乍試夾衫金縷縫，山枕斜敧，枕損釵頭鳳。

獨抱濃愁無好夢，夜闌猶剪燈花弄。[104]

其結構分析表為：

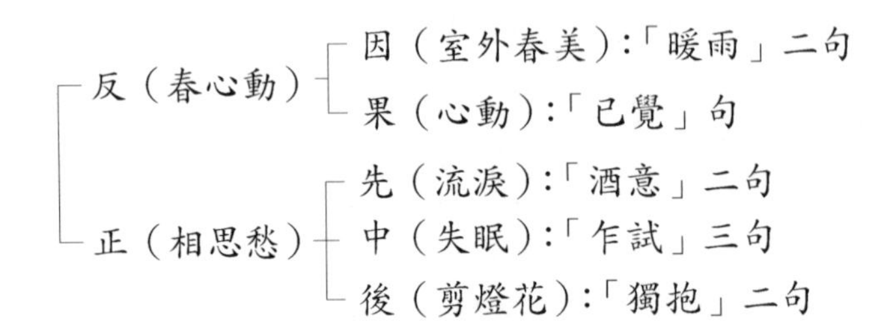

這首詞旨在寫出清照被春日美景所引發的相思心緒，採「先反後正」的結構寫成。開頭三句是「反」，以早春白日的室外美景，寫作者心動的喜悅：溫暖的春雨及和煦的春風，使冰封已久的大地剛剛解凍，於是柳樹生芽、梅花吐蕊，令作者心動、雀躍不已；但這只是一種「以樂景寫哀」[105]的手法，主要的目的是在引起以下的相思濃愁，徐北文主編的《李清照全集評注》就說：

> 作者把春人格化，樂景哀寫，通過人物活動細節描寫，表現女主人的離愁別緒和無限淒寂。[106]

指出開筆三句描繪早春生機盎然的美麗畫面，是要反面烘托出作者的離愁。而使作者心情轉折的關鍵點，在於「酒意詩情誰與共」句，言無人

---

104 見王學初：《李清照集校註》（臺北市：里仁書局，1982 年 5 月），頁 29。

105 王夫之《薑齋詩話》:「以樂景寫哀，以哀景寫樂，一倍增其哀樂。」收於王夫之等撰《清詩話》（臺北市：西南書局，1979 年 11 月），頁 2。

106 見徐北文主編：《李清照全集評注》（濟南市：濟南出版社，1992 年 9 月，初版 3 刷），頁 136。

與她分享眼前的喜悅，遂使得思念丈夫之情更加濃烈；所以，第四句以下是「正」的部分，以清照從日到夜室內的活動為刻畫重點：日間的清照，因相思之愁而以淚洗面，臉上的脂粉和著相思之淚而縱橫交錯；夜間的她，則是無心脫去華服及卸卻頭飾，輾轉反側，任釵頭鳳被磨損，也不在意；在綢繆的離愁中，索性起牀，在深夜剪弄燈花，一方面消磨時間，一方面為丈夫求吉祥平安之兆。此一構圖，「出神入化地把思婦神不守舍而又虔誠至篤的內心狀態形象地給以外化」[107]，雖未直言相思，卻更能深化相思的主題，將千轉百結的難言苦楚具體地顯示出來，具有巧妙獨特的藝術構思，給人含蓄的審美享受。

由於全詞的主旨在末二句「獨抱濃愁無好夢，夜闌猶剪燈花弄」，即「正」的部分，因此，本篇的核心結構落在最上層的「先反後正」結構，它是一種簡單的逆向「移位」結構，與複雜的「轉位」結構比起來，較為單純、秩序、簡潔；而且在清照相思情意的牽引下，全篇「反」、「正」兩種材料達到和諧，在過渡、秩序性的變化之中呈現了由對比而達統一的美感。由此可知，移位結構，在單純且和諧的組合中，可以形成簡單的秩序美，從而給人穩定、平和、清新的感受。

（二）轉位——參差的變化美

轉位現象，本是宇宙生成變化的歷程之一，人類抽繹出它的「變化」規律，而將之應用在美學、文學等各個領域。陳望衡《中國古典美學史》還指出了這種宇宙的「變化」是與時、空交叉的，他說：

> 「變」既是空間性的，表現為物體位置的變異；又是時間性的，

---

107 見胡同華：〈李清照詞中的自我形象〉，《江漢石油職工大學學刊》第 12 卷第 4 期（1995年），頁 36。

> 表現為時光的線性流程。……這實際上是提出，我們視察事物應該有兩種相交叉：空間的——天地（自然、社會）；時間的——四時（歷史）。[108]

而章法又離不開時空的範疇，所以這種「變化」的觀點，也可用來解釋辭章的時空材料在篇章中的「轉位」現象。

作者將空間、時間或事理展演等辭章材料故意變化其順序，就形成章法的轉位現象。譬如屬於「空間」的遠近法，就可加以變化而成「近、遠、近」或「遠、近、遠」的轉位結構；屬於「時間」的今昔法，就可加以變化而成「昔、今、昔」或「今、昔、今」的轉位結構；而屬於「事理展演過程」的本末法，就可加以變化而成「本、末、本」或「末、本、末」的轉位結構。

章法轉位現象的發生，是基於人們求異、求變化多樣的心理，陳望道說：

> 人類心理卻都愛好富於變化的刺激，大抵喚起意識須變化，保持意識底覺醒狀態也是須要變化的。若刺激過於齊一無變化，意識對它便將有了滯鈍、停息的傾向。在意識底這一根本性質上，反復的形式實有顯然的弱點。反復到底不外是同一（縱非嚴格的同一，也是異常的近似）狀態之齊一地刺激著我們的事。反復過度，意識對於本刺激也便逐漸滯鈍停息起來，有在不識不知之間，移向那有變化有起伏的別一刺激去的趨勢。[109]

108 見陳望衡：《中國古典美學史》（長沙市：湖南教育出版社，1998 年 8 月），頁 188。
109 見陳望道：《美學概論》，收於《陳望道文集》（上海市：上海人民出版社，1980 年 5 月），卷 2，頁 42。

詳細說明了人類在反復過度之後的求變、求刺激的心理需要。喬治．森塔亞納（George Santayana）則從生理解釋人類渴望變化心理的原因，他說道：

> 恆常訴諸於同一器官，恆常需要同樣的反應，這使感覺系統疲倦，於是我們渴望變化，以便休息。[110]

唯有變化，才能使疲倦的器官休息，而刺激大腦另一部位產生新的反應，引起新的「注意」，錢谷融、魯樞元在《文學心理學》中也從生理來說明變化所引起的「注意」發生歷程：

> 人對某一對象的某種特徵的注意越集中，在大腦皮層的相應部位就越能引起優勢興奮中心。此時舊的暫時神經聯繫被抑制，新的暫時聯繫容易形成，因而能保證外界刺激信息充分被感知。被感知的信息引起大腦皮層相應部位的興奮，對於同時可能興奮起來的其它部位來說是一種抑制。興奮程度強的佔了優勢壓倒興奮程度弱的，使之處於抑制狀態，這在心理學上稱為「負誘導作用」。……由於這一心理規律，文學家要達到有效的觀察，必須有一個注意中心。我們可以把這叫做「有意注意優勢」，這個優勢的建立，有助於作家實現真正有效的觀察感受。[111]

可知，一個人（尤其是具有敏銳觀察力及「有意注意優勢」的作家）長

---

[110] 見喬治．森塔亞納（George Santayana）著，王濟昌譯：《森塔亞納美學箋註》（臺北市：業強出版社，1986 年 11 月），頁 88。

[111] 見錢谷融、魯樞元著：《文學心理學》（臺北市：新學識文教出版中心，1990 年 9 月），頁 101。

時間接受不變的或單調重複的刺激，神經系統就會降低對刺激的感覺敏度，直到對它完全失去反應，因此，作者會有意地變化材料的組合方式，以補救因章法移位現象所造成的呆板、單調之弊。

這些經由轉位而造成的章法變化結構，是比移位結構還要複雜、多樣的，英國藝術家威廉（William Hogarth，1697-1764）在《美的分析》中指出形體複雜的特色是：

> 它迫使眼睛以一種愛動的天性去追逐它們，這個過程給予意識的滿足使這種形式堪稱為美。……更直接地決定著吸引力的概念。[112]

複雜的形體能經由人的眼睛來滿足人的意識而產生美感，比之其他形式，對人具有更大的吸引力。他在書中還指出，多樣比單調更為悅目，更令人喜歡。[113]喬治・森塔亞納（George Santayana）更直接指出複雜的對象會呈現複雜美，他說：

> 複雜對象是多分子的組合，人對它發生美感是因為人喜歡它——各分子間有和諧的關係——它有複雜美。人不可能與不和諧的物有諧和的關係。[114]

可知複雜但和諧的組合可以形成複雜美，可以免於單調，從而給人新

---

112 見威廉（William Hogarth）著，楊成寅譯：《美的分析》（臺北市：丹青圖書公司，1986年3月，臺一版），頁28-29。

113 見威廉（William Hogarth）著，楊成寅譯：《美的分析》（臺北市：丹青圖書公司，1986年3月，臺一版），頁24。

114 見喬治・森塔亞納（George Santayana）著，王濟昌譯：《森塔亞納美學箋註》（臺北市：業強出版社，1986年11月），頁249。

奇、醒目、振奮、生動的感受，而章法的轉位結構，就具有這樣的特色。茲舉古典詩詞為例，說明如下。

詩如陶淵明的〈飲酒〉詩二十首之五，其原詩為：

> 結廬在人境，而無車馬喧。問君何能爾，心遠地自偏。採菊東籬下，悠然見南山；山氣日夕佳，飛鳥相與還。此中有真意，欲辨已忘言。[115]

其結構分析表為：

- 目（拒絕世情）
  - 反：「結廬」句
  - 正：「而無」句
- 凡（心遠）
  - 問：「問君」句
  - 答：「心遠」句
- 目（躬耕南畝）
  - 景：「採菊」四句
  - 情：「此中」二句

這首詩旨在抒寫作者歸隱田園後，遠離名利、悠然自得的心境，採「目、凡、目」的結構寫成。其中「凡」是總括，在第三、四句，點出作者決心遠離世情（「心遠」）的主旨；而首二句是第一個「目」，是條分，具體寫出他拒絕官場中的虛偽和庸俗，以加強主旨；末六句則是第二個「目」，具體寫出他躬耕南畝的生活及閒適簡樸、悠然自得的心境，以加強主旨的表現。陶潛的拒絕世情（目一），表現了「真」；陶

---

115 見陶潛撰，陶澍注：《陶靖節集注》（臺北市：世界書局，1999 年 2 月，二版 1 刷），頁 42。

潛的躬耕自足、天人合一的領悟（目二），表現了「厚」。這兩點正是本詩作者「心遠」的具體寫照，在「目、凡、目」的夾寫形式中，更加凸顯了中間的「凡」，使得全篇的注意力都集中在「心遠」的主旨之上。

由於全詩的主旨在第四句「心遠地自偏」，即「凡」的部分，因此，本篇的核心結構落在最上層的「目、凡、目」結構，它是一種結合了「先目後凡」以及「先凡後目」的「轉位」結構，與單純的「移位」結構比起來，更為複雜、變化、生動。在「先目後凡」（由實入虛）的結構中，有向外推開的自由美感；在「先凡後目」（由虛入實）的結構中，有由外拉近的含蓄美感，二者構成有秩序、但又不失變化的靈動之美。[116]由此可知，轉位結構，在複雜但和諧的組合中，可以形成複雜美，以更加曲折迴環的方式凸顯出作者的情意，從而給人新奇、醒目、振奮、生動的感受。

詞如辛棄疾的〈醜奴兒近〉（千峰雲起），其原詞為：

> 千峰雲起，驟雨一霎兒價。更遠樹斜陽，風景怎生圖畫！青旗賣酒，山那畔別有人家。只消山水光中，無事過這一夏。　午醉醒時，松窗竹戶，萬千瀟灑。野鳥飛來，又是一般閑暇。却怪白鷗，覷著人欲下未下。舊盟都在，新來莫是，別有說話？[117]

其結構分析表為：

---

116 參見陳師滿銘：《章法學綜論》（臺北市：萬卷樓圖書公司，2003 年 6 月），頁 378-379。

117 見鄧廣銘：《稼軒詞編年箋注》（上海市：上海古籍出版社，1995 年 5 月，初版 2 刷），頁 170。

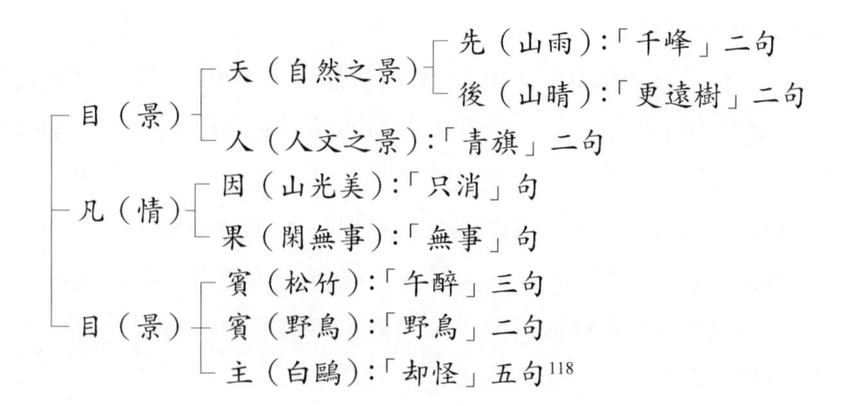

這首詞旨在寫閒暇之中仍寓有身世之感，採取「目（景）、凡（情）、目（景）」的結構寫成。全篇的綱領在第七、八句「只消山光水色中，無事過這一夏」，是「凡」的部分，其中「山（水）光」為一軌、「無事」為一軌，作者通過情語點明欲表達的意[119]：眼前山光真美，但願能在此悠閒地渡過夏日，因此形成了「先因後果」的結構。開頭的「千峰雲起」六句，是對「博山道中」所見夏日雨後山光之美的具體描寫，是「目一」的部分；而「午醉醒時」十句則是對所嚮往的悠閒「無事」生活的具體寫照，藉松竹等植物、野鳥及白鷗等動物，共同構築出稼軒悠閒的生活環境，是「目二」的部分：「午醉醒時，松窗竹戶，萬千瀟灑。野鳥飛來，又是一般閑暇」，是「賓」；而「白鷗」才是作者真正要寫的「主」。

---

118 此結構表參考陳師滿銘：《詞林散步——唐宋詞結構分析》（臺北市：萬卷樓圖書公司，2000 年 1 月），頁 303；以及拙著：〈論稼軒「博山道中詞」篇章意象之形成及組合〉，《師大學報》第 50 卷第 1 期（2005 年 4 月），頁 55。

119 詞家於詞作中明白寫出情語的情形並不多見，如王國維所說：「詞家多以景寓情。其專作情語而絕妙者，如牛嶠之『甘作一生拚，盡君今日歡。』、顧敻之『換我心為你心，始知相憶深，始知相憶深。』、歐陽脩之『衣帶漸寬終不悔，為伊消得人憔悴。』、美成之『許多煩惱，只為當時，一餉留情。』此等詞求之古今人詞中，曾不多見。」見《人間詞話》（臺北市：金楓出版公司，1987 年 5 月），頁 58。

稼軒選擇了瀟灑的松竹、自在飛翔的野鳥，營造出午後閒適安詳的環境；而在篇末將鏡頭聚焦於白鷗，使白鷗悠閒、無機心的形象更為突顯，這一定格的特寫鏡頭，有著稼軒曲折的情感起伏隱藏其中，他與白鷗進行心靈對談，透過對白鷗遲疑態度的質問，流露出在現實生活中遭讒被廢退的不平心境。這種以賓顯主的結果是：「松竹」及「野鳥」（賓）越來越模糊，而「白鷗」（主）則越來越清晰，在讀者心中的位置越來越大，最後佔據了讀者整個心靈[120]，而作者所要突出的身世之感，在情景交融的藝術手法中，也就極為成功地表現出來了。

由於全詞的主旨（綱領）在篇腹「只消山光水色中，無事過這一夏」，即「凡」的部分，因此，本篇的核心結構落在最上層的「目、凡、目」結構，它是一種結合了「先目後凡」以及「先凡後目」的「轉位」結構，與單純的「移位」結構比起來，更為複雜、變化、生動。在「先目後凡」（由實入虛）的結構中，有向外推開的自由美感；在「先凡後目」（由虛入實）的結構中，有由外拉近的含蓄美感，二者構成有秩序、但又不失變化的靈動之美。由此可知，轉位結構，在複雜但和諧的組合中，可以形成複雜美，使作者「顯中有隱」的主旨情意得以更加曲折含蓄的方式凸顯出來，從而給人新奇、醒目、振奮、生動的感受。

二　對稱美

對稱是大自然的一種規律。大自然的事物，除了空間中形象和結構的對稱之外，還有時間對稱。例如：人體的四肢，鳥的雙翼、魚的兩

120 李浩在談到柳宗元〈江雪〉詩的聚焦效果時說：「它把讀者的審美注意力由遠到近、由大到小地集中到孤舟獨釣者的形象上。表面看來，詩的境界越縮越小，實際上漁翁的形象在讀者心靈中所占有的位置卻越來越大。它不僅占據了畫面的中心，而且占據了讀者的整個心靈。」見《唐詩的美學闡釋》（合肥市：安徽大學出版社，2000年4月），頁91-92。

鰭，植物的葉子、花瓣、果實，甚至雪花及各種礦物的晶體結構，無一不是大自然在空間方面的對稱「設計」（design）[121]；而白天黑夜的輪替出現，春夏秋冬的四季交迭，年復一年的周而復始，則是時間對稱的結果。對稱美是現實本有的、客觀存在的美。

對稱分佈可以產生輕鬆愉快的心理反應[122]，給人和諧安穩、鎮定沉靜的感受。[123]因此，人類從自然的觀察分析中抽象出對稱的概念及其審美形式，發現了對稱美顯示了宇宙運動的規律，展現了有序、均衡、和諧、統一之美。隨著文明的發展，對稱逐漸蔓延到人類活動的各個領域：建築、雕塑、繪畫、科學、音樂，甚至於文學。[124]

對稱美的形式法則既然來源於自然客觀的事物，一般人都能感受得到，但藝術家們對它則更加敏感，他們非常熟悉這種形式因素，能夠更準確地掌握對稱美感的形式特色，藉以凸現出作品的內容意義，而放出「美的異彩」[125]，建築師如此、雕塑家如此、畫家如此、作曲家如此，文學家亦然。目前，有不少關於人類語言的對稱藝術及中國楹聯、律詩

---

121 美國物理學家徐壹鴻（Anthony Zee）說：「Certainly, the Ultimate Designer would use only beautiful equations in designing the universe!」意即終極設計者（大自然）是用美的方程來「設計」這個宇宙。此處所謂的「美的方程」就是指對稱性。見《可怕的對稱》（*Fearful Symmetry: the search for beauty in modern physics*，1999，[New Jersey: Princeton University]），頁 3。

122 朱光潛：「美感的愉快都起於『同情模倣』，我們看形體時常不知不覺的依本能的衝動去描摹他的輪廓，衝動起於動作神經，傳佈於筋肉，筋肉系統和神經系統都是左右對稱的。平衡的形體所喚起的左右兩邊的衝動也是相稱的，神經和筋肉的活動都依天然的節奏，所以最能引起愉快。」見《文藝心理學》（臺北市：頂淵文化事業公司，2003 年 5 月），頁 388。

123 陳望道：「對稱底特色，先要算到帶有鎮定沉靜等情趣。它底情性，是安靜的。故如街樹平列的通路，屋形對稱的廟宇，及結跏趺坐的禪姿等，每覺有一種靜定幽閑的氣氛漂浮著。……因為對稱是安靜的，宜於表現鎮定沉靜等情趣的形式，所以它就隨在帶有莊重嚴肅的神情。」見《美學概論》，收於《陳望道文集》（上海市：上海人民出版社，1980 年 5 月），卷 2，頁 44。

124 參考楊振寧：〈對稱和物理學〉，《中國音樂》1995 年第 4 期，頁 14。

125 見楊辛、甘霖：《美學原理》（臺北市：曉園出版社，1991 年 5 月），頁 167。

的對稱之美的研究[126]，其實，章法的「移位」及「轉位」現象所造成的章法結構，也展現出對稱的形式之美，十分值得注意。

仔細地考察「對稱」一詞的義涵，我們發現，各個領域有其不同的定義。在一般的概念及建築物的設計上，對稱是指左右或上下具有相同形態的造型而言，也可說是「以一條線為軸作中心，其左右或上下所列方向各異，形象相同的狀態」[127]，如同鏡子反射般的鏡映像。無論是東、西方，建築物的設計最多這種對稱的形式；就連人類日常生活的行為中，也經常反映這種雙側性對稱的思考模式，如過年過節的對聯、象徵吉祥的雙魚圖、祭祀時左右各一對紅蠟燭、供品呈現左右各一的排列，都具有對稱的形式。

至於繪畫、立體造形、平面設計等藝術領域，除了雙側式對稱的意義外，對「對稱」有更廣泛的定義。《平面構成》一書中說：

> 對稱，本身是數學用語，……本來是指共同測量，或某單位形的重複。因此，並不只是指左右對稱，而具有上下對稱的點對稱、旋轉對稱、螺旋形等等，當然也包含在內。另外，以一定的秩序擴大或縮小的東西，從最廣義的來看，也可說是包含在內的。[128]

無論是左右對稱、上下對稱、旋轉對稱、放射對稱或螺旋對稱等等形

126 關於人類語言對稱性的研究，如：蘇錫育〈論普通話語音系統的對稱美〉、童山東〈論人類語言對稱藝術的發生及形態〉、高美紅〈從漢民族的審美意向看漢語的對稱與和諧之美〉、梁福報〈淺談英語「對稱」結構單詞的種類和特徵〉等文；關於中國楹聯及律詩對稱性的研究，如：顧永芝、查美華〈略論楹聯的對稱美〉、劉福智〈從人體對稱到詩詞對仗——科學和藝術中的對稱美〉、李力〈古代近體詩的形式美——對稱美探索〉等文。

127 見陳望道：《陳望道文集》（上海市：上海人民出版社，1980 年 5 月），卷 2，頁 43。

128 見藤呎英昭原著、林品章譯：《平面構成》（臺北市：六合出版社，1991 年 8 月），頁 65。

式，甚或擴大對稱、縮小對稱，只要是空間上「有序」[129]的形式呈現，都可以涵蓋在對稱的範疇內。藝術家們從自然的觀察及生活經驗上早就知道這些對稱模式，而數學家的證明則到一九二四年才確立。[130]

近代的科學，超越了空間對稱的幾何內涵，而以最廣泛、最一般化的觀念來定義對稱。例如科學家威爾（Hermann Weyl, 1885-1955）認為對稱是：假如我們對某件事物做了某件事情之後，它看起來和原先完全相同，那麼所做的這事就是對稱的。[131]著名的物理學家費曼（Richard P. Feynman）讚此為「絕佳的定義」[132]，並列舉出一些「對稱運作」來闡釋這種對稱的涵義：

空間中的平移
時間中的平移
經過固定角度的旋轉
直線上的等速度運動
時間反轉
空間中的反射

129 陸寶新：「在基礎圖案形式律的教學中，對稱律是最為單純的構成形式法則，它是將自然『無序』的視覺形態要素通過一定的形式手段，組織統一在一個『有序』的形式之中。」見〈論圖案對稱律形式及其構成方法〉，《西北大學學報（哲學社會科學版）》第 33 卷第 2 期（2003 年 5 月），頁 127。

130 李政道：「二維的格點對稱模式一共有 17 種，這是 1924 年波利亞(George Polya)證明的……雖然，波利亞的證明到本世紀才確立，但是，人們從經驗上一定很早就知道這些對稱模式。事實上，在西班牙，14 世紀建的 Alhambra 宮內的建築裝飾中就包含所有這 17 種對稱模式。」詳見《對稱與不對稱》（臺北市：牛頓出版公司，2001 年 2 月），頁 10-11。

131 見赫曼．外爾（Hermann Weyl）原著，曹亮吉譯述：《對稱：美的科學闡述》（*Symmetry*）（臺北市：正中書局，1988 年臺初版），頁 2-3。

132 見費曼（Richard P. Feynman）著，陳芊蓉、吳程遠譯：《物理之美》（*The Character of Physical Law*）（臺北市：天下遠見出版公司，2002 年 2 月，初版 24 刷），頁 121-122。

相同原子或粒子的對換

量子力學相位

物質－反物質（電荷共軛）[133]

認為在上列方式的運作下，不同的物理現象應當都會維持前後不變。這種物理學上的對稱，更強調了動態操作的「變換」，因此，楊振寧認為把時間與空間的「對稱性」應用在物理系統中，就可以將動量和能量守恒定律理解為：「物理作用不會因為作用的時間和地點改變而不同」。[134]科學上的對稱，是由客觀事物的對稱抽繹出邏輯概念的對稱義涵，是最廣泛的定義，王德勝稱之為「泛對稱」。[135]

這種概念的對稱性，引申到音樂、文學中，就是指「藝術形象的對照和呼應，並不要求形體上的精確的對稱」。[136]當然，「相同」要素的對稱是先產生的，但「更高級的對稱平衡」[137]是「相對」要素的發現和利用，是「包含差異的同一」。[138]黑格爾在《美學》中也說：

> 如果只是形式一致，同一定性的重複，那就還不能組成平衡對稱，要有平衡對稱，就須有大小、地位、形狀、顏色、音調之規

---

133 見費曼（Richard P. Feynman）著、師明睿譯：《費曼的六堂 Easy 相對論》（臺北市：天下遠見出版公司，2002 年 4 月，初版 5 刷），頁 36。

134 見江才健：《規範與對稱之美——楊振寧傳》（臺北市：天下遠見出版公司，2002 年 11 月，初版 3 刷），頁 250。楊桂周（中原大學物理系教授）指出動量守恒是對應於「地點」而言，能量守恒則是對應於「時間」而言，書中的對應次序應作調整。

135 見王德勝：〈作為方法的對稱和非對稱〉，《自然辯證法研究》第 18 卷第 6 期（2002 年 6 月），頁 11。

136 見陳從周等：《美學與藝術》（臺北市：木鐸出版社，1985 年 9 月），頁 202。

137 見童山東：〈論人類語言對稱藝術的發生及形態〉，《中南民族學院學報（社會科學版）》1999 年第 1 期（總第 96 期），頁 85。

138 見王德勝：〈作為方法的對稱和非對稱〉，《自然辯證法研究》第 18 卷第 6 期（2002 年 6 月），頁 10。

> 定性方面的差異，這些差異還要以一定的方式結合起來。只有這種把彼此不一致的規定性結合為一致的形式，才能產生平衡對稱。[139]

認為「平衡對稱」是大小、形狀等有差異的組合所結合成的一致性的形式。也正因這些豐富多彩的相對性「差異」的利用，才創造了許多人類文學藝術的輝煌成就。蘇錫育則從語音學的角度看對稱，說：

> 任何規律都具有相對性，對稱美規律也是如此，它不可能是整齊劃一的，完全對等的。我們認為普通話語音系統具有對稱美，只是從總體上來看它的基本成分之間存在著相應的對稱性，而不能苛求它的每個成分之間一定要彼此完全對等，不差毫釐。[140]

也認為對稱規律不必苛求完全的對等，但這種「相應」的對稱性必須強調成分間的呼應關係。楊辛、甘霖在《美學原理》中更指出「呼應」比精確的對稱、均衡更加自由，例如盆景一側的山石較大，另一側的山石較小，雖然形體大小懸殊，却能相互照應。[141]如此看來，藝術形象上的對照與呼應，頗能適當地描述文學上的「對稱」義涵。

這種更高級的對稱性，也表現在辭章章法及其結構上。在現今開發出的章法系統中，無論是普遍的章法現象，還是落實到辭章時的移位、轉位結構，皆可見章法形式上的對照及呼應；在辭章調和性或對比性材料的映照中，我們更可藉由章法對稱結構的探究，凸顯出辭章的主旨義

---

139 見黑格爾著、朱孟實譯：《美學》（一）（臺北市：里仁書局，1981 年 5 月），頁 189。
140 見蘇錫育：〈論普通話語音系統的對稱美〉，《韶關學院學報（社會科學版）》第 23 卷第 11 期（2002 年 11 月），頁 82-83。
141 參考楊辛、甘霖：《美學原理》（臺北市：曉園出版社，1991 年 5 月），頁 170。

蘊及發掘其多樣的美感效果。

這種「對稱」的形式，雖然表現了秩序、均衡、對應、節奏、對比、調和、變化和統一等多樣的特點，但概括地說，對稱的心理基礎，只是簡化傾向及平衡和諧，所以能夠給人以美感。蘇錫育說：

> 在美學心理學家看來，對稱之所以能給人以美感，一是因為簡化，二是因為和諧。簡化形式是產生對稱現象的根源，而對稱現象最符合自然法則，也最能使人產生美感。人類作為實踐活動的主體所進行的任何活動，只要完整地運用客觀某種規律，便自然具有對稱的形式。這是因為人類的知覺活動本身具有一種壓倒一切的簡化傾向，按照這種傾向，知覺盡量將外部刺激簡化，以組織成種種最簡化的形體，如圓形、正方形等對稱、均衡和有機統一的圖形。知覺之所以具有這種傾向，從生理——物理層次上看，物理力、化學力直至生物的生長力，都具有向簡化式樣生成的傾向，而決定知覺活動的大腦皮層中生理電力場中的力，同樣也具有這種傾向。……從心理——物理層次上看，外部世界的簡化式樣，本身是穩定、永恒、難於改變的，而在人類長期實踐活動中，這種簡化式樣總是能提供安全、舒適、和諧、幸福的感受，久而久之，簡化的心理定向便也生成了。[142]

認為從人類的身體活動，到生理活動，再到心理活動，乃至整個實踐活動，都具備簡化傾向。而這種簡化的傾向，來自於生物進化過程中對大自然的適應，以及人類改造客觀世界活動中的實踐需要。所以，對稱的

142 見蘇錫育：〈論普通話語音系統的對稱美〉，《韶關學院學報（社會科學版）》第 23 卷第 11 期（2002 年 11 月），頁 82。

簡化形式會給人美感，給人安全、舒適、和諧、幸福的感受。

此外，對稱的平衡特性也是人類心理的基本需求。格式塔（Gestalt）心理學者認為每當外來的擾亂發生時，內在的力量會恢復其平衡，使人類的生理組織保持安定的關係；而視覺神經就具有這種統一的作用，是組織系統最終平衡的決定因素。[143]邱明正《審美心理學》更詳述了人體這種調節的過程：

> 當人受到對象刺激，大腦神經系統的活動便由原先的抑制狀態轉為興奮狀態，心理活動便由平和鬆弛變為激烈緊張，審美主客體之間由於發生聯繫而出現了矛盾，主體知、意、情系統也由原先的相互協調變得不協調，從而使原有的心理相對平衡變成了不平衡或失衡。這時由於心理結構的自我調節和人的平衡需求，便展開求同性或求異性探究，通過同化、順應作用，協調自己同對象、環境的矛盾和進行自我調節，使矛盾得以緩解，於是審美心理便又由不平衡達到新的乃至最佳的動態平衡，肌體舒坦，精神愉悅，心氣和平。這是一個由平衡到不平衡再到新的平衡的過程，生理、心理由鬆弛到緊張再到鬆弛的過程。所以對於平衡原則又可以概括為「平衡——不平衡——平衡」原則。但是，由於平衡原則是相對的、暫時的，而不平衡則是絕對的、永恒的。當新的平衡出現以後，只要審美活動沒有中止，只要新的對象仍在撲面而來，新的刺激便又激起了新的不平衡，以至無限循環往復，永無止境。[144]

---

143 參見庫爾特．考夫卡（Kurt Koffka）原著，黎煒譯：《格式塔心理學原理》（臺北市：昭明出版社，2000 年 7 月），上冊，頁 484-485。

144 見邱明正：《審美心理學》（上海市：復旦大學出版社，1993 年 4 月），頁 130。

當視覺神經接受到刺激後，生理及心理都會產生「平衡──→不平衡──→平衡」的歷程，也就是由鬆弛到緊張再到鬆弛的過程，但最終都會達到一種新的動態平衡。而對稱的平衡特性，是最能給人輕鬆感的。呂清夫《造形原理》也說：

> 造形要素的平衡常會減少造形的緊張之感。……從平衡方面來說，為什麼有平衡的需要呢？就個人而言，是因為平衡使人感到快樂，人維持身體的平衡乃是人的基本要求之一，人若看到不平衡的形態，往往會產生不平衡的感情，因此便要尋求平衡的形態。[145]

平衡，在消極方面可以減少緊張的心理；在積極方面可以給人快樂的感受，是人類基本的心理需求。此外，曾啟雄認為：

> 對稱也因為形態的反復就很容易形成統一的感覺，因此在語意上幾乎是與調和具有相同的意義。[146]

形態的反復出現，是對稱的最大特點。因此，對稱形式會給人和諧、統一的感覺。

由此可知，簡化傾向及平衡和諧，是對稱形式美的心理基礎。

綜合上述，我們可以知道，文學中的「對稱」就是指「藝術形象的對照和呼應」，並不要求形體上的精確對稱；而其心理基礎則是簡化及平衡和諧，因此，會給人和諧平衡之感。章法的移位及轉位結構，也不

---

145 見呂清夫：《造形原理》（臺北市：雄獅圖書公司，1991年7月，八版2刷），頁163。
146 見曾啟雄：〈美術設計──對稱〉，《藝術家》第44卷第2期（1997年2月），頁449。

例外，會呈現出這種「對稱」的形式之美，給人平衡和諧的美感。

（一）移位——「雙側對稱」之美

「雙側對稱」，從狹義上看，是指左右具有相同形態的物體形狀，也就是「從中心軸兩個相同角度所延展開的左右相反之相同圖像現象」[147]，亦稱鏡像對稱。如果應用在文學上，會形成呆板，缺乏變化等印象。從廣義上看，它是一種並列式的對稱形式，前後兩項元素基本上相似或相對[148]；在空間中的位置相對、方向相反，且具密切的組合關係，但絕不重複。[149]

章法的構成單位之間，也有密切的組合關係，可概括為對比及調和兩大類。而章法的雙側式對稱，主要體現在「移位」所造成的靜態結構上，表現為對比性或者調和性的辭章材料組合。其中用對比材料組成的「移位性」章法結構如：「先正後反」、「先立後破」、「先抑後揚」等等，用調和性材料組成的「移位性」章法結構如：「先賓後主」、「先偏後全」、「先平提後側注」等等，兩種材料間保持著相對的位置、相反的方向及密切的組合關係，在一道虛軸的兩側，形成了彼此相對應的均衡態勢。曾啟雄指出這種對稱的心理，是植基在「差異的心理平衡點上」[150]，兩個對稱元可以是對抗不相讓的平衡，也可以是相互融合互補的平衡。

---

147 見曾啟雄：〈美術設計——對稱〉，《藝術家》第 44 卷第 2 期（1997 年 2 月），頁 448。

148 參考童山東：〈論人類語言對稱藝術的發生及形態〉，《中南民族學院學報（社會科學版）》1999 年第 1 期（總第 96 期），頁 87。

149 參考劉福智：〈從人體對稱到詩詞對仗——科學和藝術中的對稱美〉，《殷都學刊》1996 年第 2 期，頁 57。

150 見曾啟雄：〈美術設計——對稱〉，《藝術家》第 44 卷第 2 期（1997 年 2 月），頁 450。

至於這種對稱平衡的中心軸，則是一條看不見的虛線，其「中心位置」是潛藏著的，可以給欣賞者極大的想像空間，卻又不失其平衡感，林書堯將這種均衡美稱之為「積極的均衡美感」，他說：

> 這種均衡就和蹺蹺板一樣，左右兩邊的荷重不同，……有時甚至於無法察覺中心。如芭蕾舞姿如走平衡桿的姿勢，又像優良的客廳佈置或現代的新建築，場面的機能性，使中心位置的觀念潛在到最深層的地方去了。……使觀賞者產生無名的喜悅，動中有靜，靜中有躍動的感情在呼吸。[151]

這種經由「移位」而造成的「雙側對稱」結構，免去了狹義鏡像對稱的呆板缺點，而在嚴整中富有變化，在沉靜中含有躍動，使美的容量更增大了許多。茲舉古典詩詞為例，說明如下。

詩如《古詩十九首》中的〈明月皎夜光〉：

> 明月皎夜光，促織鳴東壁；玉衡指孟冬，眾星何歷歷！白露霑野草，時節忽復易；秋蟬鳴樹間，玄鳥逝安適？昔我同門友，高舉振六翮；不念攜手好，棄我如遺跡。南箕北有斗，牽牛不負軛；良無盤石固，虛名復何益！[152]

這首詩的作者藉由秋夜眼前的景物，寫自己對時節推移的感嘆；再由這感嘆與人情的變化聯繫，寫出顯貴朋友不相援引的埋怨之情，是採「先景後情」的結構寫成的。「景」的部分，自篇首至「玄鳥」句止。在此，

---

151 見林書堯：《基本造形學》（臺北市：三民書局，1991 年 8 月，再版），頁 195-197。

152 見馬茂元：《古詩十九首探索》（臺北市：純真出版社，1982 年 9 月），頁 90。

先以「明月」四句，寫深秋的夜晚，作者因內心憂愁而仰視天空的情景，隨著夜愈來愈深[153]，天上月已西沉，眾星歷歷分明；再以「白露」四句，寫俯視地面的所見所聞，促織鳴壁如自己苦苦的悲吟，秋蟬鳴樹似自己貧寒的處境，而玄鳥飛逝則喻同門友的去寒就暖[154]，而形成了「先高後低」的結構。然後，由「景」入「情」，以「昔我」八句，寫作者由「玄鳥」就暖的特性引發聯想，從而在內心興起埋怨那個遺棄貧賤舊交友人的心情。先交代「因」，以「昔我」四句，寫同門友的飛黃騰達、棄己不顧；再以「南箕」四句為「果」，呼應前面的夜空之景，用《詩經》〈小雅〉〈大東〉「維南有箕，不可以播揚；維北有斗，不可以挹酒漿」的詩意[155]，指出友人如南箕、北斗、牽牛諸星般徒有虛名，友誼無法像盤石般穩固，內心充滿對世態炎涼的無奈之情，形成了「先因後果」的結構。據此，可畫成如下的結構分析表：

- 景
  - 高（秋夜天空）：「明月」四句
  - 低（四周景物）：「白露」四句
- 情
  - 因（友人棄我）：「昔我」四句
  - 果（埋怨之情）：「南箕」四句

從靜態的角度看，詩中「景」（實）、「情」（虛）兩種組織材料的力量間，

153「玉衡指孟冬」句，過去多將「孟冬」解為「季節」，據金克木（《國文月刊》第63期）的說法，則解為星空方位，指北北西的「亥宮」，因此，「玉衡指孟冬」不是寫季節，而是寫夜晚的時刻。相關考證，詳參馬茂元：《古詩十九首探索》（臺北市：純真出版社，1982年9月），頁96-97。

154 陳沆：「秋蟬、玄鳥託興深微，寒苦者留，就暖者去。」見《詩比興箋》（臺北市：鼎文書局，1979年2月），頁26。

155 方東樹：「後半奇麗，從大東來，初以起處不過即時即目以起興耳，至南箕北斗句，方知眾星句之妙。」見《方東樹評古詩選》（臺北市：聯經出版公司，1975年5月），五言詩卷第一。

保持調和性的組合關係，好似在一道虛軸的兩側，形成了雙側相對的均衡態勢。這種「雙側對稱」的章法結構，在客觀的景與主觀的情密切配合下，呈顯出嚴整秩序中的變化、沉靜均衡中的躍動，將作者「抱怨顯貴的朋友不念舊誼」[156]的怨情，委婉而生動的表達出來；且在「實」與「虛」之間的對稱軸，是一條看不見的虛線，這潛藏的中心位置，代表著作者面對客觀景物所興時節推移的感嘆，到人情變化的主觀心情的轉換、過渡，給予讀者極大的想像空間。

詞如李清照的〈浣溪沙〉（髻子傷春懶更梳）：

> 髻子傷春慵更梳，晚風庭院落梅初，淡雲來往月疏疏。　　玉鴨熏爐閒瑞腦，朱櫻斗帳掩流蘇，遺犀還解辟寒無。[157]

這闋詞的作者李清照，從閨房內外的環境著筆，寫自己傷春及對丈夫相思的情緒，是採「先遠後近」的結構寫成的。「遠」的部分，自篇首至「淡雲」句止。在此，先以「髻子」句，寫自己傷春的慵懶意緒；再以「晚風」二句，寫春夜庭院風吹梅落的淒清景致，形成「先情後景」的結構。然後，由「遠」而「近」，以「玉鴨」二句，寫出室內空有溫暖鮮豔的擺設，卻充滿著淒清的氣氛；再以「遺犀」句，寫自己相思的淒冷無奈之情，形成「先景後情」的結構。徐北文主編的《李清照全集評注》也說：

> 上片寫閨房外面的環境，以襯托女主人傷春的情懷。由情入景；

156 顏崑陽解釋此詩說：「描寫一個失意者抱怨顯貴的朋友不念舊誼。而這一份怨情則是在秋夜獨處之時，由眼前淒清的景物引觸而來。」見《古典詩文論叢》（臺北市：漢光文化事業公司，1987 年 3 月，二版），頁 98。

157 見王學初：《李清照集校註》（臺北市：里仁書局，1982 年 5 月），頁 90。

下片，寫閨房裏面的環境，以襯托女主人懷念心上人的意緒。由景入情。[158]

據此，可畫成如下的結構分析表：

- 遠
  - 情（傷春）：「髻子」句
  - 景（室外庭院落梅）：「晚風」二句
- 近
  - 景（室內擺設無聊）：「玉鴨」二句
  - 情（懷人）：「遺犀」句

從靜態的角度看，詞中「遠」、「近」兩種組織材料的力量間，保持調和性的組合關係，好似在一道虛軸的兩側，形成了兩股相對的均衡態勢。這種「雙側對稱」的章法結構，在遠處的景與近處的景密切結合下，呈顯出嚴整中的變化、沉靜中的躍動，將作者傷春的慵懶及睹物思人的深情，委婉而生動的表達出來。且在「遠」與「近」之間的中心軸，是一條看不見的虛線，這潛藏的中心位置，代表著作者的視點由室外移向室內時心情的轉換、過渡，給予讀者極大的想像空間。而次層所形成的「先情後景」及「先景後情」結構，則是一種狹義的「鏡像式對稱」，予人均衡而有秩序的美感。

（二）轉位——「天平對稱」之美

「天平式對稱」是以一參照物為支點，支點前後兩項的結構或數量基本相等的一種形式。[159]章法的「天平對稱」，主要體現在「轉位」所

---

[158] 見徐北文主編：《李清照全集評注》（濟南市：濟南出版社，1992年，初版3刷），頁96。

[159] 參考童山東：〈論人類語言對稱藝術的發生及形態〉，《中南民族學院學報（社會科學

造成的靜態結構上，表現為順、逆交錯的辭章材料組合。在兩類不同的材料之中，以其中一類為中心支點，另一類材料在其前後形成對稱，如：「正、反、正」結構，以「反」面材料為支點，而「正」面的材料則安排在「反」面材料的前與後，形成一種平衡的對稱態勢。每一種章法，皆可形成這種對稱結構，如：「立、破、立」、「抑、揚、抑」、「賓、主、賓」、「景、情、景」、「因、果、因」等等結構都是。

這種靜態的對稱平衡結構，有一個中心或軸心，於是這中心會成為凸出的「焦點」；其前後兩側則是相等的形式，不僅給人一種「力」的平衡的審美感知，而且在視覺效果上給人整齊的、沉著的感受。林書堯將這種均衡的美感稱之為「消極的均衡美感」，他說：

> 這一種均衡和天平的原理一樣，有一個中心或軸心，相稱的兩邊荷重相同，力集中於中央的支點而平衡。如一隻蝴蝶，一對吊燈，一個正面直立的人體或疊羅漢的樣子。這種均衡的式樣古典建築的範例特別多。視覺效果簡單明瞭有些過分沉著而嚴肅。尤其正當中為大家關心的焦點，莊重而高貴的地位令人不敢隨便。[160]

指出「天平」式的均衡，力量會集中在支點，使得正中部分成為注目焦點，顯得莊重而高貴；而兩邊因荷重相同而形成平衡，呈現簡單而沉著的視覺效果。但是，如果結合章法結構的形式（天平式）與辭章材料的內容（調和或對比）來看，天平對稱的結構，表現了對稱、均衡、比例、重複、調和、對比等美的形式原理，顯現出鮮明而多樣的秩序性，

版）》1999 年第 1 期（總第 96 期），頁 88。

160 見林書堯：《基本造形學》（臺北市：三民書局，1991 年 8 月，再版），頁 195。

形成了陳望道所謂的「繁多的統一」。[161]茲舉古典詩詞為例，說明如下。

詩如《古詩十九首》中的〈涉江采芙蓉〉：

> 涉江采芙蓉，蘭澤多芳草；采之欲遺誰？所思在遠道。還顧望舊鄉，長路漫浩浩。同心而離居，憂傷以終老。[162]

這首詩是遊子思鄉之作。[163]藉著採蓮及望鄉兩個動作，寫出遊子飄泊異地、思念家鄉妻子的心情，是採「果、因、果」的結構寫成的。篇首二句是「果一」，取意於《楚辭》采芳以贈所愛之事，寫身在異地的男子到江中采蓮、到澤邊采蘭的動作；接著，「采之」二句是「因」，交代采芳的原因，是要送給遠方思念的人。最後，「還顧」四句，仍是因為思念遠人而發生的望鄉動作，是「果二」；其中「還顧」二句是「事」，指遊子在漫長而無邊際的路上遙望家鄉的動作，而「同心」二句則是「情」，寫遊子（作者自己）此時與同心之人無法終老、不得不分散的痛苦無奈之情，形成「先事後情」的結構。由此可知，詩中「果」、「因」兩種調和性的組織材料安排，先是由「果」而「因」，再由「因」到「果」，形成「果→因→果」的轉位結構，在靜態上則呈現以「因」為支點，以「果」為前後對稱的「天平對稱」結構。據此，可畫成如下的結構分析表：

---

161 陳望道：「繁多的統一……既沒有統一之流弊的單調板滯，也沒有繁多之流弊的厭煩與雜亂。所以古來所公認的形式原理，就是所謂繁多的統一（Unity in Variety），或譯為多樣的統一，亦稱變化的統一。」見《美學概論》，收於《陳望道文集》（上海市：上海人民出版社，1980 年 5 月），頁 51。

162 見馬茂元：《古詩十九首探索》（臺北市：純真出版社，1982 年 9 月），頁 85。

163 這首詩，徐陵《玉臺新詠》題為枚乘作，陳沆《詩比興箋》也說：「在梁憂吳也。」王闓運《八代詩選》說：「去吳遊梁，追念故國。」皆無實據。觀詩中情意，應為遊子思鄉之作較為妥適，主此說者有朱自清《古詩十九首釋》、馬茂元《古詩十九首探索》、顏崑陽〈古詩十九首選析〉（收於《古典詩文論叢》）等等。

```
┌果一（采花）:「涉江」二句
├因（思遠）:「采之」二句
│              ┌事（望鄉）:「還顧」二句
└果二（望鄉）┤
               └情（憂傷）:「同心」二句
```

從靜態的角度看，詩中「果」與「因」兩種組織材料的力量，在經過「轉位」的歷程後，形成了「果、因、果」的天平對稱方式：在兩側對稱均衡的「果」的烘托下，位於中心支點的「因」是力量集中的所在，而成為注目的焦點，馬茂元說：

> 由相思而采芳草，由采芳草而望舊鄉，由望舊鄉又回到相思。結構本身的迴環曲折，正反映了在發展中的苦悶而複雜的作者內心深處的矛盾，最後從個人和時代的關係，突出主要矛盾，有力地表達了主題。[164]

無論是采芳草（果一），或者是望舊鄉（果二），兩種行為的背後，有著共同的動機（原因），就是相思。於是，透過主人翁前後具體動作的襯托，作者思念家鄉妻子的主旨便凸顯出來，且得到讀者最大的注意。至於詩中「因」與「果」兩種材料形成的調和關係，「果一」與「果二」形成的重複、均衡及比例的形式，使全篇展現出「繁多的統一」之美。

詞如蘇軾〈浣溪沙〉五首之三（雪裏餐氈例姓蘇）：

> 雪裏餐氈例姓蘇。使君載酒為回車。天寒酒色轉頭無。　薦士已

---

164 見馬茂元：《古詩十九首探索》（臺北市：純真出版社，1982年9月），頁89。

> 聞飛鶚表。報恩應不用蛇珠。醉中還許攬桓鬚。[165]

這首詞原題作「十二月二日雨後微雪，太守徐君猷攜酒見過，坐上作〈浣溪沙〉三首。明日酒醒，雪大作，又作二首」，是五首組詩中之第三首，作於元豐四年東坡貶謫黃州之時，主旨在寫徐君猷對作者的深厚情誼及作者對君猷的感佩之心[166]，形成「實虛實」的結構。開頭三句是「實一」的部分，實寫君猷攜酒見過之事。又形成「先後」的結構，「先」包括一、二句，呼應題目，寫「君猷攜酒見過」，作者以蘇武牧羊的節操自比，又以蘇武處冰天雪地、有志難伸的窘境自喻，而君猷卻體貼地在寒雪中載酒來東坡所居的回車院中；第三句是「後」的部分，在這樣的寒冷天氣裡，如此甘醇的美酒，當然是轉眼間就被一飲而盡，也暗示了兩人相契相投的情誼。四、五句是「虛」的部分，寫東坡對君猷的感佩之情，又形成「因果」結構，「薦士已聞飛鶚表」是「因」，藉由孔融薦禰衡的典故比喻君猷對自己的器重；而「報恩應不用蛇珠」是「果」，藉由《淮南子》〈覽冥訓〉注中記載大蛇銜珠報恩的典故反寫自己對君猷的無以為報。末句是「實二」的部分，寫東坡感激君猷的動作，蘇軾在酒酣耳熱之餘，攬觸君猷之鬚，其動機正如唐玲玲《東坡樂府研究》所說的：

> 以《晉書》〈桓伊傳〉中桓伊撫箏而歌、謝安越席捋鬚的故事讚揚徐君猷的直言耿介，表達他的感激之情。[167]

---

165 見龍榆生（龍沐勛）：《東坡樂府箋》（臺北市：華正書局，1980 年 2 月），頁 128。

166 詳見拙著：〈東坡詞篇章結構探析——以黃州作「浣溪沙」五首為考察對象〉，《師大學報》第 49 卷 2 期（2004 年 10 月），頁 23-30。

167 唐玲玲：《東坡樂府研究》（成都市：巴蜀書社，1993 年 2 月），頁 108。

此時的東坡，內心充滿了對君猷的敬佩與感謝之情。由此可知，這首詞中實空間與設想的虛空間交迭出現，先是由「實」而「虛」，再由「虛」到「實」，形成「實→虛→實」的轉位結構，在靜態上則呈現以「虛」為支點，以「實」為前後對稱的「天平對稱」結構。據此，可畫成結構分析表[168]如下：

```
┌實一（事：君猷携酒見過）┬先（過訪）：「雪裡」二句
│                      └後（醉酒）：「天寒」句
├虛（情：感激君猷）┬因（有恩於己）：「薦士」句
│                └果（無以為報）：「報恩」句
└實二（事：感激動作）：「醉中」句
```

從靜態的角度看，詩中「實」與「虛」兩種組織材料的力量，在經過「轉位」的歷程後，形成了「實、虛、實」的天平對稱方式：在兩側對稱均衡的「實」的烘托下，位於中心支點的「虛」是力量集中的所在，而成為注目的焦點。「實一」具寫兩人在寒天中痛快飲酒的動作，「實二」寫東坡席間對君猷表達感激的捋鬚舉動，在一前一後的實空間中烘托出東坡抽象的情意，使他對君猷迴蕩不已的感動之情得到最大的注意，有效地凸顯出本篇的主旨。至於詞中「虛」與「實」兩種材料形成的對比關係，「實一」與「實二」形成的重複、均衡及比例的形式，更使全篇展現出「繁多的統一」之美。

經由以上舉例分析可知，從靜態的角度來看章法移位及轉位後的章法結構，分別形成了具空間對稱性的「雙側對稱」及「天平對稱」：前

168 參考陳師滿銘：〈文章主旨或綱領安置於篇腹的結構類型——以蘇辛詞為例〉，《蘇辛詞論稿》（臺北市：文津出版社，2003 年 8 月），頁 207。

者的兩個章法對稱元素，基本上相似或相對，如鏡像般位置相對、方向相反，但二者間具有調和或對比的密切組合關係；由於其中心軸是虛線，故中心位置可以給人極大的想像空間，但對稱的兩端在對比或調和的變化中，又不失其平衡感；在整體上展現出「嚴整秩序中的變化美」。後者的對稱形態，是以其中一種元素為支點，另一種章法元素在其前後位置形成對稱；於是，中心的支點成為凸出的焦點，而前後兩端的對稱則給人平衡、整齊之感；在整體上則因表現了均衡、比例、重複、對比、調和，而形成「繁多的統一」的美感。更值得注意的是，移位及轉位的章法結構所呈現的對稱類型及審美形式，有效地凸顯了辭章作品的內容主旨，不僅發揮了重要的藝術功能，也給予讀者極豐富的審美感受。[169]

三　動態美

羅瑪佐（Lomazzo），這位十六世紀的畫家兼文學家，在其論文中，曾涉及有關「楔形」的力動性動感，他如此說：「繪畫，它可能擁有的最大的美與生命，是來自動感的表現上，畫家稱此為繪畫之精神。然而，沒有一種形態比火焰的形態，更能適切地表現出動感。……具有此種動勢造形的人物，乃是最美的『最有生命之造形』。」[170]指出了「動感」的表現，可以展現生命力，是最美的造形。這雖然是針對繪畫藝術而發的，卻也可以給予我們在文學方面的啟發。

劉勰就十分注重篇章的「動感」表現，他在《文心雕龍》〈定勢〉

---

169 本小節關於移位及轉位「對稱美」的論述，乃節錄自拙著：〈論辭章章法的對稱性及其美感——以古典詩詞為例〉，《興大人文學報》第 35 期（上）（2005 年 6 月），頁 95-138。

170 參考王秀雄：《美術心理學：創造、視覺與造形心理》（臺北市：北市美術館，1991 年 11 月，修訂版），頁 280。

說：「夫情致異區，文變殊術，莫不因情立體，即體成勢也」，指出了「情」的藝術處理過程：首先由「情」（作家的情志）到「體」（由材料組成的形式結構），這是化無形為有形的階段；其次是從「體」到「勢」，不僅要擇定適應創作體製要求的表現方式，而且要為它在作品中的展開過程作出安排，是化靜為動的過程。[171]其中的「勢」，是文章大體定型的架構，是動態的，有發展變化的，也是劉勰所強調的，因此，特立一篇專題來專門討論它。

這個「勢」，其實就是指辭章材料的「移位」及「轉位」現象。如前所述，「移位」是將辭章的內容材料依序加以整齊安排，而形成先後的有層次的順序；「轉位」則是將辭章內容材料的次序加以參差安排，而形成往復回環的結構。這些動態的安排材料的過程，都是「勢」，都是為了凸顯文章情意而安排的結構的發展變化。由於它是一種動態的結構變化、發展，所以，在「力」的作用下，隨著「時間」的推移，可以使篇章結構在「空間」上呈顯出具節奏感的動態對稱之美。

（一）移位——平移對稱之美（沉靜的節奏）

「平移對稱」是在平行方向依一定的間隔移動，亦即「等間距的重複」[172]，是一種「反復的形式」。[173]這是一種朝「單一方向」運動的對稱型態，正如陸寶新所說的：

> 移位對稱（即平移對稱）或稱排比對稱，是對稱律的一種特殊構成形式，說它特殊，是因為在組織上它是同形、同量、同方向排

---

171 參考涂光社：《因動成勢》（南昌市：百花洲文藝出版社，2001 年 10 月），頁 173。

172 見赫曼．外爾原著，曹亮吉譯述：《對稱：美的科學闡述》（*Symmetry*）（臺北市：正中書局，1988 年臺初版），頁 41。

173 見李薦宏、賴一輝：《造形原理》（臺北市：國立編譯館，1973 年 6 月），頁 110。

> 列構成，它的對應性表現為形態單一方向的重複，在視覺上造成強烈的連續感和節奏感。[174]

由於其重複性，所以「時間」是其要素；而「力」，又是平移時不可或缺的動力，結合了此二因素，就造成連續感和節奏感。楊辛、甘霖的《美學原理》也說：

> 構成節奏有兩個重要關係：一是時間關係，指運動過程；一是「力」的關係，指強弱的變化。把運動中的這種強弱變化有規律地組合起來加以反復便形成節奏。[175]

由此可知，「平移對稱」中「力」的連續、重複的形式，可以形成節奏，造成美感。[176]

而章法的「移位」現象，無論是順向移位或是逆向移位，都會在辭章中形成「平移對稱」的動態結構。構成章法的兩個相應相成的「對稱元」，是組織材料的兩股力量，隨著時間的推移、行進，會依序將材料呈現以凸顯主旨，而形成如：「先今後昔」、「先景後情」、「先賓後主」

---

174 見陸實新：〈論圖案對稱律形式及其構成方法〉，《西北大學學報（哲學社會科學版）》第 33 卷第 2 期（2003 年 5 月），頁 127。

175 見楊辛、甘霖：《美學原理》（臺北市：曉園出版社，1991 年 5 月），頁 159。

176 李澤厚：「由於原始人在漫長的勞動過程生產過程中，對自然的秩序、規律，如節奏、次序、韻律等等掌握、熟悉、運用，使外界的合規律性和主觀的合目的性達到統一，從而才產生了最早的美的形成和審美感受。」認為「節奏」是美感的重要來源之一。見《美學四講》（天津市：天津社會科學院出版社，2001 年 11 月），頁 239。又蔣孔陽等：「節奏也是事物正常化發展的一種表現形式。客觀世界的許多事物和現象都是在合規律的節奏中存在和發展的。事物的正常發展都離不開節奏，人的生活需要也離不開節奏。因此……這種符合規律而又有利於人生的節奏，也就成了美的形式。」認為「節奏」是美的形式之一。見《美與審美觀》（上海市：上海人民出版社，1987 年 5 月），頁 55。

等的「移位」現象；且在「平移」的過程中，由於力量的一再出現，產生了重複的節奏形式[177]，讓人心裡感受到「力」的連續及重複，這就是章法結構的「平移對稱」。

值得注意的是，章法的移位所形成的節奏，不是光靠聽覺、視覺或觸覺就能夠把握的，但是它能夠暗合人的生理、心理結構，張涵主編的《審美大觀》說：

> 形式美的規律根源在於客觀世界的自然規律，並與人的生理、心理結構相對應，是人類改造自然的長期歷史經驗在形式規律方面的集中體現。[178]

因此，章法的移位所造成的節奏，是與人的心理相對應的，可以引起審美的愉悅，產生節奏美。總之，在「平移對稱」的模式中，具體的辭章材料在兩種均衡力量（二元對待的章法對稱元素）的「平移」作用下，隨著時間的推進，被有序地組合、運用，不僅可以表現出抽象的主旨，在動態的對稱結構中還呈顯出連續、單向的動態美[179]，簡單的[180]、沉靜

---

177 章法的節奏是一種抽象的節奏。王菊生：「具象節奏是客觀具體物體及其形象所具有的節奏。……抽象節奏是非客觀具體物象及其構成形式所具有的節奏。抽象物體和抽象構成形式都是從客觀具體物中提煉、抽離出來的，它並不是純主觀的產物。」認為節奏可以分成具象和抽象兩種。見《造型藝術原理》（哈爾濱市：黑龍江美術出版社，2000 年 3 月），頁 232-233。

178 見張涵主編：《審美大觀》，頁 245。

179 林崇宏說：「律動形式的構成方法有連續、反復、變動及轉移四種。」可知「平移對稱」具有的連續、反復的特性，可以形成動態之美。見《造形、設計、藝術》（臺北市：田園城市文化公司，1999 年 6 月），頁 123。

180 王菊生：「比如孤單的一個點·，單調呆板，靜止不動，只有單一刺激，無差異矛盾可言，便無節奏感。而兩個點··並置，開始有了延續相繼和重複，出現了前後的發展過程。同時兩個點和兩個點之間的空隙有了間隔和持續，實與虛、沒與現、前與後、左與右的矛盾差異對比變化，因此具有了節奏感。」又說：「只有一對矛盾對比或反復出現的單一節奏稱為簡單節奏。」見《造型藝術原理》（哈爾濱市：黑龍江美

的[181]節奏美，以及整齊的[182]、重複的[183]秩序美。茲舉古典詩詞為例，說明如下。

詩如《古詩十九首》中的〈迴車駕言邁〉：

> 迴車駕言邁，悠悠涉長道。四顧何茫茫，東風搖百草。所遇無故物，焉得不速老！盛衰各有時，立身苦不早。人生非金石，豈能長壽考？奄忽隨物化，榮名以為寶。[184]

這首詩的作者藉由自然界客觀景物的盛衰變化，聯想到人生的短促；並進一步感慨自己的一無所成，在失意之苦的情緒中，寓理於情，寄託應及時努力以求得榮名之理[185]，是採「先景後情」的結構寫成的。「景」

術出版社，2000 年 3 月），頁 225-226 及頁 231。

181 楊辛、甘霖在《美學原理》中提及郭沫若以文學作品為例，認為節奏有兩種：鼓舞的節奏和沉靜的節奏，前者如海濤起初從海心捲動起來，愈捲愈快，到岸邊拍地一聲打成粉碎，我們的精神便要生出一種勇於進取的氣象；後者如遠處鐘聲，初叩時頂強，曳著嫋嫋的餘音漸漸地微弱下去，這種節奏給人以沉靜的感受。參見《美學原理》(臺北市：曉園出版社，1991 年 5 月)，頁 160。其中對「沉靜」的節奏的描述，也可以用來描述「平移對稱」所形成的節奏，因為「對稱的形態通常具有莊嚴、靜謐、安定之感。」見呂清夫：《造形原理》(臺北市：雄獅圖書公司，1991 年 7 月，八版 2 刷)，頁 168。

182 楊辛、甘霖：「反復即同一形式連續出現，反復也是屬於整齊的範疇，反復是就局部的連續再現來說的，但就各個局部所結成的整體看仍屬整齊的美。如各種二方連續的花邊紋飾。」可知反復可以形成整齊美。見《美學原理》(臺北市：曉園出版社，1991 年 5 月)，頁 168。

183 林崇宏：「秩序可以是簡單之組合，只要是井然有序的組合，即使再繁多或複雜的元素，其組合之後仍會令人產生喜悅的、簡潔的清新現象。在自然界中許多事物或現象，往往因其有規律的重複出現或有秩序的變化，激發了大家對美的創作靈感。」可知重複可以形成秩序美。見《設計原理》(臺北市：金華科技圖書公司，1999 年 7 月，初版 2 刷)，頁 142-143。

184 見馬茂元：《古詩十九首探索》(臺北市：純真出版社，1982 年 9 月)，頁 98。

185 劉冀、魯晉：「此詩將發人深省的哲理寓於生動的形象和淒涼的意境之中，景、情、議論熔為一爐。」見《翹楚之吟——先秦兩漢詩歌卷》(西安市：陝西人民教育出版社，1996 年 7 月，初版 2 刷)，頁 193。

的部分，自篇首至「焉得」句止。在此，先以「回車」二句，用《楚辭》〈離騷〉「迴朕車以復路兮，及行迷之未遠」的辭意，刻畫出作者駕車行遠、孤苦失意的形象；再以「四顧」四句，寫在春風的吹拂搖動下，四周廣大無邊的野草全是新生的，使趕路的作者發出人生苦短的悲嘆！因此形成「先圖後底」的結構。然後，由「景」入「情」，以「盛衰」六句，寫作者因眼前之景而感受到的深沉哀傷。先以「盛衰」二句，寫自己未能及早建功立業；從而引出「人生」四句的失意之苦，並道出了應及早努力、求得榮名的人生感悟，形成了「先因後果」的結構。由此可知，詩中「景」（實）、「情」（虛）兩種組織材料的力量，依時間先後出現，而形成「先景後情」的結構，造成「平移對稱」：從具體客觀的景物快速的新陳代謝，聯繫到抽象的人生思維，在實與虛的材料互相呼應、聯絡之對稱結構中，作者對現實功名追求不得的失意之苦[186]，便更呼之欲出了。據此，可畫成如下的結構分析表：

- 景（新生百草）
  - 圖（駕車行遠）：「迴車駕言邁」二句
  - 底（百草代謝快速）：「四顧何茫茫」四句
- 情（失意之苦）
  - 因（立身不早）：「盛衰各有時」二句
  - 果（歿無榮名）：「人生非金石」四句

這首詩在「先景後情」的平移對稱結構中，「景」與「情」兩股力量的先後出現及抗衡，使得全篇的節奏顯得沉靜而莊嚴，能與作者此時「立

186 許曉晴：「文學的悲涼本於人生的悲涼。遊子們既無法求得生命的亮度——入仕，亦無法延長生命的長度——長生，只能轉向對生命密度的追求，即對現實生活的追求，包括對功名的追求，……對享樂的追求，……對戀人的思念。」見〈論《古詩十九首》的生命意象與主題〉，《山西大學學報（哲學社會科學版）》1999 年第 1 期，頁 57。

身不早、沉淪失意」[187]的心情配合。這種「先景後情」的平移對稱形態，在重複出現的節奏中，表現了整齊的秩序美及單向移動的動態美感。此外，在具體的景物與抽象的情意彼此相應相成的對稱中，不僅展現了均衡的美感，還呈現了一種因相似內容情意的一再出現，而產生的重複的秩序之美，林崇宏《設計原理》說：

> 將相同（或相似）的形象或顏色之構成單元，作規律性或非規律性的重複排列，可得到反復美的構成。造形之構成，經常都是由許多相同單元體組合而成，個別單元體雖是單純、簡潔的形，但是經反復的安排，則形成一井然有序的組合，表現出整體性的美，令人產生鮮明、清新、整合的感覺。反復的現象組合包含顏色上、形象上、形式構成條件（角度、方向、質感）等的反復形式。[188]

而此詩由景物的盛衰變化，暗寓作者對人生變化無常的感嘆；緊接著又連繫到自己一無所成的失意感慨，無論是具體的景，或是抽象的情，全篇呈現著相似情緒的重複情形，因此，給人一種清新、整合的美感。而在由具體材料到抽象材料的平移之中，更有「化實為虛」的自由美，劉思量《藝術心理學》說：

> 重疊產生了空間，也產生了張力，一個被中斷的形象在另一形象之背後，將自己連貫起來。它總是在各單位之間發出張力，顯示

---

187 見馬茂元：《古詩十九首探索》（臺北市：純真出版社，1982 年 9 月），頁 99。
188 見林崇宏：《設計原理》（臺北市：金華科技圖書公司，1999 年 7 月，初版 2 刷），頁 142。

出一種互相扯離而形成自由之身的一種內在驅力。[189]

由於移動方向是由實到虛，實的景物在虛的情意背後，二者形成一股張力，在互相扯離的拉距之間，產生了一種自由的美感。

詞如辛棄疾的〈醜奴兒〉（煙蕪露麥荒池柳）：

煙蕪露麥荒池柳，洗雨烘晴。洗雨烘晴，一樣春風幾樣青。
提壺脫袴催歸去，萬恨千情。萬恨千情，各自無聊各自鳴。[190]

這首詞作於稼軒第一次廢退帶湖、往來附近的博山道中欣賞之時，藉著眼前所見所聞之景，來抒發自己投閒置散的苦悶，採取「先正後反」的結構寫成。「正」的部分，自篇首至「一樣」句的上半闋止。在此，先以「煙蕪」句，寫出眼前令人喜悅的美景是以草、麥、柳為主的植物；再以「洗雨」三句，寫雨後溫暖的陽光、和煦的春風，使得這些植物的葉色更加鮮艷，並呈現出深淺不一的青色，形成「先圖後底」的結構。然而，由下半闋所聞眾鳥唱晴之聲，卻使稼軒感情遽轉，引發他「無聊」（不樂）之情，是「反」的部分。先以「提壺」句，從聽覺角度著筆，寫提壺鳥勸人飲酒的「提壺」鳴聲、布穀鳥勸人勤耕的「脫袴」鳴聲，以及杜鵑鳥催人歸去的「催歸」鳴聲[191]；再以「萬恨」三句，寫鳥鳴引起的無聊（不樂）之情及隱藏在篇外的「壯志難酬」[192]之恨，形

189 見劉思量：《藝術心理學》（臺北市：藝術家出版社，1992 年 1 月，二版），頁 181。
190 見鄧廣銘：《稼軒詞編年箋注》（上海市：上海古籍出版社，1995 年 5 月，初版 2 刷），頁 169。
191 鄧廣銘：「提壺、脫袴、催歸，俱鳥名，以其鳴聲而得名者也。」見《稼軒詞編年箋注》（上海市：上海古籍出版社，1995 年 5 月，初版 2 刷），頁 169。
192 劉坎龍：「結句寫鳥的無聊，實際在襯托人的無聊。透露出詞人被投閒置散的哀愁。景色的優美也不能抹去詞人心靈上壯志難酬的陰影。」見《辛棄疾詞全集詳注》（烏

成「先景後情」的結構。由此可見，詞中「正」（樂景）、「反」（愁景）兩種對比的組織材料的力量，依時間先後出現，而形成「先正後反」的結構，造成「平移對稱」：「以樂景寫哀」[193]，以視覺與聽覺對比、以靜態與動態對比、以快樂與苦悶對比，互相襯托、互相激越[194]，「在相互比照中造成強烈的反差」[195]，使稼軒壯年卻被廢退的身世之感更加強化。據此，可畫成如下的結構分析表：

```
┌ 正（樂景）┬ 圖（草、麥、柳）：「煙蕪」句
│           └ 底（雨、晴、春風）：「洗雨」三句
│
└ 反（愁景）┬ 景（三種鳥鳴）：「提壺」句
            └ 情（無聊之恨）：「萬恨」三句
```

這闋詞在「先正後反」的平移對稱結構中，「正」與「反」兩股力量的先後出現及抗衡，使得全篇的節奏顯得沉靜而莊嚴，與稼軒此時「雖壯年被迫歸隱，但仍思自振」[196]的心情，十分吻合。這種「先正後反」的平移對稱形態，在重複出現的節奏中，表現了整齊的秩序美及單向移動的動態之美。此外，在正、反材料相應相成的對稱中，還展現了均衡的

魯木齊市：新疆人民出版社，2000 年 11 月），頁 101。

193〔清〕王夫之《薑齋詩話》：「以樂景寫哀，以哀景寫樂，一倍增其哀樂。」收於王夫之等撰《清詩話》（臺北市：西南書局，1979 年 11 月），頁 2。

194 黃永武：「詩中的對比，是把異質的字彙對比起來，這異質中包括色彩、形狀、數量、心情等強烈的對比，相互襯托、相互激越，以強化震撼人心的力量。」見《詩與美》（臺北市：洪範書店，1984 年 12 月），頁 129。

195 石克鴻：「反差式是以對比、反襯為手段來組合意象的，即把兩種或兩組相互對立的、矛盾的意象並列在一起，使之在相互比照中造成強烈的反差，以突現『象』中之『意』。」見〈李益邊塞絕句的意象組合〉，《甘肅教育學院學報（社科版）》1997 年第 1 期，頁 32。

196 詳見拙著：〈論稼軒「博山道中詞」篇章意象之形成及組合〉，《師大學報》第 50 卷第 1 期（2005 年 4 月），頁 44。

美感，童慶炳從審美心理學的角度談到：

> 詩中相異或相反情景的藝術組合，不僅可以產生平衡感，而且可以產生無窮的「味外之旨」。[197]

這種「正反」式的意象組合，由對立面而達致統一，除了給讀者一種平衡的美感之外，更能藉著鮮明對比的呈現，讓人體會出「味外之旨」，在曲折含蓄之中，蘊涵著極強的藝術感染力量，使得詞中所欲傳達的身世之感更加強化。

（二）轉位——回轉對稱之美（鼓舞的節奏）

「回轉對稱」（又稱「旋轉對稱」或「循環性對稱」）是一種轉動式的變換，指繞著某個軸做一定角度的旋轉，總會帶回到本身，與自身重合。[198]它既然是一種轉動式的變換，所以不是像平移對稱般地作「單一方向」的運動；但「時間」及「力」同樣是其要素，因而與平移對稱一樣，具有連續的動態感及節奏感。

而章法的「轉位」現象，便會造成這種「回轉對稱」的動態結構。這時章法的兩種對稱元，就好像 2 個等間距花瓣的花朵，如將其形成的圓圈，無論朝正時針或反時針方向轉動 180 度，它們的相對關係完全不變，會形成如：「今→昔→今」、「景→情→景」、「賓→主→賓」等轉出去又拉回來的回轉式的圓圈關係，這便是章法結構的「回轉對稱」。如果從直線行進方向看，隨著時間的推移，辭章的材料經由「轉位」而

197 見童慶炳：《中國古代心理詩學與美學》（臺北市：萬卷樓圖書公司，1994 年 8 月），頁 118。

198 參考赫曼．外爾原著，曹亮吉譯述：《對稱：美的科學闡述》（*Symmetry*）（臺北市：正中書局，1988 年臺初版），頁 46-47。

先後形成一順、一逆方向相反的參差安排，使內容的深層義蘊在材料的往復轉移中被曲折地凸顯出來，展現更複雜的變化之美；更因為兩股章法對稱「力量」是彼此朝著相反方向行進，因此，呈顯出比單一方向的「平移對稱」還要鮮明、鼓舞的節奏。正如仇小屏在〈論辭章章法的移位、轉位及其美感〉中所說：

> 造成變化之轉位所形成的是結構上的「往復」，可說是發展出去後，又拉回來的雙向作用，因此比起單純的「反復」來說，變化較為劇烈，也就是說其「力」的強度會較強，節奏感也因而較為明顯。……若是將移位與轉位拿來比較的話，其產生的節奏美必然有相對的差異，針對這樣的差異，我們或可認為移位的「力」的變化較為穩定，因此其節奏的美感是偏於沉靜的，而轉位的「力」的變化較為顯著，所造成的節奏美就是偏於鼓舞的。[199]

由於「轉位」時，力的變化方向是一順一逆的交互進行（如「由正而反」（順），再「由反而正」（逆）），而非單一方向的反復出現，因此，這種「轉移」[200]所形成的節奏自然比「平移對稱」的節奏更鮮明有變化。而這種「回轉對稱」的節奏，能給人以快感，袁行霈說：

> 節奏能給人以快感，能滿足人們生理上和心理上的要求，每當一次新的回環重複的時候，便給人以似曾相識的感覺，好像見到老

199 見仇小屏：〈論辭章章法的移位、轉位及其美感〉，《辭章學論文集》（福州市：海潮攝影藝術出版社，2002 年 12 月），上冊，頁 105 及頁 110。

200 林崇宏：「轉移是屬於元素間之配置的問題，將各個相同或相異的單元作位置上或方向上的移動。……運動的現象會形成了移轉，由移轉再產生了變化，而造形的新活力與美感就因此而產生。」見《造形、設計、藝術》（臺北市：田園城市文化公司，1999 年 6 月），頁 124。

> 朋友一樣，使人感到親切、愉快。頤和園的長廊，每隔一段就有座亭子，既可供人休息，又可使人駐足其中細細觀賞周圍的湖光山色。而在走一段停一停，走一段停一停這種交替重複中，也會感到節奏所帶來的快感與美感。一種新的節奏被人熟悉之後，又會產生預期的心理，預期得中也會感到滿足。[201]

指出了「回環重複」的節奏，能給人親切、愉快的感受。此外，這種「回轉對稱」的節奏，更能表現出作品生命的律動，蘇珊．朗格的《情感與形式》中說：「節奏連續原則是生命有機體的基礎，它給了生命體以持久性。」[202]王菊生的《造型藝術原理》也說：「生命形式的特徵就是運動變化的張力和循環往復的節奏。」[203]林書堯《基本造形學》也強調律動的魅力說：

> 律動會隨伴著層次的造形，反復的安排，連續的動態，轉移的趨勢而出現。諸如漸進、重複、回旋、流動、疏密、方向等的現象。律動會給造形以生命感，因熱烈的感情和活動的性格引起大家的注目。也因多樣的統一使我們容易觀察，容易把握，容易理解而導致親熱的感情。律動也是表現速度，造成氣氛有效的力量，奇妙的運動感覺使它的魅力流傳到每一個角落，傳達它的作用。[204]

---

201 見袁行霈：《中國詩歌藝術研究》（臺北市：五南圖書出版公司，1989 年 5 月），頁 114。

202 見蘇珊．朗格著，劉大基譯：《情感與形式》（臺北市：商鼎文化出版社，1991 年 10 月），頁 147。

203 見王菊生：《造型藝術原理》（哈爾濱市：黑龍江美術出版社，2000 年 3 月），頁 192。

204 見林書堯：《基本造形學》（臺北市：三民書局，1991 年 8 月，再版），頁 197-199。

辭章中因「轉位」而形成的「回轉對稱」，有「連續的動態」及「轉移（回旋方向）的趨勢」，其所產生的「循環往復的節奏」，即呈顯出「運動變化的張力」，表現了文學作品活潑、律動的生命力。[205]茲舉古典詩詞為例，說明如下。

詩如《古詩十九首》中的〈孟冬寒氣至〉：

> 孟冬寒氣至，北風何慘慄！愁多知夜長，仰視眾星列。三五明月滿，四五蟾兔缺。客從遠方來，遺我一書札；上言長相思，下言久離別。置書懷袖中，三年字不滅；一心抱區區，懼君不識察。[206]

這是一首思婦冬夜懷人之作，透過當時的季節及環境，引出女子的回憶，敘事之後，再回到現在，寫出她堅定的心意[207]，是採「今、昔、今」的結構寫成的。「今一」的部分，自篇首至「仰視」止。在此，先以「孟冬」二句，誇大十月天北風就帶來寒氣，是為了襯托思婦淒苦的寂寞心境；再以「愁多」二句，以思婦為焦點，寫她因相思之愁而覺得長夜漫漫，只好仰視星空，因此形成「先底後圖」的結構。然後，「三五」八句是「昔」，其中「三五」二句，寫女子由仰視星空而引起對月的聯想，再由月的圓缺特性而想到人事的聚散，而墜入往事的回憶之中；「客從」

205 以上有關「移位」及「轉位」所造成的節奏論述，主要參考陳師滿銘：〈論章法「多、二、一（0）」結構的節奏與韻律〉，《國文學報》第 33 期（2003 年 6 月），頁 93-100。

206 見馬茂元：《古詩十九首探索》（臺北市：純真出版社，1982 年 9 月），頁 170。

207 馬茂元：「全詩十四句，前四句寫離愁，後八句通過一件三年前往事的回憶，表明自己對待愛情的態度，中間用『三五』兩句十分自然地從現在的心情過渡到過去的事件，在這一事件敘述完畢之後，又從『三年』的具體時間概念裏，把過去的事件引回到現在的心情。」見《古詩十九首探索》（臺北市：純真出版社，1982 年 9 月），頁 172。

六句，就是回憶的內容，寫其夫來信，女子珍藏三年，字跡仍清晰可見的深情，形成了「先點後染」的結構。最後，「一心」二句，是「今二」，寫思婦現在的心情是哀而不怨的，對愛情的態度是堅定不移的。由此可知，詩中「今」、「昔」兩種組織材料的力量，隨時間的進行而交錯出現，先是由「今」而「昔」形成順向移位；再由「昔」而「今」形成逆向移位，總合而成「今→昔→今」的轉位結構，造成力量轉出去又拉回來的「回轉對稱」，在今昔的時間變化中，委婉曲折地表現出女子深刻的相思及堅定的心志。據此，可畫成如下的結構分析表：

```
┌ 今一（愁多）┬ 底（北風寒冷）：「孟冬」二句
│             └ 圖（思婦不寐）：「愁多」二句
├ 昔（贈信）┬ 點（別時已久）：「三五」二句
│           └ 染（珍藏來信）：「客從」六句
└ 今二（堅定）：「一心」二句
```

從動態的角度看，此詩以「今→昔→今」的回轉對稱方式，對稱元（今、昔）的力量在一順、一逆的「轉位」之中，造成回轉往復的節奏，比「平移對稱」的單一方向的重複，更加鮮明而具變化，表現出更感人的律動。沈德潛說：

> 置書懷袖，親之也；三歲不滅，永之也。然區區之誠，君豈能察識哉？用意措詞，微而婉矣。[208]

也指出了從女子今日仍珍藏丈夫來信的動作，以及其今日盼君察識真心

---

[208] 見沈德潛：《古詩源箋注》（臺北市：華正書局，1983 年 8 月），頁 117。

的企望，能委婉曲折地呈顯女子對丈夫用情至深的心意。全詩便在今、昔的參差安排中，由女子目前的孤寂憂愁起筆，而將時間向前推擴至昔日的回憶，寫丈夫贈信的深情，再將時間拉回到現在，寫她三年來仍舊對丈夫懷著堅定不移的愛情，在連續而回轉往復的節奏之中，女主人翁思緒情意的曲折變化，更生動地展現在讀者的眼前，給人鮮明而深刻的審美感受。

詞如韋莊〈菩薩蠻〉五首之三（如今卻憶江南樂）：

> 如今卻憶江南樂，當時年少春衫薄。騎馬倚斜橋，滿樓紅袖招。
> 翠屏金屈曲，醉入花叢宿。此度見花枝，白頭誓不歸。[209]

這首詞是韋莊晚年在蜀所作〈菩薩蠻〉聯章五首之第三首，主旨寫無家可歸之痛[210]，是採「今昔今」的結構寫成的。起句即生發回憶江南樂事的話題，是「今一」的部分，此時他身在蜀地，憶起當年江南樂事，有很強烈的今昔之感。「當時」六句則進入昔日的時空，具寫江南的樂事，是「昔」的部分，此部分又形成「先景後事」的結構：由「當時」二字將時間回溯至過去，以自己的春衫飄舉為年輕瀟灑的標幟，展開他的尋芳樂事；「騎馬」四句，開始具寫他在江南的樂事——美人伴醉，此四句又形成「先因後果」的結構。因作者風采動人（以「騎馬」、「倚橋」的英姿呈現），所以引來滿樓紅袖（美人）的招手；又因美人的招引，所以作者便醉宿美人住處了。結尾「此度」二句，又將時間拉回現在，是「今二」的部分，此二句是作者在蜀地的假設之筆，意即：如果有重遊江南的機會，即使終老也不還鄉，語氣似很堅決，但這只是表面

---

209 據趙崇祚輯，李一氓校：《花間集》（臺北市：源流出版社，1982 年 8 月），頁 32。
210 有關韋莊這五首詞作的主旨，詳見拙作：〈韋莊《菩薩蠻》聯章五首篇章結構探析〉，《中國學術年刊》第 26 期（2004 年 9 月），頁 153。

的意思。這時，唐朝已亡，作者深知已無家可歸，所以才以此語反襯他心中的悲苦。俞平伯評此二句說：

> 把話說得斬釘截鐵，似無餘味，而意卻深長，愈堅決則愈纏綿，愈忍心則愈溫厚，合下文觀，此恉極明晰。若當時只作此一章，結尾殆不會如此。[211]

也認為此二句除了表面的意義之外，有其更深長的無家可歸的內蘊。韋莊在「由因及果」的順推中，故作誓言要終老江南，其實有無盡的思鄉之情在其中。由此可知，詞中「今」、「昔」兩種組織材料的力量，隨時間的進行而交錯出現，先是由「今」而「昔」形成順向移位；再由「昔」而「今」形成逆向移位，總合而成「今→昔→今」的轉位結構，造成力量轉出去又拉回來的「回轉對稱」，在今昔的時間變化中，曲折地表現出韋莊的思鄉之情及無家可歸之痛。據此，可畫成如下的結構分析表：

- 今一（憶江南樂）:「如今」句
- 昔（江南之樂）
  - 景（年少歡樂）:「當時」句
  - 事（美人伴醉）
    - 因（美人招）:「騎馬」二句
    - 果（醉花叢）:「翠屏」二句
- 今二（誓不還鄉）
  - 因（再見美人）:「此度」句
  - 果（誓不還鄉）:「白頭」句

211 見俞平伯：〈讀詞偶得〉，附於《唐宋詞選釋》（臺北市：木鐸出版社，1981 年 5 月，再版），頁 26。

從動態的角度看，全篇以「今→昔→今」的回轉對稱方式，對稱元（今、昔）的力量在一順、一逆的「轉位」之中，造成回轉往復的節奏，較之「平移對稱」的單一方向的重複，更具變化，更展現了感人的律動。尤其是「當時年少春衫薄，騎馬倚斜橋，滿樓紅袖招」三句，更鮮明地展現了作者年少的英姿風流，葉嘉瑩說：

> 「春衫薄」三字，則春衫飄舉，風度翩翩，少年之樂事乃真可想見矣。……而必曰「騎馬倚斜橋」者，蓋「騎馬」亦增年少之英姿也。……而必曰「斜橋者」，蓋用一「斜」字纔更能顯出一份敧側風流之情致也。[212]

指出這幾句，生動而形象地呈現出少年韋莊在江南的翩翩丰采及風流快活，是作者韋莊晚年的回憶中，印象最深刻的部分，也是篇中特別引人之處。然而，當時愈樂，便愈反襯出現在的悲傷。當時間再度拉回到現在時，韋莊「當下」激烈的思鄉情緒便再次重現，在連續而回轉往復的節奏中，他內心深沉而痛苦的哀傷，就源源不絕地從字裏行間傳達而出了。

綜合以上所述可知，辭章的章法結構，由於「移位」及「轉位」的現象，在動態方面會分別形成具時間對稱性的「平移對稱」結構及「回轉對稱」結構：前者在兩個章法對稱元素的先後平移中，相當於力量向同一方向「重複」出現，而造成連續、單向的動態感，簡單、沉靜的節奏感以及整齊、重複的秩序美；後者則因兩個章法對稱元素先後朝著相反方向「一往一復」的出現，而造成連續、回轉的動態感，複雜、鼓舞

---

212 見葉嘉瑩：〈從人間詞話看溫韋馮李四家詞的風格〉，收於《迦陵論詞叢稿》（臺北市：明文書局，1981 年 9 月），頁 59-60。

的節奏感以及循環、往復的變化美。而且，這些經由「移位」及「轉位」所呈現的章法結構類型及審美形式，有效地凸顯了辭章作品的內容主旨，不僅發揮了重要的藝術功能，也給予讀者極豐富的審美感受。[213]

四　剛柔美

我國古代文論家認為，文藝作品的藝術風格儘管千姿百態，然而，從美學的角度看，不外乎陽剛之美與陰柔之美兩種類型，陳望衡在《中國古典美學史》中就說道：

> 陰陽在《周易》（主要是《易傳》）中，經常與剛柔相連屬。在《易傳》作者看來，剛柔是中國美學的重要屬性。……而在藝術領域內，剛柔概念的運用，則遠比陰陽概念的運用普遍。可以說，剛柔是中國美學的一對重要範疇。剛柔在藝術領域中的最重要的意義在於它成為兩大美學風格的代名詞。這就是陽剛之美與陰柔之美。[214]

這種陽剛陰柔思想的萌芽是很早的，早在《易傳》中即有「乾剛坤柔」、「剛柔有體」（〈繫辭下〉）、「動靜有節，剛柔斷矣」、「剛柔相推而生變化」（〈繫辭下〉）、「柔上而剛下，二氣感應以相與」（〈咸〉〈彖〉）等說法，都是對於自然現象與社會現象的思考。其中，最重要的是〈說卦〉中的一段話：

---

213 以上關於章法「變化律」所造成的動態對稱美的論述，乃節錄自拙著：〈論辭章章法的對稱性及其美感——以古典詩詞為例〉，收於《興大人文學報》第 35 期（上）（2005 年 6 月），頁 95-137。

214 見陳望衡：《中國古典美學史》（長沙市：湖南教育出版社，1998 年 8 月），頁 183。

> 昔者聖人之作易也，將以順性命之理。是以立天之道，曰陰與陽；立地之道，曰柔與剛；立人之道，曰仁與義。兼三才而兩之。（卷 9，頁 2-3）

這段論述，以「陰陽（剛柔、仁義）」統合天、地、人而一之，對我國陽剛、陰柔美範疇的確立，具有極深遠的影響。

最早用陰陽二氣來解釋文學風格的，當推曹丕，他在《典論》〈論文〉中所提到的「清氣」即是具有陽剛之美的氣，而「濁氣」即是具有陰柔之美的氣。其後的劉勰，則以剛柔論文，他在《文心雕龍》〈體性〉說「風趣剛柔，寧或改其氣」，〈鎔裁〉說「剛柔以立本，變通以趨時」，〈定勢〉說「剛柔雖殊，必隨時而適用」。鍾嶸在《詩品》〈序〉中讚美劉琨有「清剛之氣」，也是指他的詩歌表現出陽剛之美的特色。至於司空圖所列舉的二十四種不同的藝術風格中，雄渾、勁健、豪放、綺麗等可歸入陽剛之美一類，而沖淡、纖穠、疏野、超詣等可歸入陰柔之美一類。到了嚴羽，在《滄浪詩話》中將詩分為「優游不迫」及「沉著痛快」兩類，前者即指陰柔之美，後者即指陽剛之美。他雖未明確指出陽剛、陰柔，卻和後來姚鼐之論，極為接近。[215]

從理論上將陰陽與剛柔結合，明確提出陽剛之美和陰柔之美、對我國古代論藝術風格美作出總結及達致另一高峰性發展的，是清代桐城派的代表人物之一姚鼐，他在〈復魯絜非書〉中說：

> 鼐聞天地之道，陰陽剛柔而已。文者，天地之精英，而陰陽剛柔之發也。……其得於陽與剛之美者，則其文如霆，如電，如長風

---

215 本段關於陽剛陰柔文藝思想發展的過程論述，參考張少康：《中國古代文學創作論》（臺北市：文史哲出版社，1991 年 6 月），頁 374-377。

> 之出谷，如崇山峻崖，如決大川，如奔騏驥；其光也，如杲日，如火，如金鏐鐵；其於人也，如馮高視遠，如君而朝萬眾，如鼓萬勇士而戰之。[216]

以具體的自然現象為喻，描述出文學現象及作者才性表現的陽剛之美。文中又說：

> 其得於陰與柔之美者，則其文如升初日，如清風，如雲，如霞，如烟，如幽林曲澗，如淪，如漾，如珠玉之輝，如鴻鵠之鳴而入廖廓；其於人也，漻乎其如歎，邈乎其如有思，暖乎其如喜，愀乎其如悲。[217]

以具體的自然現象為喻，描述了文學現象及作者才性表現的陰柔之美。曾國藩〈聖哲畫像記〉說「陽與剛……陰與美……，文章之變，莫可窮詰，要之不出此二途，雖百世可知也」，可見，姚鼐所確立的陽剛、陰柔兩大範疇，是中國文論家在文學風格理論方面的概括與總結。而其所描繪的許多形象化的譬喻，亦極有助於我們掌握「陽剛」與「陰柔」的特質。[218]

值得注意的是，上述的中國兩大藝術美——陽剛之美和陰柔之美——的分類，大體上和西方關於壯美和優美的區別是一致的。陽剛之美即是壯美，有明朗、高亢、蒸騰向上、雄渾壯闊、剛勁有力的特色，但與近代所謂的「崇高」不同，它仍未超出古典和諧美的圈子，仍強調

216 見《中國歷代文論選》（臺北市：木鐸出版社，1881 年 4 月，再版），下冊，頁 204。
217 見《中國歷代文論選》（臺北市：木鐸出版社，1881 年 4 月，再版），下冊，頁 204。
218 參見拙著：〈姚鼐「復魯絜非書」之文學理論〉，《孔孟月刊》第 29 卷第 1 期（1990 年 9 月），頁 22-26。

均衡、和諧和自由；而陰柔之美即是優美，有輕盈柔軟、俊秀飄逸、溫婉幽和、纖穠明麗的特色，是多種性質間有秩序及和諧的關係，在變化中保持著某種統一性。[219]

然而，這種「陽剛」與「陰柔」是如何與人們的心理發生感應呢？從格式塔心理學派的說法來看，審美體驗就是對象的表現性及其力的結構（物理世界），與人的神經系統中相同的「力的結構」（心理世界）的同型契合（詳見上一節「心理基礎」的第二小節）。這也就是所謂的「異質同構」，雖然物理世界和心理世界的質料不同，但其力的結構卻可以是相同的，當物理世界與心理世界的「力的結構」相對應而溝通時，就進入到身心和諧、物我同一的境界，人的審美體驗也就由此境界而生。譬如，春山（物理世界）與人的「笑」（心理世界）雖然是不同質的，但它們的「力的結構」是相同的，即都屬於「上升」的類型，因此，「春山」與「笑」就是「異質同構」關係，它們之間的聯繫與溝通，產生了「春山淡冶而如笑」的美好句子，給人以審美的快感；再如柳條下垂（物理世界）與人的悲哀（心理世界）雖然是不同質的，但其「力的結構」則是同型同構的（都是由高到低），這樣，當下垂的柳條呈現在人的面前之際，它的「力的結構」就通過視覺神經系統傳到大腦皮層，這就與人的神經系統中所固有的悲哀的力的結構接通，而達到了同型契合，於是內外兩個世界產生了審美的共鳴。

由此可知，人類之所以對「異質」，能產生「同構」的感應，是因為對它的「表現性」有所感應。而中國文論中「陽剛」與「陰柔」的分法，就是依照「表現性」，即依照「張力結構」的不同來區分的。大致說來，「陽剛」之美屬於「上升」（或「向前」、「外張」）的「張力結構」

---

219 參考彭修銀：《美學範疇論》（臺北市：文津出版社，1993 年 6 月），頁 35；張紅雨：《寫作美學》（高雄市：麗文文化事業公司，1996 年 10 月），頁 52、頁 57；以及劉昌元：《西方美學導論》（臺北市：聯經出版社，2000 年 7 月，二版 5 刷），頁 73。

類型；而「陰柔」之美則屬於「下降」（或「向後」、「向內」）的「張力結構」類型。[220]

同理，章法的「移位」及「轉位」所造成的「張力結構」及美感，也可以與中國傳統的美學範疇——陽剛與陰柔——對應起來看待。就「移位」而言，其所造成的「力」的方向變化較為和緩，是單向的「力」的重複；且因其「力」的強度變化較弱，所以會形成簡單或反復、齊一之沉靜的節奏，從而顯現出偏於陰柔之調和性美感。就「轉位」而言，其所造成的「力」的方向變化較為顯著，是雙向的「力」的往復，且因其「力」的強度變化較強，所以會形成複雜或往復、變化之鼓舞的節奏，從而顯現出偏於陽剛之對比性美感。陳師滿銘即針對此章法變化之美加以闡發，他說：

> 以章法單元或結構單元而言，除了本身自成陰陽之外，又可以與其他結構形成「二元對待」，而形成另一層陰陽。其中屬於移位的，即呈陰性，成為調和性節奏（韻律），而造成陰柔之美；屬於轉位的，則呈陽性，成為對比性節奏（韻律），而造成陽剛之美。[221]

可見，因為移位、轉位的不同，所造成的章法現象會有趨於秩序或趨於

---

220 錢谷融、魯樞元指出：「格式塔學派認為，情感也伴隨著力的活動產生，情感的性質由力的式樣所決定。而力的式樣又有兩種性質，其一是具有方向性。如果所要表現的情感具有肯定積極的性質，其方向是向前、向上或外張的；如果是消極否定的情緒，力的方向就是向後、向下或向內的。其二是所有方向性的張力都具有一定的強度。」見《文學心理學》（臺北市：新學識文教出版中心，1990 年 9 月），頁 209-210。

221 見陳師滿銘：〈論章法「多、二、一（0）」結構的節奏與韻律〉，《國文學報》第 33 期（2003 年 6 月），頁 115。

變化的差別，形成較和緩的調和性的或較顯著的對比性的「張力結構」，因而呈現出偏於陰柔或偏於陽剛的不同美感。

（一）移位——張力「調和」變化的陰柔美

由章法「移位」所造成的張力變化，其方向是單向（順向或逆向）的「力」的重複，其強度是較弱的「力」的變化，因而形成了簡單、反復、齊一之和緩節奏，顯現出「調和性」的張力變化，這種 「調和性」的形式特色及美感，陳望道《美學概論》說得很清楚，他說：

> 兩個極相接近的東西並列在一處，其間相差很微，便多成為調和（Harmony）的形式。……例如從正黑色，漸次淡薄到正白色的一列中，取正黑色和其次的淡黑色相並列時就是調和；……凡是調和的兩件東西，總是互相類似的，並無甚麼觸目的變化。所以接觸到它時，也就每每覺得它有融洽、優美、鎮靜、深沉等情趣。[222]

指出「調和」是差異較小的東西並列，可以產生優美、深沉等情趣。而歐陽周、顧建華、宋凡聖等則更具體指出，這種由「調和」因素所造成的美感，就是「陰柔之美」，他們說：

> 調和，指的是沒有顯著差異的形式因素之間的對立統一。它只有量的區別，是一種漸變的協調，並不構成強烈的對比。如果說，對比是差異中趨向於「異」，那麼，調和則是在差異中趨向

---

222 見陳望道：《美學概論》，收於《陳望道文集》（上海市：上海人民出版社，1980 年 5 月），頁 70-72。

> 於「同」。以色彩為例，紅與橙、橙與黃、黃與綠、綠與藍、藍與青、青與紫、紫與紅，都是相似色，在同一色中又有濃淡、深淺的層次變化，如綠有深綠、淺綠、暗綠、墨綠、嫩綠、翠綠、碧綠等。這種相似或相近的顏色相互配合協調，在變化中保持大體一致，就會給人一種融和、寧靜的感覺。……由非對立因素的統一造成的形式美，一般屬於陰柔美。[223]

由此可知，章法「移位」所造成的「力」的方向及強度的變化情形，是一種「調和」性的張力結構，因而會呈現出偏於陰柔的美感。

這種「移位」所呈顯的「陰柔之美」，相當於西方所謂的「優美」，具柔媚、和諧、安靜與秀雅的特色，會給人心曠神怡的審美愉悅。朱光潛就曾指出這種柔性美的特色是「杏花、春雨、江南」、是「秀麗典雅」、是「神韻」[224]；楊辛、甘霖在《美學原理》中也用了許多具象的比喻來闡明其形式上的特徵表現為：

> 風和日麗、鳥語花香、鶯歌燕舞，或是山明水秀、波平如鏡、倒影清澈的自然景色；或是夕陽西下，一脈金暉斜映在山頭水面，或是在蔚藍的天空裏略微閃耀著一點淡淡金色。這些境界都是優美，給人以和諧、安靜的審美享受。[225]

由此可知，章法的「移位」現象所形成的「調和性」的張力變化，可以呈顯「陰柔之美」，給人安靜和諧、輕鬆愉快的審美感受。茲舉古典詩

---

223 見歐陽周等編：《美學新編》（杭州市：浙江大學出版社，2001 年 5 月，初版 9 刷），頁 81。

224 見朱光潛：《文藝心理學》（臺北市：頂淵文化事業公司，2003 年 5 月），頁 285。

225 見楊辛、甘霖：《美學原理》（臺北市：曉園出版社，1991 年 5 月），頁 242。

詞為例，說明如下。

詩如陸游的〈書憤〉，其原詩為：

> 早歲那知世事艱，中原北望氣如山。樓船夜雪瓜洲渡，鐵馬秋風大散關。塞上長城空自許，鏡中衰鬢已先斑！出師一表真名世，千載誰堪伯仲間！[226]

其結構分析表為：

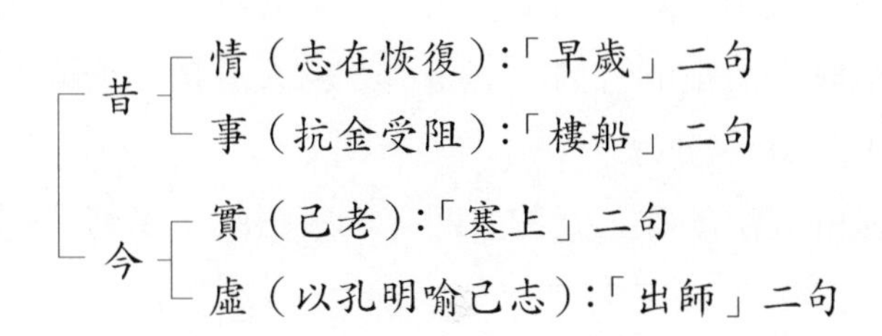

這首詩寫於南宋孝宗淳熙十三年，作者在罷官五年後，復以朝奉大夫權知嚴州軍州事重新起用之時，主旨在第五句「塞上長城空自許」，書寫自己壯志未酬身先老以及山河淪落未收復之憤慨，全詩充滿了憂國感時的情緒。首四句是「昔」，其中一、二句先寫出自己的「情」志在恢復中原；三、四句則具體地寫「事」，回憶當年在冬雪中戰船出沒瓜洲渡口的水上戰事，以及在秋風蕭瑟時自己跨騎鐵馬戍守大散關的陸上進擊，年輕時的陸游，即已身許國，投入保家衛國的戰鬥行列。第五句以下四句是「今」，先「實」寫自己今日雖仍以「萬里長城」自許，實際上卻已年老鬢斑，時不我與；然而，今日朝廷中奸佞當道，缺乏諸葛孔

226 見陸游撰、雷瑨註釋：《箋註劍南詩鈔》（臺北市：文史哲出版社，1985 年 6 月，景印初版），卷 4，頁 234-235。

明般的忠誠與智謀，末二句作者以孔明自喻，是「虛」，藉此自明心跡，欲效孔明鞠躬盡瘁的精神，充分流露出「老驥伏櫪，壯心未已」的心情。

這首詩的核心結構為「先昔後今」，屬順向的「移位」結構，其所造成的「力」的方向變化是反復的、單向的，且「力」的強度變化是較弱的，因此形成了較為簡單、反復、齊一的和緩節奏，顯現出「調和性」的張力變化，而展露出「陰柔之美」。因此，雖然本詩是由對比性的內容材料所組成，本屬於純剛的風格，卻由於核心結構的順向移位作用，使得此詩呈現出「剛中寓柔」的風格，能夠與作者此時「壯志未酬身先老」的激動卻沉重的心情密切吻合，給人激動（陽剛）中卻蘊藏著含蓄（陰柔）的審美感受。

詞如蘇軾的〈浣溪沙〉五首之四（半夜銀山上積蘇），其原詞為：

> 半夜銀山上積蘇。朝來九陌帶隨車。濤江煙渚一時無。　　空腹有詩衣有結。溼薪如桂米如珠。凍吟誰伴撚髭鬚。[227]

其結構分析表為：

- 目
  - 一（景：凍）
    - 高（山）：「半夜」句
    - 中（地）：「朝來」句
    - 低（江）：「濤江」句
  - 二（事：吟）
    - 正（樂）：「空腹」句
    - 反（貧）：「溼薪」句
- 凡（凍吟）：「凍吟」句

227 依據龍榆生（龍沐勛）：《東坡樂府箋》（臺北市：華正書局，1980 年 2 月），頁 129。

這首詞旨在藉由行吟雪地，表現出作者儒家的安貧思想。採「先目後凡」的雙軌式結構寫成，其簡式為：「凍」（目一）‧「吟」（目二）→「凍」（凡一）「吟」（凡二）。主旨在篇外，寫作者貧而樂的情感，綱領在末句「凍吟誰伴撚髭鬚」，是「凡」的部分，在大雪紛飛的天候中，在君猷的陪伴下，東坡「忍著饑饉，在雪裏吟詩」[228]，不僅呼應題目「明日酒醒，雪大作，又作二首」，且藉由行吟雪地，表現出儒家的安貧思想。

「目」的部分，是首句到第五句，分二線來呼應「凡」的「凍」「吟」二軌。開頭三句是「目一」，寫「凍」，分別從山上、地面、江面來寫大雪紛飛時的雪景：「半夜銀山上積蘇」描寫高山上因積雪而呈現一片銀色世界，連一簇簇的樹叢都覆滿白雪，遠望像是一塊塊的柴草堆；「朝來九陌帶隨車」寫清晨時作者與君猷共乘的車「過雪地，隨車轍翻出一條縞帶」[229]；「濤江煙渚一時無」則寫江面的小洲因大雪的緣故，也無法展現其平時煙霧濛濛的美景，在「大作」的雪中，眼前儘是白茫茫的一片，無法看清江面任何景物。接下來的四、五句是「目二」，寫「吟」，此二句又形成「先正後反」的結構，先藉由董京雖衣衫襤褸、卻仍逍遙吟詠寫作者自己的安於貧困，再藉由戰國時蘇秦對楚王之言，點出東坡目前的物質環境是「薪如桂米如珠」，物價十分昂貴，生活十分困難，但他能超脫這一切，安貧樂道，將精神專注在吟詩上。因此末句有「撚髭鬚」的動作，如盧延讓般地為了思索詩句，而「撚斷數莖鬚」。[230]

---

228 唐玲玲：《東坡樂府研究》（成都市：巴蜀書社，1993 年 2 月），頁 108。

229 鄒同慶、王宗堂：《蘇軾詞編年校註》（北京市：中華書局，2002 年 9 月），上冊，頁 345。

230 盧延讓〈苦吟〉詩：「莫話詩中事，詩中難更無。吟安一箇字，撚斷數莖鬚。險覓天應悶，狂搜海應枯。不同文賦易，為著者之乎。」見清聖祖御製：《全唐詩》（臺北市：宏業書局，1977 年 6 月），卷 715，頁 8212。

就個別的章法美感言，這種「先目後凡」的結構，其中「目」是條分，「目一」的「凍」與「目二」的「吟」有並列的、整齊的美感；「凡」是總括，在由條分歸納到總括時，便形成了總括的力量，而產生了集中的、畫龍點睛的美感；在多樣的「目」統括到「凡」後，又形成「繁多的統一」。而由於本詞為雙軌式的結構，比起單軌式，更多了變化的美感。又開頭三句，在「由高而低」的置景法中，由於方向往下，因此令人有沉重、密集、束縛的感受[231]，強而有力地烘托出下片苦吟的氣氛，產生了極大的感染力。至於「正反」法的安排，在「貧困環境」與「逍遙吟詠」的對比中，因為二者間極大的差異性，使讀者產生了鮮明、醒目、振奮的強烈感受[232]，同時使作者「逍遙」的特點更凸出、姿態更優美，大大增強了主旨的感染力量。

就全篇的美感言，這首詩的綱領在末句「凍吟誰伴撚髭鬚」，即「凡」的部分，可知最上層的「先目後凡」結構即為本篇的核心結構。此核心結構屬逆向的「移位」結構，其所造成的「力」的方向變化是反復的單向的，且「力」的強度變化是和緩的、較弱的，形成了較為簡單、反復、齊一的和緩節奏，呈現出「調和性」的張力變化，而展露出「陰柔之美」。因此，雖然本詞的內容材料兼有對比性（正與反）及調和性（目與凡、高中低），本屬於「剛中寓柔」的風格，卻由於核心結構的逆向移位作用，使得此詞呈現出稍偏向「陽剛」的風格，能夠與作者此時雖貧困（柔）卻仍逍遙自在（剛）的心情吻合，給人一種從苦（陰

231 康丁斯基：「線條往上時會予人鬆弛、輕鬆、解放、自由的想像；往下時則完全相反，會顯得密集、沉重、束縛。」見康丁斯基著、吳瑪悧譯：《點線面》（臺北市：藝術家出版社，1985 年 9 月），頁 105。

232 仇小屏：「正反法是在『對比』的基礎上產生的。而因為對比是把兩種極不相同的東西並列在一起，所以容易因這極大的差異性，而讓人產生鮮明、醒目、活躍、振奮的強烈感受。」《篇章結構類型論》（臺北市：萬卷樓圖書公司，2000 年 2 月），下冊，頁 433。

柔）中超脫、曠達（陽剛）的偏於陽剛的感受。

（二）轉位——張力「對比」變化的陽剛美

由章法「轉位」所造成的張力變化，是雙向（「順向」加「逆向」）的「力」的往復變化，亦即其「力」的方向是發展出去之後，又再拉回來的雙向變化，且「力」的強度變化比「移位」來得更加激烈，因而形成了複雜、往復、變化之顯著節奏，呈現出「對比性」的張力變化，這種 「對比性」的形式特色及美感，陳望道《美學概論》說得很清楚，他說：

> 兩個極不相同的東西並列在一處，其間相去很遠，便多成為對比（Contrast）的形式。例如從正黑色，漸次淡薄到正白色的一列中，……取兩端的黑白兩色相並列時就是對比。……對比的形式，因為變化極明顯，每每帶有華美、鮮活、健強及闊達等情趣，與調和所隨有的情調，差不多相反。[233]

指出「對比」是差異極大的東西並列，可以產生鮮活、健強等情趣。而歐陽周、顧建華、宋凡聖等則更具體指出，這種由「對比」因素所造成的美感，就是「陽剛之美」，他們說：

> 對比，指的是具有顯著差異的形式因素的對立統一。如色彩的濃與淡、冷與暖，光線的明與暗，線條的粗和細、直與曲，體積的大與小，體量的重與輕，聲音的長與短、強與弱等，有規則地組

---

233 見陳望道：《美學概論》，收於《陳望道文集》（上海市：上海人民出版社，1980 年 5 月），頁 70-72。

> 合排列，就會相互對照、比較，形成變化，又相互映襯、協調一致。這種對立因素的統一，可收到相反相成、相得益彰的效果。色彩學上的對比色就是這個道理。如紅與綠互為補色，可產生強烈的色對比和反差。「桃紅柳綠」、「紅肥綠瘦」、「萬綠叢中一點紅」等，使人感到特別鮮明、醒目，富有動感。……由對立因素的統一造成的形式美，一般屬於陽剛之美。[234]

由此可知，章法「轉位」所造成的「力」的往復的方向變化及激烈的強度變化，是一種「對比」性的張力結構，因此會呈現出偏於陽剛的美感。

這種「轉位」所呈顯的「陽剛之美」，相當於西方所謂的「壯美」，具粗獷、激蕩、剛勁與有力的特色，會給人驚心動魄的審美愉悅。朱光潛就曾指出這種剛性美的特色是「駿馬、秋風、冀北」、是「雄渾勁健」、是「氣概」[235]；邱明正在《審美心理學》中也用了許多具象的比喻，來闡明「壯美」在形式上的特徵及其與「優美」的不同，他說：

> 當我們面對著崇山峻嶺、莽莽森林、關東大漢，讀到蘇東坡的〈念奴嬌‧赤壁懷古〉，發現它們都有粗獷、雄渾、豪放的特徵，於是便產生壯美的感受；當我們看到小橋流水、清風朗月、江南淑女，讀了王維的〈山居秋暝〉，發現它們都有纖巧、柔和、淡雅的特徵，於是便產生優美的感受。對於它們的認識都是由具體上升為一般，但是我們之所以產生一組壯美，一組優美的

---

234 見歐陽周等編：《美學新編》（杭州市：浙江大學出版社，2001 年 5 月，初版 9 刷），頁 81。

235 見朱光潛：《文藝心理學》（臺北市：頂淵文化事業公司，2003 年 5 月），頁 285。

> 感受，卻是在求異性探究中進行對比的結果。[236]

由此可知，章法的「轉位」現象所形成的「對比性」的張力變化，可以呈顯「陽剛之美」，給人粗獷剛勁、鮮活健動的審美感受，與「陰柔之美」的感受完全不同。茲舉古典詩詞為例，說明如下。

詩如阮籍的〈詠懷〉，其原詩為：

> 夜中不能寐，起坐彈鳴琴。薄帷鑒明月，清風吹我襟。孤鴻號外野，翔鳥鳴北林，徘徊將何見，憂思獨傷心。[237]

其結構分析表為：

- 事（彈琴）：「夜中」二句
- 景（明月清風鴻鳥）
  - 反（視、膚覺：明月清風）：「薄帷」二句
  - 正（聽覺：鴻鳥哀鳴）：「孤鴻」二句
- 事（徘徊）：「徘徊」二句

這首詩寫半夜無法入睡的憂思傷心的情緒，主旨在末二句「徘徊將何見？憂思獨傷心」。作者阮籍本有濟世之志，但處在魏、晉易代之時，統治階級的內鬥極為激烈，名士多遭殺害，他只好不問世事，以醉飲狂放來掩飾內心的痛苦與憤懣。[238]陳沆在《詩比興箋》中也說：

---

236 見邱明正：《審美心理學》（上海市：復旦大學出版社，1993 年 4 月），頁 104。
237 見蕭統編，李善、呂延濟、劉良、張銑、李周翰、呂向註：《增補六臣註文選》（臺北市：華正書局，1981 年 5 月），卷 23，頁 417。
238 參考王景霓、湯擎民、鄭孟彤編：《漢魏六朝詩譯釋》（哈爾濱市：黑龍江人民出版社，1997 年 1 月，初版 2 刷），頁 120。

> 顏延年註詠懷詩曰：「阮公身事亂朝，常恐遇禍，因茲發詠，故每有憂生之嗟。雖事在刺譏，而文多隱避。百世而下，難以情測也。」今案阮公憑臨廣武，嘯傲蘇門，遠迹曹爽，潔身懿師，其詩憤懷禪代，憑弔今古，蓋仁人志士之發憤焉，豈直憂生之嗟而已哉？特寄託至深，立言有體，比興多於賦頌。[239]

直接指出了阮籍的〈詠懷詩〉不僅止於對自身生命的憂思，還有對紛亂世局的憂憤感傷。這樣的憂思感懷，在這首詩中，以「事、景、事」的章法結構呈現，首二句是第一個「事」，寫作者的動作，因為中夜無法入睡，便起坐彈琴。第三句以下四句，是「景」的部分，寫此時有月光映照帷幔、清風吹動衣襟的美好清景；但是接著以孤鴻及翔鳥哀鳴的聽覺摹寫，渲染出一種表面平靜、實際上卻極險惡的氛圍，為結尾的主旨作了極佳的鋪墊。最後二句「事二」的部分，則回到作者的行動上，既寫人也寫鳥，人和鳥一樣，在月夜裡無法入睡，而徘徊尋求的原因，就是那一分不能自安的悽惶心情。在「事、景、事」的材料變化設計中，使作者「憂思傷心」的深沉情緒有更加曲折感人的展現。

就全篇的美感言，這首詩的綱領在末二句「徘徊將何見，憂思獨傷心」，即「事二」的部分，可知最上層的「事、景、事」結構即為本篇的核心結構。此核心結構屬「轉位」結構，其所造成的「力」的方向變化是往復的、雙向的，且「力」的強度變化也比「移位」來得更加激烈，所以形成了較為複雜、迴環往復、變化的鼓舞節奏，展現出「對比性」的張力變化，從而呈顯出「陽剛之美」。而本詩的內容材料本是兼有「對比性」（正與反）及「調和性」（事與景）的結構關係，是屬於「柔中寓剛」的風格，如果加上「核心結構」的轉位作用，便使得此詩呈現

239 見陳沆：《詩比興箋》（臺北市：鼎文書局，1979年2月），卷2，頁40。

出「陽柔並濟」的風格，能夠與作者此時表面平靜卻內心愁結、「憂思」中有「激憤」的複雜心情配合，給人一種含不盡之意於言外的曲折感受。

詞如蘇軾的〈浣溪沙〉五首之五（萬頃風濤不記蘇），其原詞為：

> 萬頃風濤不記蘇。雪晴江上麥千車。但令人飽我愁無。　翠袖倚風縈柳絮。絳脣得酒爛櫻珠。尊前呵手鑷霜鬚。[240]

其結構分析表為[241]：

```
┌ 目一（因）:「萬頃」二句
│
│    ┌ 因（令人飽）:「但令人飽」
├ 凡 ┤
│    └ 果（我愁無）:「我愁無」
│              ┌ 事一（歌酒）:「翠袖」二句
└ 目二（果）┤
               └ 事二（鑷鬚）:「尊前」句
```

這首詞旨在寫雪兆豐年之喜，採「目、凡、目」的雙軌結構寫成，其簡式為：「令人飽」（目一）→「令人飽」（凡一）「我愁無」（凡二）→「我愁無」（目二）。主旨置於篇外，而綱領在第三句「但令人飽我愁無」，也是「凡」的部分，此處形成雙軌，一是「令人飽」（因），一是「我愁無」（果）。

開頭二句是「目一」的部分，「萬頃風濤不記蘇[242]」寫作者與君猷

240 依據龍榆生：《東坡樂府箋》（臺北市：華正書局，1980 年 2 月），頁 130。

241 參考陳師滿銘：《詞林散步——唐宋詞結構分析》（臺北市：萬卷樓圖書公司，2000 年 1 月），頁 174。

242 唐圭璋等編：《唐宋詞鑑賞集成》將「蘇」解為「蘇醒」，認為此句「係實寫十二月

欣賞著眼前的迷濛大雪，內心歡喜得連君猷今年被「風濤」蕩盡的薄田都不放在心上：自己的損失不算什麼，人民能足食是最要緊的。而今降瑞雪，來年定會豐收，所以第二句「雪晴江上麥千車」[243]便開始想像雪晴後豐收的景象，只要人們都有糧食吃，我個人也不必愁了，「大有杜甫的『安得廣厦千萬間，大庇天下寒士俱歡顏』的境界」。[244]作者與君猷不僅有深厚的友誼，還有共同的政治理想，都是具有儒家愛民如子襟懷的人。「目二」的部分在下片三句，具寫二人「愁無」的作為，由兩個事件來呈現：一是「翠袖」二句，寫兩人在君猷家姬的歌舞中，愉快地飲酒歡讌；一是「尊前呵手鑷霜鬚」，東坡呵暖了手，悠閒地鑷夾自己的白鬚。

就個別的章法美感言，上層的「目、凡、目」結構，分別形成集中（凡）與整齊並列（目一與目二）的美感；在「目凡目」的夾寫形式上，首尾的「目」呈顯出對稱之美，中間的「凡」則有凸出的美感。但由於本詞為雙軌式的結構，分別在「凡」、「目」的部分又各自形成「因果」的章法結構，在由因及果的順推中，產生了規律之美；而且「因」與「果」的重覆出現，除了使內容更深入之外，還有層次性的美感效果，比單軌式的結構更加豐富多樣。此外，「凡」的部分寫「情」，屬「虛」寫，形成「抽象美」；而「目」的部分，都是景與事的「具」寫，形成「具象美」。而在「先目後凡」（由實入虛）的結構中，有向外推開的自由美感；在「先凡後目」（由虛入實）的結構中，有由外拉近的含蓄美感，二者構成有秩序的靈動美。最後，在「虛」與「實」由對立而至統一的

二日夜酒醉後依稀聽見風雪大作及蘇醒時的情景」，亦可參考。詳見《唐宋詞鑑賞集成》（臺北市：五南圖書出版公司，1991 年 6 月），頁 854。

243 鄒同慶、王宗堂註解此句曰：「古有『豐年之冬多積雪』之語。此言今降瑞雪，來年定會收麥千車。〔陳〕張正見〈詠雪應衡陽王教詩〉：『九冬飄遠雪，六出表豐年。』」見《蘇軾詞編年校註》（北京市：中華書局，2002 年 9 月），上冊，頁 347。

244 見唐玲玲：《東坡樂府研究》（成都市：巴蜀書社，1993 年 2 月），頁 108。

相反相生之間，又產生了和諧統一的美感。

就全篇的美感言，這首詩的綱領在第三句「但令人飽我愁無」，即「凡」的部分，可知最上層的「目、凡、目」結構即為本篇的核心結構。此核心結構屬「轉位」結構，其所造成的「力」的方向變化是往復的、雙向的，且「力」的強度變化也較「移位」更激烈，所以形成了較為複雜、迴環往復、變化的鼓舞節奏，展現出「對比性」的張力變化，從而呈顯出「陽剛之美」。因此，雖然本詞的內容材料皆為調和性關係（目與凡、因與果），本屬於「純柔」的風格，卻由於核心結構的轉位作用，使得此詞呈現出「柔中寓剛」的風格，能夠與作者此時看到雪兆豐年、忘懷一己得失的喜悅心情配合，給人一種鮮活健動的愉快感受。

五　和諧美（章法「多、二、一（0）」結構之美）

和諧，是審美中最佳的心理狀態，是人類最高的審美境界，是人創造美的最大的動力和最終目的。無論古今中外，人類在審美、創造美時，都自覺或不自覺地追求著、遵循著「和諧原則」（詳見上一節「變化律的心理基礎」）。

而這種「和諧」在藝術形式中所體現出的「和諧美」，則是一種由「多」到「一（0）」的歷程展現，是「把構成美的一切元素，素樸地辯證地結合為一個和諧的有機體」。[245]丁履譔在《美學新探》中詳細闡述了這個「有機」的意義，他說：

> 一個白色的牆壁，或一大片天空，也有被分裂或多餘的感覺，但却沒有藝術品式的多樣性，也就是所謂的「變化中的統一」。這一個統一體包涵了許多成分及因素，最後獲得相反相成的效果。

245 見周來祥、周紀文：《美學概論》（臺北市：文津出版社，2002 年 2 月），頁 53。

> 在一件統一結構的作品中，沒有東西是多餘的，也沒有多餘的東西、不需要的東西參差其中，攙合其中。[246]

可知，「有機」是許多成分及因素的統一，即「變化中的統一」，這是「和諧美」的特徵。陳望道則將這諸多要素的「有機」統一稱為「繁多的統一」或「多樣的統一」，他說：

> 所謂形式原理，就是繁多的統一。我們對於美的形式，雖不一定其如此如彼，只是四分五裂雜亂無章，總覺得是與審美的心情不合的。所以第一，「統一」實為對象所不可不具的一個要質。而且它所統一的又該不止是簡單的一二個要素。如止是一二個要素，則統一固易成就，卻頗不免使人覺得單調。所以第二，繁多又為對象所不可不具的一個要質。我們覺得美的對象最好一面有著鮮明的統一，同時構成它的要素又是異常的繁多。卻又不是甚麼統一與否定了統一的繁多相並列，而是統一即現在繁多的要素之中的。如此，則所謂有機的統一就成立。能夠「統一為繁多的統一，而繁多又為統一的分化」。既沒有統一的流弊的單調板滯，也沒有繁多的流弊的厭煩與雜亂。所以古來所公認的形式原理，就是所謂繁多的統一（Unity in Variety），或譯為多樣的統一，亦稱為變化的統一。[247]

其中所說的「統一為繁多的統一，而繁多又為統一的分化」，就明白地指出了和諧美中「多」（構成美的諸多形式要素）與「一（0）」（統一）

---

246 見丁履譔：《美學新探》（臺北市：成文出版社，1980年2月），頁34。

247 見陳望道：《美學概論》，收於《陳望道文集》（上海市：上海人民出版社，1980年5月），頁77-78。

的密切關連。對應到辭章章法來說，「多」指的是由「移位」與「轉位」所形成的各種章法結構，在「力」的「反復」及「往復」之間，形成了沉靜的與鼓舞的節奏，從而串成整體的「韻律」，表現出篇章「和諧」統一的風格、氣象。

更進一步地說，形式要素的多樣與統一之間，大致會表現出兩種基本型態，即「調和」與「對比」，歐陽周、顧建華、宋凡聖等在其《美學新編》裡，就特別提到這個觀念，他們說：

> 所謂統一，是指各個部分在形式上的某些共同特徵以及它們之間的某種關聯、呼應、襯托、協調的關係，也就是說，各個部分都要服從整體的要求，為整體的和諧、一致服務。有多樣而無統一，就會使人感到支離破碎、雜亂無章、缺乏整體感；有統一而無多樣，又會使人感到刻板、單調和乏味，美感也難以持久。而在多樣與統一中，同中有異，異中求同，寓「多」於「一」，「一」中見「多」，雜而不越，違而不犯；既不為「一」而排斥「多」，也不為「多」而捨棄「一」；而是把兩個對立方面有機結合起來，這樣從多樣中求統一，從統一中見多樣，追求「不齊之齊」、「無秩序之秩序」，就能造成高度的形式美。……多樣與統一，一般表現為兩種基本型態：一是對比，二是調和。……無論對比還是調和，其本身都要要求在統一中有變化，在變化中求統一，把兩者巧妙地結合在一起，就能顯示出多樣與統一的美來。[248]

由此可知，「調和」與「對比」的形式，是徹下連繫到多樣、徹上達致

248 見歐陽周等：《美學新編》（杭州市：浙江大學出版社，2001 年 5 月，初版 9 刷），頁 80-81。

和諧統一的居間關鍵，在「多」與「一（0）」之間，具有重要的居間作用，是關鍵性的「二」。對應到辭章章法而言，這個「二」，一方面可指「核心結構」，一方面也可指辭章材料所形成的「調和」與「對比」的關係，另一方面亦可指由「移位」與「轉位」所形成的「張力結構」的特色（即「調和性」張力變化與「對比性」張力變化）。無論其所指涉的內容為何，皆分別呈現出「陰柔之美」與「陽剛之美」，當這些剛柔的形式要素混雜在篇章裡，「在混雜中，陰陽之氣可以有的多有的少，有的消，有的長，這就造成風格的各種變化」[249]，表現出篇章多樣卻「和諧」統一的風格、氣象。

因此，就審美客體的形式統一來看，章法「移位」及「轉位」所呈現的「和諧美」，必須經由章法的「多、二、一（0）」結構才能具體顯現。陳師滿銘說：

> 所謂的「一（0）」，籠統地說，就是「統一」，也可說是「和諧」。這是統括「多」與「二」所獲致的結果，如就章法來說，則是聯結在時、空結構中，由「反復」（秩序）與「往復」（變化）所引起之「節奏」、「調和」與「對比」所呈顯之「剛柔」（陰陽），以串成整體「韻律」、凸出情理（主旨）、形成風格、氣象，而達於「和諧」的一個境界。[250]

指出了章法的「統一」與「和諧」（「一（0）」）之美，需要奠基在「秩序」性的移位與「變化」性的轉位（「多」）之上，因為它們可以造成複雜的節奏，從而形成整體的韻律；而「秩序」與「變化」（「多」）

249 見周振甫：《文學風格例話》（上海市：上海教育出版社，1989 年 7 月），頁 13。

250 見陳師滿銘：〈論章法「多、二、一（0）」結構的節奏與韻律〉，《國文學報》第 33 期（2003 年 6 月），頁 117。

之美，也必須仰仗「統一」與「和諧」（「一（0）」）來整合；至於「二元對待」的「調和」（陰）與「對比」（陽）則具徹下徹上的居間作用，可以揉合剛柔之美形成篇章整體的風格、境界。

值得注意的是，從上述的引言，我們還可以看出，章法「移位」及「轉位」所呈現的「和諧美」，並不僅限於審美客體的形式要素（即篇章的章法結構及其節奏）之間的統一，還包含了「主體」（作者的情意思想）與「客體」（篇章作品）之間的和諧統一。邱明正在《審美心理學》中說：

> 所謂和諧原則就是在矛盾中求得協調一致、和諧統一的原則。具體地說，就是人們審美、創造美時所遵循的在審美客體之間，客體各要素之間，客體與主體之間以及主體心理要素之間，從差異、矛盾、對立中發現其內在同一性，從而使矛盾雙方趨於協調一致、和諧統一的原則。[251]

也指出了主體與客體之間的和諧，是審美、創造美時所必須考量的一個側面。因為作家的心靈，是一個獨特而精密的系統，是作品統一性的心理根源[252]；從完形心理學的觀點來看，在視知覺接收到客體形式的刺激之後，會在大腦皮層形成力的相互作用，從而使「心理也產生一種情感興奮，而這情感興奮本質上也是一種力的結構，各種不同的情感生活都有各自不同的力結構，舒服、緊張、不穩定感的情感結構，就是與完形中力的式樣相同步、相一致的力的情感」[253]，因此，人的心理情感，是

251 見邱明正：《審美心理學》（上海市：復旦大學出版社，1993 年 4 月），頁 112。
252 參見錢谷融、魯樞元：《文學心理學》（臺北市：新學識文教出版中心，1990 年 9 月），頁 194。
253 見張法：《中西美學與文化精神》（臺北市：淑馨出版社，1998 年 10 月），頁 319。

可以與客體的力的結構產生感應的精密系統。喬治・森塔亞納（George Santayana）也說：

> 形式是心靈綜合活動的結果。這種活動與單純的感覺不同，因為單純的感覺中我們不能自覺綜合的進行，也不能意識到部分之間的區別與關係。形式的知覺須有集中的注意力才可能，否則的話，我們會因聯想而失去對形式本身的關注。由於形式的知覺是心靈把雜多的元素綜合成一統一整體而得到的，所也稱為雜多之統一。[254]

認為「心靈」的綜合活動，可以辨明客體部分與部分間的關係，並把雜多的形式元素綜合成統一體，在使作品形式和諧統一的目的上，具有著重要的地位。

其實，無論中國或是西方，對於「和諧」的探討，都兼重著客觀事物形式的和諧，以及審美主體與審美客體間的和諧。例如英國的夏夫茲博里認為，凡是美的都是和諧的和比例合度的，凡是和諧的和比例合度的就是真的，凡是既美而又真的也就在結果上是愉快的和善的；但這種和諧是被人生而俱有的「內在的眼睛」（即「心靈」）發現出來的。[255]又如，中國的老莊認為理想的美在於主體的心理狀態，《莊子》〈天道〉說：

> 靜而聖，動而王，無為也而尊，樸素而天下莫能與之爭美。夫明白於天地之德者，此之謂大本大宗，與天和者也；所以均調天

---

254 見劉昌元：《西方美學導論》（臺北市：聯經出版社，2000 年 7 月，二版 5 刷），頁 58。

255 參見邱明正：《審美心理學》（上海市：復旦大學出版社，1993 年 4 月），頁 110。

下，與人和者也。與人和者，謂之人樂；與天和者，謂之天樂。

可見，道家講求的和諧，是人與人的和諧、人與天的和諧，是心與物的統一。劉勰在《文心雕龍》〈序志〉也提到心（主體）「隨物以宛轉」，物（客體）「與心而徘徊」，認為主客體間的折衷統一，才能達到和諧美的理想。[256]

既然作家的心靈（主體的情意），是使審美客體各要素之間，以及審美主體與客體之間，達成和諧美的重要原因，那麼，對應到辭章章法來看，章法「移位」及「轉位」所形成的各種結構之間，必須仰賴作家的心靈（主體的情意）來綰合，方能達到形式上的和諧統一，以及「主體」與「客體」（篇章作品）之間的和諧統一。因此，作者的情意主旨，可說是使一篇作品達成「和諧」的最重要的樞紐，而章法「多、二、一（0）」結構中的「一（0）」，就是這個具樞紐作用的「主旨」、情意。更精確地說，由章法「移位」及「轉位」所形成的各種結構，會形成多樣的節奏美（「多」），在「調和」或「對比」（「二」）的內容或形式美的不同比例之中，會凸出作者的情意（篇章的主旨，即「一」），並展現和諧、統一的「韻律」、「風格」（「0」）。

（一）移位——韻律優雅的和諧美

章法的「移位」，是有秩序地安排、統攝著對比性或調和性的材料內容，會造成隱性及顯性的節奏；如果核心結構屬於這種「移位」結構，那麼，在作者「主要情意」（主旨）的綰合、統一之下，此位於篇章核心的「移位」結構所形成的全篇韻律，會比「轉位」結構所形成的較為調和、優美，而呈顯出較陰柔的和諧美。

---

256 參見周來祥、周紀文：《美學概論》（臺北市：文津出版社，2002 年 2 月），頁 61-62。

首先，從形式來看，因為「移位」所造成的「力」的方向變化是單向的、反復的，且「力」的強度變化是較為和緩的、陰柔的，所以會形成沉靜的節奏。但這種「移位」的變化情形，在字面上是看不出來的，必須深入到文章的內蘊，理清文章組織的脈絡，才能加以掌握。因此，這種節奏可稱之為「隱性節奏」。其中「順向移位」所造成的「力」的強度變化較弱，而「逆向移位」所造成的「力」的強度變化較強，其所形成的全篇韻律、風格與所帶出的美感，也是有差別的。

其次，從材料（內容）來看，「移位」所統攝的材料，彼此之間都會形成對比或調和的關係，從而在辭章中形成起伏呼應，也可以造成節奏。這種節奏，與前述的因為移位所直接形成的節奏不同，而是可以從字面就加以判斷出的：因調和而形成的節奏是較為和緩的，會偏向於陰柔；因對比而形成的節奏是較為鮮明的，會偏於陽剛。因此，這種較為顯著、易於掌握的節奏，可稱之為「顯性節奏」。[257]

結合上述的「隱性」與「顯性」的節奏，可以形成韻律。王菊生在《造型藝術原理》中說：

> 造型藝術中諸矛盾因素的變化統一便產生一種節奏的和諧——即韻律。韻者變化多樣，同質的孤獨的單一缺乏多樣變化性，無異可和，亦無韻可言。律者秩序，異質的多樣性要按一定的秩序規則統一起來，便有規律可循，便有韻律。[258]

---

257 陳本益：「廣義的節奏還可以指某些抽象的東西，如由詞語意思的連續和反覆所形成的意義節奏，由情緒的強弱起伏所形成的情緒節奏等。」上述章法變化現象所造成的隱性的及顯性的節奏，都屬於這種廣義的節奏。見陳本益：《漢語詩歌的節奏》（臺北市：文津出版社，1994 年 8 月），頁 5。

258 見王菊生：《造型藝術原理》（哈爾濱市：黑龍江美術出版社，2000 年 3 月），頁 227。

節奏的和諧表現，就是韻律。他還進一步指出韻律能產生魅力的原因有兩個：

> 一個是因為韻律的運動節奏感和生命機能性能激發主體的生理快適感；另一個由於韻律的情感表現力和人的本質力量的對象化能激發主體的心理聯想，產生審美判斷力。[259]

由此可知，作者的「情意」力量，可以將變化多樣的節奏統一起來，形成韻律。歐陽周等著的《美學新編》亦有類似的說法：

> 韻律是在節奏的基礎上形成的，但又比節奏的內涵豐富得多，是一種有規律的抑揚頓挫的變化，表現出一種特有的韻味和情趣。可以說，節奏是韻律的條件，韻律是節奏的深化。[260]

因此，韻律可說是多樣節奏的和諧、深化的表現，它表現出特有的韻味、情趣，而匯歸向作者的「情意」。

然而，如何掌握多樣而變化的節奏，以及其在「情意」的統一之下所呈現的韻律及風格？王菊生《造型藝術原理》中的一段話可以給我們一些啟發，他說：

> 凡稍微複雜一點的節奏必分主節奏與次節奏。如果無主節奏，就會發生節奏的混亂和模糊不清的毛病。造型藝術形象一般由多種

---

259 見王菊生：《造型藝術原理》（哈爾濱市：黑龍江美術出版社，2000 年 3 月），頁 245。

260 見歐陽周等：《美學新編》（杭州市：浙江大學出版社，2001 年 5 月，初版 9 刷），頁 79。

> 形象與各種形象要素構成，各種形象和形象要素都可能形成各自的節奏，如不經過組織，互相間的干擾就會使各自形成的節奏互相抵消，不能引起節奏感受。造型藝術必須著眼於主要結構關係和主要形象所塑造的主節奏，就如音樂裡的主旋律一樣，以此為主節奏分層次地安排各種次節奏。[261]

這對文學而言，也可適用。就篇章結構來說，只要能清楚區分出「主結構」（核心結構）與「次結構」（輔助結構）[262]，便可掌握住「主結構」（核心結構）的節奏。陳師滿銘更具體地從章法結構之陽剛或陰柔的強度（「勢」），來明確指出影響篇章韻律、風格的因素，他說：

> 章法結構之陽剛或陰柔的強度（「勢」），當受到下列幾個因素的影響：
>
> （一）、章法本身的陰柔、陽剛屬性，如「近」為陰柔、「遠」為陽剛，「正」為陰柔、「反」為陽剛，「凡」為陰柔、「目」為陽剛。
>
> （二）、章法結構的調和、對比屬性，如淺與深、賓與主、凡與目等形成調和，而正與反、抑與揚、立與破等則形成對比。
>
> （三）、章法結構之變化，如「移位」之「順」、「逆」與「轉位」之「拗」。其中「順」屬原型，「逆」與「拗」屬變型。
>
> （四）、章法結構之層級如上層、次層、三層、四層……等。
>
> （五）、章法「多、二、一（0）」的核心結構。[263]

---

261 見王菊生：《造型藝術原理》（哈爾濱市：黑龍江美術出版社，2000 年 3 月），頁 234-235。

262 見陳師滿銘：〈論章法與國文教學〉，《國文教學學術研討會論文集 2002》（臺北市：萬卷樓圖書公司，2003 年 1 月），頁 18。

263 見陳師滿銘：《章法學綜論》（臺北市：萬卷樓圖書公司，2003 年 6 月），頁 305-306。

由此可知，在篇章的「主結構」屬同一章法的情況下，無論其章法結構的屬性（即「顯性節奏」）是調和性或對比性，此「主結構」如果呈現「移位」的變化情形，就可以尋繹出其隱性節奏（形式）為調和性的，其「力」的強度變化是較「轉位」來得和緩的，那麼，在同樣的顯性節奏（內容）下，全篇的韻律風格，會較「轉位」來得較為優美、調和，而呈顯出偏於陰柔的和諧之美。再仔細地觀察此篇章「主結構」的「移位」現象，還可以辨明其屬「順向」或「逆向」的移位，前者的「力」的強度變化較弱，會使篇章的韻律及風格更趨優雅的和諧；而後者的「力」的強度變化較強，則使篇章的韻律及風格稍偏於健壯的和諧之感。

蔡儀在《新美學》中曾論及「調和美」的境界說：「客觀事物和主觀作者是調和的，語言文字及其音響節奏自身又調和，並且和所要表現的對象是一致而調和」[264]，而章法「主結構」(作者主要情意所在的結構)的「移位」現象，所表現出的客觀事物與主觀情意、結構形式與材料內容、調和性節奏與作者情意的關係，正是像這樣和諧一致的。茲舉古典詩詞為例，說明如下。

詩如柳宗元的〈江雪〉，其原文為：

千山鳥飛絕，萬徑人蹤滅。孤舟蓑笠翁，獨釣寒江雪。[265]

其結構分析表為：

264 見蔡儀：《新美學》（板橋市：蒲公英出版社，1986 年 8 月），頁 67。

265 見柳宗元撰，劉禹錫纂：《柳河東全集》（臺北市：世界書局，1999 年 10 月，二版），頁 962。

```
       ┌ 高（山）：「千山鳥飛絕」
┌ 底（背景）┤
│      └ 低（徑）：「萬徑人蹤滅」
│
│      ┌ 小（舟、翁）：「孤舟蓑笠翁」
└ 圖（焦點）┤
       └ 大（江、雪）：「獨釣寒江雪」
```

本詩的主旨，是在「藉寂靜孤寒的人與物，來寫出蓑笠翁的傲岸與孤獨，反映出作者超拔的人格」。[266]這首詩的首二句是「底」，以山、鳥、徑、人等物，來寫它的背景；其中「千」、「萬」兩字將空間擴大，而「絕」、「滅」兩字，凸顯了景物的寂靜。後二句是「圖」，用「舟」、「雪」等物，來烘托垂釣的老「翁」；其中「孤」、「獨」兩字，刻畫出了老「翁」的孤獨，是焦點所在。篇章中所運用的材料內容，亦即「焦點」及「背景」，彼此間形成了調和性的關係，因此，全篇的顯性節奏，可說是陰柔的、沉靜的。

本篇的核心結構在最上層的「先底後圖」結構，對於全篇的韻律、風格、氣象具有決定性的影響。此核心結構屬「先底後圖」的「逆向」移位結構，其所造成的「力」的方向變化是反復的、單向的，「力」的強度變化是較「順向」來得激烈的，因而形成了調和陰柔中寓有陽剛健壯的篇章韻律。因此，本詩一方面是由調和性（材料）的結構所組成，本就偏於純柔的風格、韻律，另一方面又因為核心結構的「逆向移位」作用，使得此詩在作者的情意及邏輯思維的綰合下，呈現了「陰柔」中有「陽剛」風格、韻律，張春榮認為此詩「顯現出柳宗元的冰雪之志，貞固之情」，「在寂寞之餘，『獨釣』正透出一股對於人生理念把握的勁

266 本詩結構分析表及主旨的闡明，參見陳師滿銘：〈論幾種特殊的章法〉，《章法學論粹》（臺北市：萬卷樓圖書公司，2002 年 7 月），頁 91-92。

力，詩人胸中創業的火焰在冰冷的天地裏依舊熊熊燃燒」[267]，其所指出的寂寞中的貞固之志，獨釣中的把握理念的勁力，正是「陰柔」中有「陽剛」的風格韻律的展現；李浩也指出本詩的層進聚焦結構所造成的效果是：「突出孤舟、獨釣的漁翁形象，以表現他的遺世獨立的意趣、耿介超拔的人格」[268]，其所指出的意趣與作者形象，也即是這種「陰柔」中有「陽剛」的和諧美的具體呈現。

詞如李清照的〈醉花陰〉（薄霧濃雲愁永晝），其原文為：

> 薄霧濃雲愁永晝，瑞腦銷金獸。佳節又重陽，玉枕紗廚，半夜涼初透。　東籬把酒黃昏後，有暗香盈袖。莫道不消魂，簾捲西風，人比黃花瘦。[269]

其結構分析表為：

```
┌ 底（秋天室外室內）┬ 日（外暗內暖）：「薄霧」二句
│                  └ 夜（內寒）：「佳節」三句
└ 圖（黃昏賞菊人瘦）┬ 大（園中獨飲）：「東籬」四句
                   └ 小（人比菊瘦）：「人比」句
```

本篇的主旨在寫自己於重陽佳節思念丈夫的心情，即胡同華所說：

> 這首詞題為〈重陽〉，通過秋天的景物、氣候，抒寫夫妻久別、

---

267 見張春榮：〈柳宗元的「獨釣」之情〉，收於《詩學析論》（臺北市：東大圖書公司，1987 年 11 月），頁 116。

268 見李浩：《唐詩的美學闡釋》（合肥市：安徽大學出版社，2000 年 4 月），頁 91-92。

269 見王學初：《李清照集校註》（臺北市：里仁書局，1982 年 5 月），頁 34-35。

獨處無聊之感。[270]

全篇是「先底後圖」的結構安排，上片先佈置「背景」（「底」），寫重陽秋日淒涼的景物及氣候，烘托出作者淒涼孤獨的心境；下片才聚焦到人物的「焦點」（「圖」）上來，描寫焦點人物（作者）的動作及形象：首先寫主人翁於室外東籬把酒的獨飲身影，接著，空間「由大而小」，聚焦於花叢中的一朵菊花，以其清冷消瘦的意象，譬喻作者因相思而憔悴瘦損的形象，使相思的主旨益發突顯。作者善於抓住菊的黃色及清冷消瘦的特徵，結合黃昏的慘淡，秋風的悲涼，在縮小空間的設計中，含蓄而深刻地強化了閨中思婦獨飲孤賞的相思心境，無論是寫景或是寫人，其所運用的材料間的關係都是調和性的，因此，在顯性節奏方面，呈現出偏於陰柔、沉靜的傾向。

本篇的核心結構在最上層的「先底後圖」結構，對於全篇的韻律、風格、氣象具有決定性的影響。此核心結構屬「先底後圖」的「逆向」移位結構，其所造成的「力」的方向變化是反復的、單向的，且「力」的強度變化是較「順向」來得激烈的、陽剛的，因而形成了調和陰柔中寓有陽剛的篇章韻律。因此，此首詞一方面是由調和性（材料）的結構所組成，本應偏於純柔的風格、韻律，另一方面卻因為核心結構的「逆向移位」作用，使得全篇在作者相思情意及逆向邏輯思維的綰合下，呈現了「陰柔」、沉靜中寓有陽剛的風格、韻律，陳師弘治指出本詞的妙處，在於「抓住了秋天最鮮明的具體景象，和離人主觀心情的感覺，經過詩人感情的冶化，使得景色不遺，深情脈脈，旖旎纏綿，卻不穠釅」[271]，其所指的旖旎卻不穠釅的情調，就是這種陰柔、沉靜中含有些

---

[270] 見胡同華：〈李清照詞中的自我形象〉，《江漢石油職工大學學刊》第 12 卷第 4 期（1995 年），頁 36。

[271] 見陳師弘治：《唐宋詞名作析評》（臺北市：文津出版社，1988 年 10 月，五版），頁 267。

許陽剛風格的和諧美的具體呈現。

（二）轉位——韻律健壯的和諧美

章法的「轉位」，是參差地安排、統攝著對比性或調和性的材料內容，會造成隱性及顯性的節奏；如果核心結構屬於這種「轉位」結構，那麼，在作者「主要情意」（主旨）的綰合、統一之下，此位於篇章核心的「轉位」結構所形成的全篇韻律，會比「移位」結構所形成的較為對比、健壯，而呈顯出較陽剛的和諧美。

首先，從形式來看，因為「轉位」所造成的「力」的方向變化是雙向的、往復的，且「力」的強度變化是較為強烈的、陽剛的，所以會形成鼓舞的節奏。但這種「轉位」的變化情形，在字面上是看不出來的，必須深入到文章的內蘊，理清文章組織的脈絡，才能加以掌握。因此，這種節奏可稱之為「隱性節奏」。

其次，從材料（內容）來看，「轉位」所統攝的材料，彼此之間都會形成對比或調和的關係，從而在辭章中形成起伏呼應，也可以造成節奏。這種節奏，與前述的因為移位所直接形成的節奏不同，而是可以從字面就加以判斷出的：因調和而形成的節奏是較為和緩的，會偏向於陰柔；因對比而形成的節奏是較為鮮明的，會偏於陽剛。因此，這種較為顯著、易於掌握的節奏，可稱之為「顯性節奏」。

結合上述的「隱性」與「顯性」的節奏，可以形成韻律。就篇章結構來說，只要能清楚區分出「主結構」（核心結構）與「次結構」（輔助結構），便可掌握住「主結構」（核心結構）的節奏，從而掌握住全篇的韻律美（即和諧美）。此時可先辨明「主結構」的顯性節奏是調和性或對比性；然後，再觀察此「主結構」的「移位」或「轉位」現象，如果屬「轉位」，就可以尋出其隱性節奏（形式）為對比性的，那麼，在同樣的顯性節奏（內容）下，全篇的韻律風格，會較「移位」來得健壯、對比，而呈顯出偏於陽剛的和諧之美。[272]

更仔細地說，章法的「轉位」現象，依章法結構「力」的方向變化（拗向「陰」或拗向「陽」）及強度變化（「勢」）來分，還可分成「陰→陽→陰」的拗向「陰」的「轉位」及「陽→陰→陽」的拗向「陽」的「轉位」兩種運動變化。其中，前者向「陰」而動，加強的是陰柔的「勢」，因此呈現出稍趨於陰柔的風格；而後者向「陽」而動，加強的是陽剛的「勢」，因此呈現出稍趨於陽剛的風格。涂光社《因動成勢》中說：

> 「勢」有「順」有「逆」。「順」指其運動方式和取向與審美主體的心理傾向或思維習慣協調一致，能使欣賞者有意氣宏深盛壯、淋漓暢快的感受；「逆」則是其運動方式和取向與審美主體的心理傾向或思維習慣相牴觸、相違背，於是波瀾陡起，衝突、騷動和搏擊成為心態的主導方面。[273]

由此可知，「順勢」給人渾成暢快之感，「逆勢」給人較激盪騷動之感；而「拗勢」是包含了「順」與「逆」，則自然地比起順、逆來，會更為渾成暢快、激盪騷動。至於拗向陰，便會形成「剛中寓柔」、暢快激盪又不失優美的韻律及風格；拗向陽，則會形成十分陽剛健壯、對比激盪的韻律及風格。

黑格爾說：「在音樂裏，孤立的單音是無意義的，只有在它和其它的聲音發生關係時才在對立、協調、轉變和融合之中產生效果，繪畫中

---

272 以上關於「移位」與「轉位」的節奏及韻律之美，主要參考仇小屏：〈論章法的移位、轉位及其美感〉，《辭章學論文集》（福州市：海潮攝影藝術出版社，2002 年 12 月），頁 117-122。

273 見涂光社：《因動成勢》（南昌市：百花洲文藝出版社，2001 年 10 月），頁 265。

的顏色也是如此，……只有各種顏色的配合才產生閃爍燦爛的效果」。[274]章法「主結構」（作者主要情意所在的結構）的「轉位」現象也是如此，在「力」的雙向而對立的強烈變化之下，產生了「鮮明、醒目、振奮、活躍」[275]的節奏效果；而在「情意」的協調、融合之中，形成了較為對比、健壯的篇章韻律，呈顯出偏於陽剛的風格。茲舉古典詩詞為例，說明如下。

詩如李白的〈登金陵鳳凰臺〉：

> 鳳凰臺上鳳凰遊，鳳去臺空江自流。吳宮花草埋幽徑，晉代衣冠成古邱。三山半落青天外，二水中分白鷺洲。總為浮雲能蔽日，長安不見使人愁。[276]

其結構分析表為：

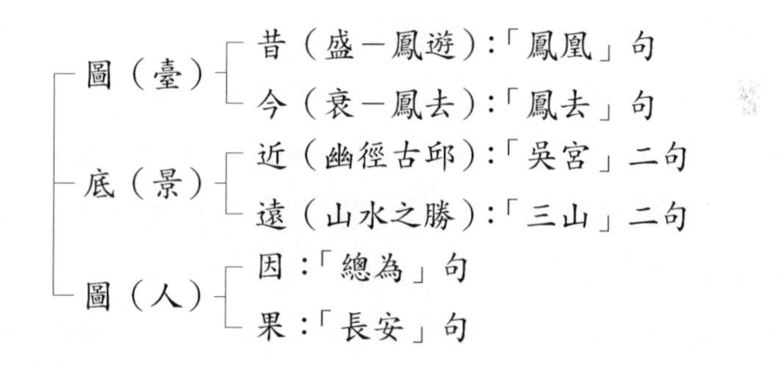

274 見黑格爾撰、朱孟實譯：《美學》（臺北市：里仁書局，1981 年 5 月初版），第二卷，頁 371。

275 見楊辛、甘霖：《美學原理》（臺北市：曉園出版社，1991 年 5 月），頁 171。

276 見李白撰，楊齊賢注，蕭士贇補，郭雲鵬編：《李太白全集》（臺北市：世界書局，1997 年 5 月，二版 1 刷），頁 1061。

這首詩藉作者登臺之所見所感，來寫其身世之悲及家國之痛。起聯是第一個「圖」（即「焦點」），叩緊「金陵鳳凰臺」，凸出登臨的地點，並以「遊」、「去」二字分別寫其盛與衰，以寄寓興亡之感。頷、頸二聯則是「底」（即「背景」），以由近而遠的空間擴大方式，一方面烘托、映襯上敘的「臺」，深化了今昔之感；另一方面帶出下敘的「人」（不見長安的作者），以強烈烘托出作者身世及家國之悲。尾聯的「圖」（即「焦點」），則將鏡頭拉回，聚焦到李白自己身上，以浮雲蔽日喻己謫居的憤懣與不平，又點出自已為唐王朝將重蹈六朝覆轍而憂心不已。[277]篇章中所運用的材料，無論是「焦點」或是「背景」，都是調和性的關係，因此，全篇的顯性節奏，可說是陰柔的、沉靜的。

但是，最上層的「圖、底、圖」（「陰、陽、陰」）結構是本篇的核心結構，對於全篇的韻律、風格、氣象卻具有決定性的影響。此核心結構屬「圖、底、圖」（「陰、陽、陰」）的轉位結構，其所造成的「力」的方向變化是往復的、雙向的，且「力」的強度變化是強烈的、陽剛的，因此形成了較「移位」來得對比、健壯的篇章韻律；雖然本詩是全由調和性（材料）的結構所組成的，本應屬於純柔的風格、韻律，但因為核心結構屬轉位的結構，使得全篇材料的「力」的圖式，呈現了往復的方向、激烈的強度變化，因而，此詩在作者憂國傷時的情意及轉位邏輯思維的綰合下，呈現了「柔中帶剛」的風格、韻律，張志英說：「這首詩，在登臨處極目遠眺，觸景生情；語自然天成，清麗瀟灑，憂國傷時，寓意深厚。」[278]所指出的曲折深沉但又不失自然清麗的情意與格調，就是這種「柔中有剛」的和諧之美的呈現。

詞如辛棄疾的〈清平樂〉（柳邊飛鞚）：

---

277 此詩的結構分析表及說明，參見陳師滿銘：〈論章法「多、二、一（0）」結構的節奏與韻律〉，《國文學報》第 33 期（2003 年 6 月），頁 107-108。

278 見《山水詩歌鑑賞辭典》（北京市：中國旅遊出版社，1989 年 10 月），頁 226。

柳邊飛鞚，露濕征衣重。宿鷺窺沙孤影動，應有魚蝦入夢。

一川明月疎星，浣紗人影娉婷。笑背行人歸去，門前稚子啼聲。[279]

其結構分析表為：

- 圖（景）
  - 遠（飛馬）:「柳邊」二句
  - 近（宿鷺）:「宿鷺」二句
- 底（背景：高空－明月疎星）:「一川」句
- 圖（事）
  - 果（浣紗人笑歸）:「浣紗人」二句
  - 因（稚子哭）:「門前」句

這首詞的主旨是在寫農村生活的閒適及美好，稼軒的「意」並未明白道出，讀者只能由詞中的「景」或「事」，發揮審美創造的能力，才能發現稼軒隱藏在詞後所欲表達的閒適之情，十分含蓄有味。上片是第一個「圖」（景物），有柳、飛馬、作者（「征衣」）、鷺、魚蝦等，以由遠而近的空間縮小方式，將焦點聚集在鷺的身上，寫其入夢，正在彰顯博山道中春夜的靜謐恬適；下片開頭二句是「底」（背景），有明月及疎星，點出時間（夜）及天候（晴朗），並藉以烘托焦點，使上、下兩個「圖」更加鮮明，使整個畫面呈現立體的、流動的美感；最後二句是第二個「圖」（事件），有浣紗女「笑」及「回家」的動作，以及其稚子啼哭的事件。這些材料（景、事）之間的共同特點就是「美好」，稼軒透過他的眼睛，捕捉博山道中的農村美景及感人的鏡頭，組合成一幅令人賞心

[279] 見鄧廣銘：《稼軒詞編年箋注》（上海市：上海古籍出版社，1995 年 5 月，初版 2 刷），頁 171。

悅目的農村圖，因此，可以知道本篇無論是「景」或「事」等材料內容，彼此間都形成了調和性的關係，因此，全篇的顯性節奏，可說是陰柔的、沉靜的。

全詞的主旨雖在篇外，但必須由全體的觀照才能尋出主旨所在，因此，本篇的核心結構是在最上層的「圖、底、圖」（「陰、陽、陰」）結構，而且對全篇的韻律、風格有決定性的影響。此核心結構，屬「圖、底、圖」（「陰、陽、陰」）的轉位結構，其所造成的「力」的方向變化是往復的、雙向的，且「力」的強度變化是強烈的、陽剛的，因此形成了較為對比的、健壯的篇章韻律，雖然本詞是由調和性（材料）的結構所組成的，本應屬於純柔的風格、韻律，但因為核心結構的轉位作用，使得此詞在作者輕鬆愉悅的情意及轉位的邏輯思維的綰合下，不僅呈現出農村的「自然平淡之美」（柔），還展現出「整體性強，節奏明快」[280]（剛）的韻律風格；亦即表現了「柔中帶剛」的和諧美感。

綜合本節所述，我們可以從「變化美」、「對稱美」、「動態美」、「剛柔美」及「和諧美」等五方面來探討「章法變化律」（「移位」與「轉位」）的美感效果。就「變化美」言，章法的「移位」現象會呈現單純的、整齊的、秩序性的結構形式，形成秩序的變化美，給人簡潔、穩定、平和、清新的感受；而章法的「轉位」現象會呈現複雜的、參差的、多樣變化性的結構形式，形成參差的變化美，給人複雜、新奇、醒目、振奮的感受。就「對稱美」言，章法的「移位」現象會呈現「雙側對稱」的結構形式，形成在嚴整中有變化、在沉靜中有躍動的對稱美，而給人平衡和諧的感受；而章法的「轉位」現象會呈現「天平對稱」的結構形式，形成鮮明而多樣的對稱美，而給人「繁多的統一」之感。

---

280 詳見拙著：〈論稼軒「博山道中詞」篇章意象之形成及組合〉，《師大學報》第 50 卷第 1 期（2005 年 4 月），頁 53-54。

就「動態美」言，在「力」的朝單一方向的重複運動中，章法的「移位」現象會呈現「平移對稱」的動態結構形式，形成沉靜的節奏美；而在「力」的朝相反方向的往復運動中，章法的「轉位」現象會呈現「回轉對稱」的動態結構形式，形成鼓舞的節奏美。就「剛柔美」言，章法的「移位」現象會呈現「調和性」的張力變化，而形成偏於陰柔的美感，給人安靜和諧、優美沉靜等感受；章法的「轉位」現象會呈現「對比性」的張力變化，而形成偏於陽剛的美感，給人粗獷剛勁、鮮活健動等感受。就「和諧美」言，章法「核心結構」的「移位」現象會呈現「調和性」的節奏，而使得全篇的韻律偏於陰柔調和，呈顯出較優雅的和諧之美；章法「核心結構」的「轉位」現象會呈現「對比性」的節奏，而使得全篇的韻律偏於陽剛對比，呈顯出較健壯的和諧之美。

第七章
結論

本論文主要在建立辭章章法「變化律」的理論系統，因此，首要目標在於探究「變化律」在辭章章法的運用情形，並舉古典詩詞為例，來詳加闡明篇章章法結構在「移位」、「轉位」方面的變化實況，從而肯定了「變化律」在辭章章法運用上的重要地位。其次，再旁及於變化哲學的探源，以證明「變化律」實是人類共同的思想反映，而此思想其實是源自於對大自然運動規律的觀察結果，而且可以將之應用於各個領域。最後，從變化心理學的探討，明瞭辭章章法「變化律」產生的心理基礎，更有助於深入了解作者的寫作心理、使鑑賞者更易於掌握鑑賞途徑；此外，從變化美學的探究，比較、觀察到「移位」、「轉位」結構所造成的不同的美感效果，不僅再次地闡明了「變化律」在辭章章法上不可或缺的重要性，還使得章法「變化律」的理論系統更臻於完整。以下即分別敘述本論文的結論：

一　變化律的哲學義涵

章法學所欲探求的，就是辭章的條理或結構，而其所運用的思維方式，即是對應於自然規律的邏輯思維，也就是客觀事物本質關係的反映。反過來說，人類觀察自然界客觀事物的變化、宇宙生成變動的現象，而建立了哲學之理，這個「理」，即是規律，亦可投射於文學、藝術等範疇，如進一步將此文學之理落在「章法」上來說，則是「章法」之理，那就是：秩序、變化、聯貫、統一。而這「秩序」、「變化」、「聯貫」及「統一」四大律，不僅是章法之理，更是來自於宇宙自然的萬物運動變化之理。

整個宇宙由一股動力推動著，萬事萬物經由運動變化的開展而形成秩序，並建立聯貫關係，終而達到統一和諧之境。而在這運動變化的歷程中所形成的「移位」與「轉位」現象，即為所謂的「秩序律」及「變化律」，無論是中國古代的思想家，或是西方古代的哲人，都極為重視這些變化規律，本論文即從中國古代的哲學寶典《周易》（含《易傳》）及《老子》為考察對象，並結合西洋相關哲學學說，來探討「移位」及「轉位」的宇宙變化歷程，為章法「變化律」（廣義的「變化律」含「秩序律」）尋得了哲學上的根源及理論依據。

就「變化」的發生來看，《周易》（含《易傳》）的作者觀察到現行世界有著「日月運行」（《周易》〈繫辭上〉）、「四時成歲」的規律變化，體會到宇宙萬物「變動不居」（《周易》〈繫辭下〉）、生生不已，於是用六十四卦、三百八十四爻的推衍，來象徵萬物在時間之流中演進的情況，其中用「易」、「道」或「太極」來統括「陰」（坤）與「陽」（乾），作為萬物發生、變化的根源；如果更具體地說，宇宙萬物生成變化的根源，實是由於「陰」、「陽」兩種對立性質相互作用的結果，因此在《周易》（含《易傳》）中，可以看見許多因「二元對立」而發生變化的說法。《老子》與《周易》（含《易傳》）一樣，以「道」為一切發展變化的動力和主宰者，認為「道」是現象世界得以成立的理據，天地萬物都由它而得以變化、生成。「道」的性質是「無」與「有」的統一：「道」的自身可視為「無」，是一能實生而實現萬物之「有」的「混成之道」，它不等於「零」，而是天地萬物所以生之總原理，是創生宇宙萬物的一種基本動力；它也可視為「有」，代表著萬物由無而有的形氣之始，是一種尚未有分化的存在，是道體分化成萬物「由無形而有形」、「由一而多」過程的起點。至於「道」的變化動力，與《周易》（含《易傳》）相似，也是來自於其內部「陰」、「陽」二元對待面的聯繫；如果更具體地說，宇宙生成、變化的根源──「道」，是由「道」本身「自化」（《莊子》〈秋水〉）而來的，其自身具有變化的潛能，這個潛能就是其內部的「陰」、「陽」二元對待。同樣地，西方哲人從觀察紛雜的自然萬象中，也產生類似的宇宙變化觀，例如：阿納克西曼得（Anaximander, 610 ？ -546 ？ B.C.）指出自然界是晝夜、醒睡、生死等對立、相互作用的生成過程；畢達哥拉斯（Pythagoras, 570-469 B.C.）甚至列舉了十對對立物，即：「有限與無限，奇與偶，一與多，右與左，陽與陰，靜與動，直與曲，明與暗，善與惡，正方與長方等；至於赫拉克里特斯（Herakleitos, 544-484 B.C.）與安培鐸克爾（Empedocles, 495-435 B.C.）也都主張世界萬物是由相反二原素構合而成，與中國哲人一樣有著「二元對待」的觀念。古希臘時代的變動宇宙觀，到了德國觀念論的學者手中，有了更大的發揮，其中黑格爾（Georg Wilhelm Friedrich Hegel, 1770-1831 A.D.）在《小邏輯》中認為「變易」是「有」與「無」的統一，與《老子》的「道」有異曲同工之妙，他在《大邏輯》中還主張「矛盾」是一切運動和生命力的根源。由此可見，中、西方關於萬物生成、變化的發生哲學，實有其相通之處。

就「移位」的變化歷程來看，《周易》（含《易傳》）的作者對客觀事物的變化生成進行觀察，發現事物在變化過程中會產生向對立面轉化的「移位」現象，也就是由盈到虛，由虛而盈；由盛到衰，由衰而盛，發展至極而後轉向其對立面的現象，因而得到「物極必反」的辯證思想。同時以六畫卦來做為事物運動變化的模式，通過「爻位」的升降、移動，而呈現出由低級到高級、由微入顯的「順向移位」，及「物極必反」、當事物發展到了頂點時，就沒有前途，而要向它的反面轉化的「逆向移位」等運動變化的歷程。其次，在《周易》的卦序上，也展現出相反相生的順向移位及逆向移位的變化歷程。最後，從〈序卦〉中對整體卦象排序的說明，更可具體看出順、逆向移位的變化思想。在《老子》書中也有不少與《周易》（含《易傳》）相應的說法。所謂「反者道之動」（四十章），「道」是萬有發生、運動、變化的規律：就萬有的發生而言，「道」顯現了從「無」到「有」的順向移位及從「有」返「無」的逆向移位歷程；就萬有的運動變化而言，「道」的運動變化所依循的規律為「反」，即「相反相成」、「正反互轉」之義。又說：「有無相生，難易相成」，認為任何事物都是在相反中產生，在相依中存在、變化、發展，且發展到了頂點，就向其對立面轉化。其中「相生」就是順向移位，而由相反而「相成」就是逆向移位。上述有關變化歷程中發生的移位現象，在西洋學說中也可看見：赫拉克里特斯（Herakleitos, 544-484 B.C.）以火為原質，由火生地的方向下降，從地變水，再變化而為各種凝固的物體，形成「順向移位」；而大地物質會向上變化而復為天火，形成「逆向移位」；明白指出事物在變化歷程中，會由順向的移位發展而抵達極端，在內在發生矛盾、超出當下的存在，再向對立面轉化，而產生逆向移位的現象。黑格爾在《邏輯學》一書中，還明確指出變化的兩個方向是相反的，即發生與消滅，其中由「無」過渡到「有」（發生），即事物產生、發展的順向歷程，而由「有」到「無」（消滅），即事物消失、向對立面轉化的逆向歷程。這種關於「變化」歷程的闡述，與中國哲學《周易》（含《易傳》）、《老子》等思想有相通相似之處。

就「轉位」的變化歷程來看，《周易》（含《易傳》）的作者透過長久的觀察，發現事物的變化似依循著一定的規則而循環不已，這規則就是由產生、發展、遞進、轉化等「順逆相錯」的移位過程，這種歷程類似四時的變化，在一往一來的移位之間形成「轉位」，呈現出終而復始、永遠不停止的循環現象。於是，《周易》（含《易傳》）以爻與爻間相生相反的「轉位」變化，形成小循環；再擴展這種變化到卦，以卦與卦間相生相反的「轉位」變化，形成大循環，來顯現宇宙間萬物萬事周流不已、循環往復的轉位變化。值得注意的是，這種循環，並非「事事重復」，而是一種「螺旋式的生成」。《老子》也有相應的說法，同樣地重視運動的變化觀，所謂「反者道之動」（四十章），不僅是指出「物極必反」、「相反相成」的變化規律，其中「反」還可解為「返」，有「返本歸根」、「循環交變」之義，可知，循環往復也是宇宙萬物運動變化的特點，「道」的運動方向必須朝「反」面，並且作周而復始的、否定再否定的螺旋式上升的進程，才能循環不息，以混成始，亦以混成終。整個宇宙變化生成的歷程，在「無→有→無」的互動循環中，形成了「大轉位」的現象。就個別事物的運動發展言，在「反」的作用下，變化到了極限，也會向對待的一方轉化，在一往一復、一順一逆之際，形成了「轉位」現象。在西洋學說中也有類似的說法：阿納克西曼得（Anaximander, 610 ？ -546 ？ B.C.）提出始基是萬物復歸的想法，認為始基不但產生萬物，萬物亦復歸於始基；赫拉克里特斯（Herakleitos, 544-484 B.C.）也認為宇宙的普遍生命，是一個生滅循環不息的變化歷程。至於黑格爾所提出的變化歷程則是「有→無→有」，儘管其「有」「無」相互轉換的順序與中國道家的主張正好相反，但是他們都不約而同地主張無往不復的「轉位」循環觀，是值得留意的課題。

綜合以上有關中西方變化哲學的論述，可知古代哲人在面對紛紜萬狀的現象界時，孜孜不倦地觀察、探索，由「有象」（現象界）以探知「無象」（本體界），再由「無象」（本體界）以解釋「有象」（現象界），如此一順一逆、往復驗證，終於形成了他們的宇宙人生觀。雖然各家的觀點各有所見，但若自求同的角度來看，皆可以從「一（0）、二、多」（順）與「多、二、一（0）」（逆）二者因互動、循環而提昇的螺旋結構來加以統合。其中，宇宙萬物由「一」而化生萬物的順向歷程，就可以用「一、二、多」的結構來呈現；而由人（人事）、物而天（天道）的逆向歷程，就可以用「多、二、一」的結構來呈現。這種「多、二、一（0）」的螺旋結構，反映了宇宙萬物生成、變化的順、逆向「移位」

（合順、逆以成「轉位」）歷程，其實也可運用於事事物物之上，例如美學、文學等等範疇，不必僅局限在哲學的領域之內。

二　變化律形成的章法結構類型

變化律，是宇宙自然的規律之一，宇宙間一切的事物莫不在變易之中；人類長期觀察自然界變動的現象後，抽繹出移位及轉位的「變化之理」，再透過人之「心」，將此「理」（規律）投射到哲學、藝術、文學等領域，而辭章章法的變化律，也就因此而產生。

藉由「變化律」（「移位」與「轉位」）的運用，可以將辭章材料作秩序性及參差性等多樣的安排，使得近四十種章法（如今昔法、久暫法、遠近法、內外法、左右法、高低法、大小法、視角變換法、時空交錯法、狀態變換法、知覺轉換法、本末法、淺深法、因果法、眾寡法、並列法、情景法、論敘法、泛具法、空間的虛實法、時間的虛實法、假設與事實法、凡目法、詳略法、賓主法、正反法、立破法、抑揚法、問答法、平側法、縱收法、張弛法、插敘法、補敘法、偏全法、點染法、天人法、圖底法、敲擊法等）能夠再加以變化，而形成了各式各樣的章法結構類型，主要可分為「移位結構類型」及「轉位結構類型」兩大類。

所謂「移位」，是指將辭章材料加以秩序性的整齊安排。任何章法依循此秩序性的「變化律」，經由「移位」的過程而形成其先後順序，會造成如「先昔後今」（順向移位）、「先今後昔」（逆向移位）、「先近後遠」（順向移位）、「先遠後近」（逆向移位）等的「移位」結構。這些經由「順向」或是「逆向」的「移位」所形成的結構，約有八十種類型，是隨處可見的章法結構。

所謂「轉位」，是指將辭章材料加以往復變化的參差性安排。任何章法依循此往復性的「變化律」，經由「轉位」的過程而形成其順向、逆向交錯的往復效果，會造成如「昔、今、昔」、「今、昔、今」、「近、遠、近」、「遠、近、遠」等的「轉位」結構。這些經由順、逆向交錯往復的「轉位」所形成的結構，約有八十種類型，是隨處可見的章法結構。

本論文舉古典詩詞為例，具體揭示出依「變化律」(含「移位」、「轉位」) 所形成的重要結構類型及其美感效果，由此闡明「變化律」實為形成章法多樣結構類型的重要規律。

三　變化律在章法四大律中的重要性

「秩序」、「變化」、「聯貫」(局部)、「統一」(整體)，是章法的四大律。其中「秩序」、「變化」、「聯貫」三者，主要是著重在個別材料（景、事）的佈置，來梳理各種章法結構，是偏於分析的思維；而「統一」主要是著眼於情、理的表出或材料的統合，以表現可貫穿全篇的主旨或綱領，是偏於綜合的思維。

更具體地說，「秩序律」是將辭章材料依序加以安排的規律，任何章法皆可依循此律、經由順向或逆向移位而形成秩序性的結構；「變化律」(狹義) 是將辭章材料的次序加以參差安排的規律，任何章法都可以依循此律、經由轉位而造成拗向陽或拗向陰的變化性結構。此二種規律，又可合併而成廣義的「變化律」，也是本論文題目所採取的定義。至於「聯貫律」則是指任何章法，都可以由局部材料的「調和」或「對比」的關係，形成銜接或呼應，而達到聯貫的效果；「統一律」則是指一篇辭章由主旨或綱領發揮統攝的力量，而達成全篇材料與情意的「統一」和諧，進而使文章產生最大的說服力及感染力量。

「變化律」在四大律中佔有極基礎而必要的地位：依秩序律所造成的「移位」及依變化律（狹義）所造成的「轉位」，是作者組織材料的變化歷程，也是各種章法結構形成時必然出現的歷程，其多樣的變化組合，使得章法結構展現出豐富的樣貌及美感；鑑賞者也可經由章法結構的探析而深入文章的底蘊，掌握篇章的主旨及達到再創造的境界。變化律，可說是四大律應用於辭章章法時運動變化的重要基礎，唯有在「變化律」的組織、變化之下，辭章材料方能形成結構、造成「移位」或「轉位」，然後聯貫律、統一律方始發揮其功用，從而在核心結構徹上徹下的聯絡照應下，凸顯出主旨，表現出篇章的風格、韻律、氣象及美感。

四　變化律在章法結構（多、二、一（0））中的重要性

「變化律」（含「秩序律」）是形成章法結構的基本規律，也是造成章法結構類型多樣變化的重要規律，更是章法結構呈現出各種美感效果的主要因素，因此屬於章法「多、二、一（0）」結構中的「多」。就「秩序」性的變化而言，篇章的材料會經由順向移位的變化，而造成「先正後反」、「先凡後目」、「先立後破」、「先點後染」……等約四十種「順向移位結構」；或是經由逆向移位的變化，而造成「先反後正」、「先目後凡」、「先破後立」、「先染後點」……等約四十種「逆向移位結構」。就「參差」性的變化而言，篇章的材料會經由轉位的變化，而造成「正、反、正」、「反、正、反」、「目、凡、目」、「凡、目、凡」、「立、破、立」、「破、立、破」、「點、染、點」、「染、點、染」……等約八十種「轉位結構」。合而言之，章法的變化律，可以形成「移位結構」（含順向與逆向）和「轉位結構」多達約一百六十種的結構類型，因此，是一種「多樣對待」的條理，是章法結構類型及其美感多樣變化的重要規律，在章法「多、二、一（0）」結構中屬「多」的位置，具有不容忽視的基礎地位。

五　變化律的心理基礎

變化律，是宇宙自然的規律之一，宇宙間一切的事物莫不在變易之

中；人類長期觀察自然界變動的現象後，抽繹出移位及轉位的「變化之理」，再透過人之「心」，將此「理」（規律）投射到哲學、藝術、文學等領域，而辭章章法的變化律，也就因此而產生了。由此可知，人之「心理活動」，是文學作品反映創作者對自然感知的重要中介，研究章法變化律的文學現象及美感效果，自然少不了對其心理基礎的探討。掌握了章法變化律的心理基礎，一方面可以更深入理解創作者創作的心理，從而更易於把握篇章創作的邏輯思維及其章法結構；甚至於在心理層面的刺激之下，可作為鑑賞之後，再創作的心理動力。

我們可以從「變化哲學」的心理定勢、「異質同構」的心理感應及「平衡原則」的心理需求三方面來探討「章法變化律」發生的心理基礎：「變化律」，是人們觀察宇宙客觀事物抽象而得的變化規律，在長期的社會發展及文化生活中，這個「變化哲學」已牢牢「積澱」在人類的心中，而形成審美活動發動前的「心理定勢」，使得創作者及鑑賞者能更迅速、完整、輕鬆地把握辭章材料的審美特性及其相互關係，而將「變化哲學」中移位轉位的思維投射到作品中，從而形成或探察出章法移位轉位的變化現象；依格式塔心理學派，我們還可從「異質同構」的理論來解釋「章法變化律」的發生心理：物理世界中移位轉位所造成的「力」的結構及變化，與人類心理世界的神經系統中「力」的結構契合，人心遂起「同構」的感應，而有「章法變化律」的審美注意；同時，人類對「平衡」的心理需求，也是「章法變化律」發生的心理基礎：無論是創作者或鑑賞者，基於對「平衡」的心理需求，會有意識地去捕捉那維持著心理平衡的心理節奏（一張一弛、循環往復），並以之為據，去表現或感受審美對象的節奏，因而形成或體驗出一張（逆向移位）、一弛（順向移位）、循環往復（轉位）的章法節奏。

如果分別就章法移位、轉位現象來看，則「章法移位現象」乃辭章材料的有序組合（順向或逆向），是基於人類求和諧、求同、求秩序的心理需要；而「章法轉位現象」乃辭章材料的參差組合（順向加逆向），比移位更具變化，是基於人類求異、求新、求刺激、求變化的心理需要。至於章法移位轉位現象交錯發生的情形，則是人類審美聯想自由跳躍的結果，其實，無論是章法的移位、轉位或移位轉位交錯現象，「聯想」，都是其不可或缺的、重要的心理機制。

六　變化律的美學特色

章法結構，尤其是變化的章法結構，是一種結合了內容的、富有生命暗示和表現力量的形式美，因此，研究章法結構的形式美，不僅可以更深一層探知篇章的內容主旨如何被更好地「表現」出來，還可在審美心理的活動過程中體驗出對文章再創造的感動，並從中獲得精神的愉悅。

喬治・森塔亞納（George Santayana）認為「同樣的材料以不同的方式結合在一起，會造成極不同的審美效果」，而辭章章法講求的就是辭章材料的結合方式；章法變化律，就是指將辭章材料加以秩序性結合或往復變化的結合安排，因此，運用「變化律」的邏輯思維在辭章材料上，就可以形成篇章的「移位結構」及「轉位結構」，而呈現出秩序與變化、並列與凸出、平移與回轉、調和與對比、優雅與健壯的形式美，從而使人充分感受到變化美、對稱美、動態美（節奏美）、剛柔美以及和諧美等等的審美效果。本論文即針對這五種形式之美，分別就「移位」與「轉位」的美感效果，加以舉例並比較說明。

就「變化美」言，章法的「移位」現象會呈現單純的、整齊的、秩序性的結構形式，形成秩序的變化美，給人簡潔、穩定、平和、清新的感受；而章法的「轉位」現象會呈現複雜的、參差的、多樣變化性的結構形式，形成參差的變化美，給人複雜、新奇、醒目、振奮的感受。就「對稱美」言，章法的「移位」現象會呈現「雙側對稱」的結構形式，形成在嚴整中有變化、在沉靜中有躍動的對稱美，而給人平衡和諧的感受；而章法的「轉位」現象會呈現「天平對稱」的結構形式，形成鮮明而多樣的對稱美，而給人「繁多的統一」之感。

就「動態美」言，在「力」的朝單一方向的重複運動中，章法的「移位」現象會呈現「平移對稱」的動態結構形式，形成沉靜的節奏美；而在「力」的朝相反方向的往復運動中，章法的「轉位」現象會呈現「回轉對稱」的動態結構形式，形成鼓舞的節奏美。就「剛柔美」言，章法的「移位」現象會呈現「調和性」的張力變化，而形成偏於陰柔的美感，給人安靜和諧、優美沉靜等感受；章法的「轉位」現象會呈現「對比性」的張力變化，而形成偏於陽剛的美感，給人粗獷剛勁、鮮活健動等感受。就「和諧美」言，章法「核心結構」的「移位」現象會呈現「調和性」的節奏，而使得全篇的韻律偏於陰柔調和，呈顯出較優雅的和諧之美；章法「核心結構」的「轉位」現象會呈現「對比性」的節奏，而使得全篇的韻律偏於陽剛對比，呈顯出較健壯的和諧之美。

綜合言之，變化律在章法運用的重要性，可以從三方面的對應來觀察，首先從「宇宙規律」的對應來看，可知變化律為人類觀察大自然的運動變化之後，心理上的共通反映，因此中西方哲人皆有類似的哲學思想；也是作家們構思謀篇時皆有的邏輯思維及心理基礎，可以從心理學方面探得其究竟。其次，從「章法結構」與「章法規律」的對應來看，變化律（含秩序律）是形成各種章法結構類型的重要規律；與章法的聯貫律、統一律等相互為用，而成章法的重要規律之一。再次，從「章法美學」的對應來看，變化律是形成各種章法結構美感的重要規律，其中「移位」與「轉位」又因「力」的方向及強度（勢）的不同，而呈顯出不同的美感效果，更為章法結構之美增添多樣的姿態。

重要參考書目

一　專著

（一）章法學研究專著

仇小屏撰　《篇章結構類型論》　臺北市　萬卷樓圖書公司　2000年2月初版

江錦玨撰　《詩詞義旨透視鏡》　臺北市　萬卷樓圖書公司　2001年9月初版

吳應天撰　《文章結構學》　北京市　中國人民大學出版社　1989年8月1版3刷

張會恩、曾祥芹主編　《文章學教程》　上海市　上海教育出版社　1995年第1版第1刷

陳師滿銘撰　《章法學新裁》　臺北市　萬卷樓圖書公司　2001年1月初版

陳師滿銘撰　《章法學綜論》　臺北市　萬卷樓圖書公司　2003年6月初版

陳師滿銘撰　《章法學論粹》　臺北市　萬卷樓圖書公司　2002年7月初版

陳師滿銘撰　《篇章結構學》　臺北市　萬卷樓圖書公司　2005年5月初版

鄭頤壽主編　陳師滿銘名譽主編　《大學辭章學》　福州市　福建人民出版社　2004年12月第1版第1刷

（二）詩、詞、文評及一般文學理論專著

方東樹撰　《方東樹評古詩選》　臺北市　聯經出版公司　1975年5月初版

方東樹撰　《昭昧詹言》　臺北市　廣文書局　1962年版

王夫之撰　《薑齋詩話》　收於王夫之等撰《清詩話》　臺北市　西南書局　1979年11月初版

王長俊撰　《詩歌意象學》　合肥市　安徽文藝出版社　2000年8月1版1刷

王國維撰　《人間詞話》　臺北市　三民書局　2000年5月再版

王葆心撰　《古文辭通義》（下冊）　臺北市　臺灣中華書局　1984年4月台二版

王熙元、曾永義撰　《詩詞曲賞析》　臺北市　國立空中大學　1990年4月初版

朱學瓊撰　《劍花詩研究》　臺中市　台灣省文獻委員會　1990年5月版

艾德格．羅勃茲（Edgar V. Roberts）撰　《文學的寫作主題》（*Writing Themes About Literature*）　臺北市　文鶴出版公司　1980年6月初版

吳闓生撰　《古今詩範》　臺北市　臺灣中華書局　1971年9月台2版

宋廷虎等編　《修辭新論》　上海市　上海教育出版社　1988年1版

李　浩撰　《唐詩的美學闡釋》　合肥市　安徽大學出版社　2000年4月1版1刷

李嘉德撰　《連雅堂詩詞評介》　臺北市　大中國圖書公司　1962年1月初版

沈　雄撰　《古今詞話．詞品》下卷　收於唐圭璋編　《詞話叢編》　臺北市　新文豐出版公司　1988年2月台一版

周振甫撰　《文學風格例話》 上海市　上海教育出版社　1989年7月1版1刷

周振甫撰　《詩詞例話》 卷二寫作編　臺北市　五南圖書出版公司　1994年5月初版1刷

邱師燮友撰　《中國歷代故事詩》 臺北市　三民書局　1969年4月初版2刷

邱師燮友撰　《品詩吟詩》 臺北市　東大圖書公司　1991年8月2版

邱師燮友撰　《童山詩論卷》 臺北市　萬卷樓圖書公司　2003年初版

俞平伯撰　《俞平伯詩詞曲論著》 臺北市　長安出版社　1986年4月校訂新版

俞平伯撰　《讀詞偶得》 附於《唐宋詞選釋》 臺北市　木鐸出版社　1981年5月再版

胡　仔撰　《苕溪漁隱叢話》（前集） 臺北市　長安出版社　1978年12月初版

倪其心撰　《唐詩大觀》 香港　商務印書館香港分館　1986年1月香港1版2刷

唐圭璋編　《詞話叢編》 臺北市　新文豐出版社　1988年2月台1版

唐玲玲撰　《東坡樂府研究》 成都市　巴蜀書社　1993年2月1版

夏之放撰　《文學意象論》 汕頭市　汕頭大學出版社　1993年12月初版

夏承燾撰　《唐宋詞欣賞》 臺北市　文津出版社　1983年10月版

徐中玉撰　《蘇東坡文集導讀》 成都市　巴蜀書社　1990年6月1版1刷

徐北文主編　《李清照全集評注》 濟南市　濟南出版社　1992年1版3刷

袁行霈撰　《中國詩歌藝術研究》 臺北市　五南圖書出版公司　1989

年5月台灣初版
馬茂元撰　《古詩十九首探索》 臺北市　純真出版社　1982年9月版
涂光社撰　《因動成勢》 南昌市　百花洲文藝出版社　2001年10月1版1刷
張少康撰　《中國古代文學創作論》 臺北市　文史哲出版社　1991年6月初版
張春榮撰　《修辭散步》 臺北市　東大圖書公司　1993年9月9版
張春榮撰　《詩學析論》 臺北市　東大圖書公司　1987年11月初版
陳　沆撰　《詩比興箋》 臺北市　鼎文書局　1979年2月初版
陳本益撰　《漢語詩歌的節奏》 臺北市　文津出版社　1994年8月初版
陳昌明撰　《緣情文學觀》 臺北市　臺灣書店　1999年11月初版
陳師弘治撰　《唐宋詞名作析評》 臺北市　文津出版社　1988年10月5版
陳師滿銘撰　《國文教學論叢》 臺北市　萬卷樓圖書公司　1998年4月初版4刷
陳師滿銘撰　《詞林散步——唐宋詞結構分析》 臺北市　萬卷樓圖書公司　2000年元月初版
陳師滿銘撰　《蘇辛詞論稿》 臺北市　文津出版社　2003年8月初版1刷
陳祖美撰　《李清照評傳》 南京市　南京大學出版社　2002年5月1版3刷
陳慶輝撰　《中國詩學》 臺北市　文史哲出版社　1994年12月初版
傅庚生撰　《中國文學欣賞舉隅》 臺北市　國文天地雜誌社　1990年4月初版
黃文吉撰　《中國詩文中的情感》 臺北市　臺灣書店　1998年初版

黃文吉撰　《北宋十大詞家研究》 臺北市　文史哲出版社　1996年3月初版
黃文吉撰　《宋南渡詞人》 臺北市　臺灣學生書局　1985年初版
黃永武撰　《中國詩學——設計篇》 臺北市　巨流圖書公司　1999年9月初版12刷
黃美玲撰　《連雅堂文學研究》 臺北市　文津出版社　2000年5月初版1刷
黃師麗貞撰　《詞壇偉傑李清照》 臺北市　國家出版社　1996年11月初版1刷
楊匡漢撰　《詩學心裁》 西安市　陝西人民出版社　1995年7月1版1刷
葉嘉瑩撰　《迦陵論詞叢稿》 臺北市　明文書局　1981年初版
葉嘉瑩撰　《唐宋名家詞賞析》 臺北市　大安出版社　1988年12月初版
葉嘉瑩撰　《唐宋詞十七講》 臺北市　桂冠圖書公司　1992年4月初版1刷
葉嘉瑩撰　《唐宋詞名家論集》 臺北市　正中書局　1990年1月台初版2刷
葉嘉瑩撰　《靈谿詞說》 臺北市　國文天地雜誌社　1989年12月初版
趙山林撰　《詩詞曲藝術》 杭州市　浙江教育出版社　1998年6月1版1刷
劉　瑜撰　《莫道不銷魂——李清照作品賞析》 臺北市　德威國際文化公司　2002年8月初版1刷
劉師培撰　《漢魏六朝專家文研究》 臺北市　臺灣中華書局　1982年3月台5版
劉勰著　王師更生注譯　《文心雕龍讀本》 臺北市　文史哲出版社

1983年11月初版
劉冀、魯晉撰　《翹楚之吟——先秦兩漢詩歌卷》　西安市　陝西人民教育出版社　1996年7月1版2刷
蔣伯潛撰　《中學國文教學法》　臺北市　泰順書局　1972年5月再版
蔡師宗陽撰　《文燈：文章法作法講話》　臺北市　國語日報出版部　1992年11版
蔡師宗陽撰　《修辭學探微》　臺北市　文史哲出版社　2001年初版
蔡崇名撰　《中學國文教學析論》　臺北市　學海出版社　1981年5月初版
蔡崇名撰　《中學國文教材及教學法》　臺北市　學海出版社　1978年版
糜文開、裴普賢撰　《詩經欣賞與研究》　臺北市　三民書局　1982年4月修正3版
顏崑陽撰　《古典詩文論叢》　臺北市　漢光文化事業公司　1987年3月2版
羅曼·英加登（Roman Ingarden）撰　陳燕谷、曉未譯　《對文學的藝術作品的認識》　臺北市　商鼎文化出版社　1991年初版
蘇珊·朗格撰　劉大基等譯　《情感與形式》　臺北市　商鼎出版社　1991年10月台初版

（三）詩、詞、文集

毛亨傳　鄭玄箋　孔穎達疏　《毛詩正義》　臺北市　藝文印書館　1989年11版
王景霓、湯擎民、鄭孟彤編著　《漢魏六朝詩譯釋》　哈爾濱市　黑龍江人民出版社　1997年1月1版2刷
白居易撰　《白氏長慶集》　臺北市　藝文印書館　1971年2月初版

白居易撰　《白居易集》　臺北市　漢京文化事業有限公司　1984年3月初版

朱　熹撰　《朱文公文集》　臺北市　臺灣商務印書館　1980年10月台一版

李白撰　楊齊賢注　蕭士贇補　郭雲鵬編　《李太白全集》　臺北市　世界書局　1997年5月2版1刷

李賀撰　曾益等注　《李賀詩注》　臺北市　世界書局　1996年7月初版6刷

李商隱撰　馮浩箋注　《玉谿生詩集箋注》　臺北市　里仁書局　1980年版

李清照撰　王延梯注　《漱玉集注》　濟南市　山東文藝出版社　1984年1月1版1刷

李清照撰　王學初校註　《李清照集校註》　臺北市　里仁書局　1982年5月初版

李清照撰　陳祖美釋評　《李清照詞新釋輯評》　北京市　中國書店　2003年1月1版1刷

杜甫撰　《杜工部集》　臺北市　臺灣學生書局　1967年5月初版

沈德潛箋注　《古詩源箋注》　臺北市　華正書局　1983年8月初版

汪中選注　《樂府詩選注》　臺北市　學海出版社　1979年5月初版

辛棄疾撰　劉坎龍注　《辛棄疾詞全集詳注》　烏魯木齊市　新疆人民出版社　2000年11月1版

辛棄疾撰　鄧廣銘箋注　《稼軒詞編年箋注》　上海市　上海古籍出版社　1995年5月1版2刷

周密撰　《蘋洲漁笛譜》　收於《叢書集成續編》　臺北市　新文豐出版公司　1984年初版

屈萬里撰　《詩經釋義》　臺北市　中國文化大學出版部　1983年11月

新2版
邱師燮友注譯 《新譯唐詩三百首》 臺北市 三民書局 2002年6月修訂4版4刷
柳永撰 《樂章集》 收於《叢書集成續編》 臺北市 新文豐出版公司 1984年初版
唐圭璋選編 《全宋詞簡編》 上海市 上海古籍出版社 1995年1月1版3刷
徐陵編 吳兆宜注 程琰刪補 穆克宏點校 《玉台新詠箋注》 臺北市 明文書局 1988年7月初版
晏幾道撰 《小山詞》 收於《叢書集成續編》 臺北市 新文豐出版公司 1984年初版
馬持盈註譯 《詩經今註今譯》 臺北市 臺灣商務印書館 1998年4月修訂版7刷
常國武選 《新選宋詞三百首》 北京市 北京人民文學出版社 2000年1月1版1刷
張夢機、張子良編 《唐宋詞選注》 臺北市 華正書局 1983年9月修訂6版
清聖祖御纂 《全唐詩》 上海市 上海古籍出版社 1996年11月1版14刷
連橫撰 《劍花室詩集》 南投市 台灣省文獻委員會 1992年3月版
郭茂倩編 《樂府詩集》 臺北市 里仁書局 1980年12月初版
陸游撰 雷瑨註釋 《箋註劍南詩鈔》 臺北市 文史哲出版社 1985年6月景印初版
陶潛撰 陶澍注 《陶靖節集注》 臺北市 世界書局 1999年2月2版1刷
賀鑄撰 《東山詞》 收於《叢書集成續編》 臺北市 新文豐出版公

司　1984年初版

黃庭堅撰　《山谷琴趣外篇》 收於《叢書集成續編》 臺北市　新文豐出版公司　1984年初版

楊家駱輯　《全唐五代詞彙編》 臺北市　世界書局　1971年1月再版

趙崇祚輯　李一氓校　《花間集》 臺北市　源流出版社　1982年8月初版

蕭統編　李善、呂延濟、劉良、張銑、李周翰、呂向註　《增補六臣註文選》 臺北市　華正書局　1981年5月版

韓崢嶸譯注　《詩經譯注》 臺北市　建安出版社　1997年初版1刷

顏崑陽編　《蘇辛詞》 臺北市　臺灣書店　1998年3月初版

蘇軾撰　陳邇冬選　《蘇軾詞選》 香港　三聯書店　2000年7月1版1刷

蘇軾撰　鄒同慶、王宗堂校註　《蘇軾詞編年校註》 北京市　中華書局　2002年9月1版1刷

蘇軾撰　龍榆生（龍沐勛）箋　《東坡樂府箋》 臺北市　華正書局　1978年9月初版

蘇軾撰　《東坡全集》 臺北市　世界書局　1996年2月初版7刷

（四）經、史、哲學研究專著

孔繁詩撰　《易象易數易理應用研究》 臺北市　晴園印刷公司　1997年7月再版

方東美撰　《生生之德》 臺北市　黎明文化事業公司　1982年12月4版

方東美撰　《原始儒家道家哲學》 臺北市　黎明文化事業公司　1983年9月初版

方東美撰　《哲學三慧》 臺北市　三民書局　1975年10月3版

王弼、韓康伯注　孔穎達正義　阮元校勘　《周易正義》　臺北市　臺灣中華書局　1965年台1版
王新華撰　《周易繫辭傳研究》　臺北市　文津出版社　1998年4月初版1刷
牟宗三主講　盧雪崑錄音整理　《周易哲學演講錄》　臺北市　聯經出版社　2003年初版
牟宗三撰　《中國哲學十九講》　臺北市　臺灣學生書局　1989年
牟宗三撰　《周易的自然哲學與道德函義》　臺北市　文津出版社　1998年8月初版2刷
余師培林撰　《老子：生命的大智慧》　臺北市　時報出版公司　1987年初版
余師培林譯　《新譯老子譯本》　臺北市　三民書局　1973年初版
吳怡譯　《新譯老子解義》　臺北市　三民書局　1994年2月初版
吳康撰　《西洋古代哲學史》　臺北市　臺灣商務印書館　1984年4月初版
吳汝鈞撰　《老莊哲學的現代析論》　臺北市　文津出版社　1998年6月初版1刷
宋志明等撰　《中國古代哲學研究》　北京市　中國人民大學出版社　1998年8月1版1刷
李耳撰　王弼注　陸費逵總勘　高時顯、吳汝霖輯校　《老子》　臺北市　臺灣中華書局　1992年11版2刷
李耳撰　王弼注　《老子王弼注》　臺北市　河洛圖書公司　1974年臺景印初版
李武林、譚鑫田、龔興主編　《歐洲哲學範疇簡史》　山東市　人民出版社　1987年版
李鼎祚撰　《周易集解》　臺北市　世界書局　1963年5月初版

李澤厚撰　《中國古代思想史論》　臺北市　風雲時代出版公司　1990年8月初版
宗白華撰　《宗白華全集》（2）　合肥市　安徽教育出版社　1994年12月1版2刷
易中天譯　《新譯國語讀本》　臺北市　三民書局　1995年11月初版
東海哲研所主編　《中國哲學與懷德海》　臺北市　東大圖書公司　1989年9月初版
林啟彥撰　《中國學術思想史》　香港　書林出版社　1994年1版4刷
姜國柱撰　《中國歷代思想史·先秦卷》　臺北市　文津出版社　1993年12月初版1刷
唐君毅撰　《中國哲學原論·原道篇》　臺北市　人生出版社　1968年
唐君毅撰　《中國哲學原論·導論篇》　臺北市　人生出版社　1966年3月初版
徐志銳撰　《周易陰陽八卦說解》　臺北市　里仁書局　1995年5月初版3刷
徐復觀撰　《中國人性論史·先秦篇》　臺北市　臺灣商務印書館　1978年10月4版
袁保新撰　《老子哲學之詮釋與重建》　臺北市　文津出版社　1991年9月初版
張立文撰　《中國哲學範疇發展史》（天道篇）　臺北市　五南圖書出版公司　1996年7月初版1刷
張立文撰　《中國哲學邏輯結構論》　北京市　中國社會科學出版社　2002年1月1版1刷
張岱年撰　《中國哲學大綱》　北京市　中國社會科學出版社　1982年版
陳鼓應撰　《老子今注今譯及評介》　臺北市　臺灣學生書局　1991年

10月初版
傅師武光撰　《中國思想史論集》　臺北市　文津出版社　1990年9月初版
傅師武光撰　《孔孟老莊思想的平等精神》　臺北市　文津出版社　1990年版
傅偉勳撰　《西洋哲學史》　臺北市　三民書局　1994年2月13版
勞思光撰　《中國哲學史》　香港　香港中文大學崇基學院　1980年11月3版
曾春海撰　《易經的哲學原理》　臺北市　文津出版社　2003年3月1刷
程石泉撰　《易學新探》　臺北市　黎明文化事業公司　1989年1月初版
馮友蘭撰　《中國哲學史新編》（第二冊）　臺北市　藍燈文化事業公司　1991年12月初版
馮友蘭撰　《馮友蘭選集》（上卷）北京　北京大學出版社　2000年1版1刷
黃釗校注　《帛書老子校注析》　臺北市　臺灣學生書局　1991年10月初版
黃師慶萱撰　《周易縱橫談》　臺北市　三民書局　1995年3月初版
黑格爾（G.W.Hegel）撰　賀麟譯　《小邏輯》　臺北市　臺灣商務印書館　1998年4月初版1刷
黑格爾（G.W.Hegel）撰　楊一之譯　《邏輯學》（下卷）（通稱《大邏輯》）　北京市　商務印書館　1991年12月1版6刷
黑格爾（G.W.Hegel）撰　《哲學史講演錄》（第一卷）　北京市　商務印書館　1997年2月
楊伯峻撰　《春秋左傳注》　臺北市　源流文化公司　1982年4月再版
鄔昆如撰　《西洋哲學史話》　臺北市　三民書局　2004年1月增訂2版

1刷
鄔昆如撰　《莊子與古希臘哲學中的道》　臺北市　臺灣中華書局　1972年5月初版
鄭喜夫撰　《連雅堂先生年譜》　南投　臺灣省文獻委員會　1992年3月版
錢志純撰　《理則學》　臺北縣　輔仁大學出版社　1986年7月3版
戴璉璋撰　《易傳之形成及其思想》　臺北市　文津出版社　1997年2月初版2刷
羅光撰　《中國哲學思想史》（一）　臺北市　先知出版社　1975年8月版

（五）美學、心理學研究專著

丁履譔撰　《美學新探》　臺北市　成文出版社　1980年2月版
大智浩撰　王秀雄譯　《美術設計的基礎》　臺北市　台隆書店　1975年版
王秀雄撰　《美術心理學：創造、視覺與造形心理》　臺北市　臺北市立美術館　1991年11月修訂版
王秀蘭撰　《色彩》　臺北市　臺灣省立師大教育學院家政系　1960年12月初版
王菊生撰　《造型藝術原理》　哈爾濱市　黑龍江美術出版社　2000年3月1版1刷
朱光潛撰　《文藝心理學》　臺北市　頂淵文化事業公司　2003年5月初版1刷
江才健撰　《規範與對稱之美——楊振寧傳》　臺北市　天下遠見出版公司　2002年11月1版3刷
呂清夫撰　《造形原理》　臺北市　雄獅圖書公司　1991年7月8版2刷

李元洛撰　《詩美學》　臺北市　東大圖書公司　1990年2月初版
李政道撰　《對稱與不對稱》　臺北市　牛頓出版公司　2001年2月初版
李澤厚撰　《李澤厚哲學美學文選》　臺北市　谷風出版社　1987年5月初版
李澤厚撰　《美的歷程》　臺北市　三民書局　2002年6月初版3刷
李澤厚撰　《美學四講》　天津市　天津社會科學院出版社　2001年11月1版1刷
李澤厚撰　《美學百題》　臺北市　丹青出版社　1987年初版
李薦宏、賴一輝撰　《造形原理》　臺北市　國立編譯館　1973年6月初版
佟景韓、易英主編　《現代西方藝術美學文選——造型藝術美學卷》　臺北市　洪葉文化公司　1995年2月初版1刷
周來祥、周紀文撰　《美學概論》　臺北市　文津出版社　2002年2月初版1刷
宗白華撰　《美從何尋》　臺北市　駱駝出版社　1987年8月初版
林書堯撰　《色彩認識論》　臺北市　三民書局　1983年9月4版
林書堯撰　《基本造形學》　臺北市　三民書局　1991年8月再版
林崇宏撰　《設計原理》　臺北市　金華科技圖書公司　1999年7月初版2刷
林崇宏撰　《造形、設計、藝術》　臺北市　田園城市文化公司　1999年6月初版
邱明正撰　《審美心理學》　上海市　復旦大學出版社　1993年4月第1版1刷
金健人撰　《小說結構美學》　臺北市　木鐸出版社　1988年9月初版
金開誠撰　《文藝心理學概論》　北京市　北京大學出社　1999年1月

第2版第1刷
威廉（William Hogarth）撰　楊成寅譯　《美的分析》　臺北市　丹青圖書公司　1986年3月台一版
柯慶明撰　《文學美綜論》　臺北市　長安出版社　1983年5月初版
約翰內斯・伊頓（Johannes Itten）撰　杜定宇譯　《色彩藝術》　上海市　上海人民美術出版社　1996年8月1版5刷
夏放撰　《美學：苦惱的追求》　福州市　海峽文藝出版社　1988年1版
庫爾特・考夫卡（Kurt Koffka）原撰　黎煒譯　《格式塔心理學原理》（上）　臺北市　昭明出版社　2000年7月1版1刷
徐壹鴻（Anthony Zee）撰　《可怕的對稱》（*Fearful Symmetry: the search for beauty in modern physics*），1999，New Jersey: Princeton University
高楠撰　《藝術心理學》　台南市　復漢出版社　1993年6月中文正體字版第1版第1刷
康丁斯基撰　吳瑪俐譯　《點線面》　臺北市　藝術家出版社　1985年9月版
張法撰　《中西美學與文化精神》　臺北市　淑馨出版社　1998年10月初版1刷
張紅雨撰　《寫作美學》　高雄市　麗文文化事業公司　1996年10月初版1刷
張涵主編　《美學大觀》　鄭州市　河南人民出版社　1988年1月1版2刷
曹冕撰　《修辭學》上海　商務印書館　1943年版
曹日昌主編　《普通心理學》（上冊）　北京市　人民教育出版社　1987年1版

陳從周等撰　《美學與藝術》　臺北市　木鐸出版社　1985年9月初版
陳望道撰　《美學概論》　收於《陳望道文集》（第二卷）　上海市　上海人民出版社　1980年5月1版1刷
陳望衡撰　《中國古典美學史》　長沙市　湖南教育出版社　1998年8月1版1刷
喬治・森塔亞納（George Santayana）撰　王濟昌譯　《森塔亞納美學箋註》　臺北市　業強出版社　1986年11月初版
彭修銀撰　《美學範疇論》　臺北市　文津出版社　1993年6月初版
彭聃齡主編　《普通心理學》　北京市　北京師範大學出版社　1993年12月第1版第5刷
曾霄容撰　《時空論》　臺北市　青文出版社　1972年3月1版
程兆熊撰　《美學與美化》　臺北市　明文書局　1987年10月初版
童慶炳撰　《中國古代心理詩學與美學》　臺北市　萬卷樓圖書公司　1994年8月初版
童慶炳主編　《現代心理美學》　北京市　中國社會科學出版社　1993年2月第1版第1刷
費曼（Richard P. Feynman）撰　陳芊蓉、吳程遠譯　《物理之美》（*The Character of Physical Law*）　臺北市　天下遠見出版公司　2002年2月1版24刷
費曼（Richard P. Feynman）撰　師明睿譯　《費曼的六堂Easy相對論》　臺北市　天下遠見出版公司　2002年4月1版5刷
黃永武撰　《詩與美》　臺北市　洪範書店　1984年12月初版
黃師慶萱撰　《修辭學》　臺北市　三民書局　2002年10月增訂3版1刷
黑格爾（G.W.Hegel）撰　朱孟實譯　《美學》（一）　臺北市　里仁書局　1981年5月初版
楊辛、甘霖撰　《美學原理》　臺北市　曉園出版社　1991年5月1版1刷

楊恩寰撰　《審美心理學》　臺北市　五南圖書出版公司　1993年11月初版1刷

葉太平撰　《中國文學之美學精神》　臺北市　水牛圖書出版公司　1998年7月初版

赫曼・外爾（Hermann Weyl）原撰　曹亮吉譯述　《對稱：美的科學闡述》（Symmetry）　臺北市　正中書局　1988年臺初版

劉　雨撰　《寫作心理學》　高雄市　麗文文化事業公司　1995年3月初版

劉文潭撰　《現代美學》　臺北市　臺灣商務印書館　2003年9月初版第19刷

劉昌元撰　《西方美學導論》　臺北市　聯經出版社　2000年7月2版5刷

劉思量撰　《藝術心理學》　臺北市　藝術家出版社　1992年元月2版

劉思量撰　《藝術與創造——藝術創作與欣賞之理論與實際》　臺北市　藝術家出版社　1989年5月版

劉熙載撰　《藝概》　臺北市　金楓出版社　1988年

歐陽周、顧建華、宋凡聖編　《美學新編》　杭州市　浙江大學出版社　2001年5月1版9刷

蔣孔陽撰　《美學新論》　北京市　人民文學出版社　1995年4月第1版第2刷

蔣孔陽等撰　《美與審美觀》　上海市　上海人民出版社　1987年5月初版

蔡儀撰　《新美學》　臺北縣　蒲公英出版社　1986年8月版

魯道夫・阿恩海姆（Rudolf Arnheim）撰　郭小平、翟燦譯　《藝術心理學新論》　臺北市　臺灣商務印書館　1998年1月臺灣初版3刷

魯道夫·阿恩海姆撰　滕守堯、朱疆源譯　《藝術與視知覺》　北京市　中國社會科學出版社　1984年第1版第1刷

魯道夫·阿恩海姆撰　滕守堯譯　《視覺思維——審美直覺心理學》　成都市　四川人民出版社　1998年3月第1版第1刷

錢谷融、魯樞元撰　《文學心理學》　臺北市　新學識文教出版中心　1990年9月台初版

藤呎英昭撰、林品章譯　《平面構成》　臺北市　六合出版社　1991年8月初版

蘇珊·朗格撰　滕守堯、朱疆源譯　《藝術問題》　北京市　中國社會科學出版社　1983年版

二　論文

（一）學位論文

陳佳君　《虛實章法析論》　臺北市　臺灣師範大學國研所碩士論文　2001年6月

蒲基維　《章法風格析論》　臺北市　臺灣師範大學國研所博士論文　2004年6月

劉　渼　《劉勰文心雕龍文體論研究》　臺北市　臺灣師範大學國研所博士論文　1998年5月

（二）期刊論文

仇小屏　〈論章法的移位、轉位及其美感〉　《辭章學論文集》（上冊）　福州市　海潮攝影藝術出版社　2002年12月1版1刷　頁105-110

方　非　〈「火」、「河流」與「戰爭」——赫拉克利特的變化觀新論〉

《長沙電力學院學報（社會科學版）》　第18卷第1期　2003年2月　頁16-18

王文顏　〈孔雀東南飛試析〉　收於《漢代文學與思想學術研討會論文集》　臺北市　文史哲出版社　1991年10月初版　頁143-160

王德勝　〈作為方法的對稱和非對稱〉　《自然辯證法研究》　第18卷第6期　2002年6月　頁10-14

白金銑　〈《周易》「位移性格」哲學初詮〉　《中國學術年刊》　臺北市　臺師大國文學系　第23期　2002年6月　頁1-34

朱振琪、許學東　〈《孔雀東南飛》的結構特色〉　《語文學刊》　內蒙古師大　1984年1月　頁34-35

尚美豐　〈從中西哲學比較角度看老子的本體論和變化觀〉　《江西社會科學》　第8期　1994年　頁36-38

徐克謙　〈論《易傳》和《老子》基本思想體系的一致〉　《江蘇社會科學》　第2期　1994年　頁83-86

徐應佩、周溶泉　〈婀娜多姿　哀婉動人——談樂府長詩《孔雀東南飛》〉　《昆明師院學報》　1期　1981年　頁81-84

張以仁　〈溫庭筠菩薩蠻詞的聯章性〉　收於《花間詞論集》　臺北市　中央研究院文哲所籌備處　1996年12月初版　頁122-135

陳師滿銘　〈文章主旨或綱領安置於篇腹的結構類型——以蘇辛詞為例〉　《蘇辛詞論稿》　臺北市　文津出版社　2003年8月初版1刷　頁199-218

陳師滿銘　〈章法的「移位」、「轉位」結構論〉　《師大學報》　人文與社會類　臺師大　第49卷第2期　2004年10月　頁1-22

陳師滿銘　〈章法風格論——以「多、二、一（0）」結構作考察〉　《成大中文學報》　臺南市　成功大學中文系　第12期　2005年7月　頁147-164

陳師滿銘　〈章法結構及其哲學義涵〉　《中國學術年刊》　臺北市　臺師大國文學系　第26期　2004年9月　頁67-104
陳師滿銘　〈談儒家思想體系中的螺旋結構〉　《國文學報》　臺北市　臺師大國文學系　第29期　2002年6月　頁1-34
陳師滿銘　〈論「多」、「二」、「一（0）」的螺旋結構——以《周易》與《老子》為考察重心〉　《師大學報：人文與社會類》　臺北市　臺師大　第48卷1期　2003年4月　頁1-20
陳師滿銘　〈論章法「多、二、一（0）」結構的節奏與韻律〉　《國文學報》　臺北市　臺師大國文學系　第33期　2003年6月　頁93-100
陳師滿銘　〈論幾種特殊的章法〉　《國文學報》　臺北市　臺師大國文學系　第31期　2002年6月　頁196-202
陸寶新　〈論圖案對稱律形式及其構成方法〉　《西北大學學報（哲學社會科學版）》　第33卷第2期　2003年5月　頁127-129
曾　雄　〈美術設計——對稱〉　《藝術家》　44卷2期　1997年2月　頁448-454
童山東　〈論人類語言對稱藝術的發生及形態〉　《中南民族學院學報（社會科學版）》　第1期　總第96期　1999年　頁84-88
楊振寧　〈對稱和物理學〉　《中國音樂》　第4期　1995年　頁14-15
劉光耀、孫麗萍　〈略論李清照詞的繪畫美〉　《中州學報》　總第136期　第4期　2003年7月　頁69-71
劉淑娟　〈長篇敘事詩《孔雀東南飛》解析〉　《吳 學報》　第9期　2001年5月　頁429-436
劉福智　〈從人體對稱到詩詞對仗——科學和藝術中的對稱美〉　《殷都學刊》　第2期　1996年　頁55-57
遲維東　〈黑格爾變化觀與莊子變化觀之比較〉　《烟台師範學院學報

（哲學社會科學版）》 烟台市　烟台師範學院　第19卷第1期　2002年3月　頁46-51；81
顏智英　〈東坡詞篇章結構探析——以黃州作《浣溪沙》五首為考察對象〉 《師大學報》 臺北市　臺師大　49卷2期　2004年10月　頁23-41
顏智英　〈姚鼐「復魯絜非書」之文學理論〉 《孔孟月刊》 第29卷第1期　1990年9月　頁22-26
顏智英　〈韋莊《菩薩蠻》聯章五首篇章結構探析〉 《中國學術年刊》 臺北市　臺師大國文學系　第26期　2004年9月　頁143-172
顏智英　〈從章法結構看易安相思詞的設色藝術〉 收於《陳滿銘教授七秩榮退誌慶論文集》 臺北市　萬卷樓圖書公司　2005年7月　頁508-534
顏智英　〈論《孔雀東南飛》的章法結構及其美感〉 《中國學術年刊》 臺北市　臺師大國文學系　第27期　2005年9月　頁143-170
顏智英　〈論《玉台新詠》中女子對鏡的意象〉 《東方人文學誌》 臺北市　文津出版社　第1卷第4期　2002年12月　頁35-49
顏智英　〈論連雅堂詩的時空設計藝術〉 投稿中
顏智英　〈論章法結構的「變化律」及其心理基礎〉 《興大人文學報》 臺中市　中興大學文學院　第36期（上冊） 2006年3月　頁325-362
顏智英　〈論稼軒「博山道中詞」篇章意象之形成及組合〉 《師大學報》 臺北市　臺師大　第50卷第1期　2005年4月　頁41-64
顏智英　〈論辭章章法的對稱性及其美感——以古典詩詞為例〉 《興大人文學報》 臺中市　中興大學文學院　第35期（上冊） 2005年6月　頁95-138
羅傑・弗萊（Roger Fry） 〈論美感〉 收於佟景韓、易英主編　《現

代西方藝術美學文選——造型藝術美學卷》　臺北市　洪葉文化公司　1995年2月初版1刷　頁307-308

蘇錫育　〈論普通話語音系統的對稱美〉　《韶關學院學報（社會科學版）》　第23卷第11期　2002年11月　頁82-83

國家圖書館出版品預行編目(CIP)資料

跨界章法學研究叢書
辭章章法變化律研究 ； 顏智英著.
許錟輝總策畫 ； 中華章法學會主編
-- 初版. -- 臺北市 : 萬卷樓, 2016.11
6冊 ; 17(寬)x23(高)公分
ISBN 978-986-478-033-4 (全套:精裝)
ISBN 978-957-739-951-9 (第1冊:精裝)

1.漢語 2.篇章學 3.文集

820.7607　　105018940

跨界章法學研究叢書

辭章章法變化律研究　ISBN 978-957-739-951-9

作　者　顏智英
總策畫　許錟輝
主　編　中華章法學會
出　版　萬卷樓圖書股份有限公司
總編輯　陳滿銘
發　行　萬卷樓圖書股份有限公司
發行人　陳滿銘
聯　絡　電話 02-23216565　傳真 02-23944113
　　　　網址 www.wanjuan.com.tw
　　　　郵箱 service@wanjuan.com.tw
地　址　106 臺北市羅斯福路二段 41 號 6 樓之三
印　刷　百通科技股份有限公司
初　版　2016 年 11 月
定　價　新臺幣 12000 元 全套六冊精裝 不分售

　新聞局出版事業登記證號局版臺業字第 5655 號